William Reymond

Coca-Cola, l'enquête interdite

Flammarion

Retrouvez *Coca-Cola, l'enquête interdite* sur Internet :
www.williamreymond.com

Coca-Cola, Coke, New Coke, Fanta, Orangina, Pepsi-Cola...
sont des marques déposées qui appartiennent
à leurs propriétaires respectifs.

© Éditions Flammarion, 2006.
ISBN : 2-08-068764-6

PROLOGUE

Atlanta, 16 février 1940.

L'ironie de la situation ne pouvait lui échapper. N'avait-il pas souvent noté que seules les décisions difficiles et les victoires obtenues aux lendemains de rudes batailles offraient un vrai sens à sa fonction ?

Mais cette fois, la donne était différente et l'opération risquée. Robert W. Woodruff hésitait.

Certes, il y avait le plan. Rien de bien spectaculaire, juste quelques lignes posées sur une banale feuille de papier. Une note blanche en fait, sans en-tête ni signature.

Et l'ensemble, vu du siège de la Compagnie, semblait tenir la route. Ou du moins, en donnait l'illusion.

Dans tous les cas, Woodruff était prêt à s'en convaincre.

Mais avait-il une autre alternative ?

*

Depuis bientôt un mois, les pensées du patron de The Coca-Cola Company étaient entièrement tournées vers l'Europe. Et cette fois-ci, il n'était pas question d'expansion mais de survie

Le 26 janvier, Woodruff avait en effet reçu deux courriers de Burke Nicholson. Deux plis qui débutaient par la mention « Confidentiel ».

Nicholson présidait The Coca-Cola Export Corporation, une entité de la marque dont le siège était installé dans le Delaware, État aux avantages fiscaux nombreux. Or l'Export se chargeait de donner vie à la vision de Woodruff : créer un monde repeint en rouge, l'historique couleur de la marque. À trente-trois ans, visionnaire et fort de sa jeunesse, Robert Woodruff comptait en effet révolutionner la Compagnie d'abord, le monde du business ensuite.

Depuis son arrivée à la tête de Coca-Cola en 1923, le Boss n'avait cessé de marteler ce leitmotiv : pour réussir, la boisson phare de la maison devait se trouver à portée de main du consommateur, à l'instant même où celui-ci ressentait le désir d'en boire. Dans cette optique, le marché intérieur américain constituait une première étape, Woodruff étant convaincu que l'avenir de Coke et la richesse de ses actionnaires passaient par la conquête de nouveaux marchés.

Certes, avant lui, Coca-Cola avait testé les eaux sombres et agitées de l'exportation, mais il s'était agi d'avancées timides, fruits de choix individuels et non coordonnés depuis Atlanta. Woodruff, lui, envisageait plutôt un effort massif, réfléchi et régulier. Une mondialisation de la marque avant même que le terme existe.

Mais, en lisant les deux lettres de Nicholson, le boss avait saisi que si le responsable de l'Export disait vrai, il pouvait tout perdre. Son poste à la tête de Coca-Cola, certes. Sa réputation, aussi. Mais il risquait surtout, dans sa chute, d'emporter la Compagnie elle-même.

*

Cela faisait quelque temps que Burke Nicholson redoutait le pire. Depuis Wilmington, en contact fréquent avec les embouteilleurs étrangers, il assistait des premières loges à l'embrasement de l'Europe. Il avait vu Hitler envahir la Pologne, Staline bombarder la Finlande, la France et l'Angleterre entrer en guerre. Non seulement le conflit risquait de durer mais en plus il semblait pouvoir s'étendre au monde entier. Or, ce monde entier-là représentait son territoire, ce pré carré qu'il rêvait habité de missionnaires de la marque apportant la sainte boisson aux peuplades en manque d'évangélisation coca-colienne.

Puis il y avait eu la décision britannique de placer l'Allemagne sous blocus, l'armement de la flotte marchande, les mines magnétiques et l'ordre d'Hitler donné à ses sous-marins de couler tout bateau anglais ou battant pavillon neutre. Nicholson n'ignorait rien, non plus, du torpillage des navires norvégiens, suédois, néerlandais et danois. Continuer le commerce dans ces conditions devenait périlleux.

Enfin, même si l'opinion américaine restait pour l'heure majoritairement non interventionniste, il avait noté combien la croisade de Charles Lindbergh portait préjudice à la cause neutraliste. À coups de déclarations maladroites, alors que le monde découvrait les prémices de l'horreur nazie en Pologne et Tchécoslovaquie, l'aviateur et ses fidèles [1] passaient peu à peu du rôle de pacifistes pro-américains à celui d'opportunistes trop proches du Führer [2].

Le 4 novembre, le patron de l'Export avait par ailleurs lu, dans la presse, l'amendement à la loi de Neutralité de 1935 porté par le président Roosevelt. Qui autorisait désormais les États-Unis à vendre des armes « aux pays pouvant payer comptant [3] ». Même si l'Allemagne nazie entrait dans le cadre

---

1. Dont l'ambassadeur américain à Londres, Joseph Kennedy, père de John F. Kennedy, futur Président des États-Unis. Mais aussi Henry Ford et James Mooney, le patron de la branche Export de General Motors.

2. Lindbergh fut décoré de l'ordre de l'Aigle germanique par Hermann Göring, le 19 octobre 1938, et qualifia Hitler de « grand homme ».

3. La clause « Cash and Carry » permettait de contourner la loi de Neutralité votée en 1935 et renouvelée en 1936 et 1937. Le Congrès, sous la pression des isolationnistes, estimait alors que l'entrée en guerre des États-Unis en 1917 avait été effectuée contre les intérêts du pays. La loi

de cette loi, il était clair que le geste de Roosevelt s'adressait uniquement à la France et à l'Angleterre.

Début janvier 1940, comme tout dirigeant d'une compagnie travaillant avec le Vieux Continent, Nicholson avait encore constaté le ton particulièrement agressif du message de nouvelle année d'Adolf Hitler. Un texte où il était question de « nouvel ordre » et « d'ennemi capitaliste [1] ».

Un vent mauvais soufflait sur le monde et Coca-Cola aurait du mal à éviter la tempête.

*

Il ne lui restait plus que Keith. Nicholson savait pertinemment que la Compagnie pouvait compter sur le chef de la filiale allemande et ses connections au sein de l'appareil nazi pour tenter de passer à travers les mailles du filet.

Max Keith avait rejoint Coca-Cola GmbH en 1933 puis avait rapidement progressé au sein de la maison jusqu'à parvenir à son sommet. En 1936, les Jeux olympiques de Berlin avaient consacré sa puissance : Coca-Cola était partout. Woodruff, le boss, avait même fait le voyage en terre nazie où il avait été invité à différentes réceptions privées organisées par des dignitaires du régime comme Hermann Göring et Joseph Goebbels. Certes, Woodruff avait pressenti que la situation allemande risquait de dégénérer, de faire basculer l'équilibre précaire de l'Europe et, donc, de poser problème à l'expansion de la marque. Mais, fin connaisseur du monde politique, il n'ignorait pas que tout était affaire de réseaux. Et que la Compagnie en disposait de solides. Et puis, Hitler ne semblait-il pas apprécier le Coca-Cola bien frais ?

---

de Neutralité était donc un cadre juridique afin d'empêcher les États-Unis de prendre part au conflit européen opposant Hitler à la France, l'Angleterre et leurs alliés.

1. « Nous ne parlerons de paix que lorsque nous aurons gagné cette guerre. Le monde judéo-capitaliste ne survivra pas au XXe siècle », Adolf Hitler, Berlin, 31 décembre 1939.

Hélas, l'euphorie d'août 1936 avait vite cédé le pas à l'inquiétude quand, moins d'un mois plus tard, Göring, proclamant la nécessité pour l'Allemagne de l'autosuffisance, avait décidé de bannir les entreprises étrangères de l'empire en construction. Woodruff était intervenu personnellement afin d'empêcher l'éviction de Coca-Cola[1]. La menace avait été réelle mais, après une période de doutes, l'essor de Coca-Cola GmbH s'était poursuivi[2].

Alors que la situation européenne se dégradait, Nicholson était convaincu d'une chose : seul Keith parviendrait à sauver la situation.

*

Nicholson n'avait aucune autre option : le contenu des deux câbles venant d'Europe dépassait le seuil de ses responsabilités. À Woodruff de savoir... et de décider.

Le 26 janvier 1940, sur papier en-tête de The Coca-Cola Exportation Corporation, après avoir apposé la mention « confidentiel », Burke Nicholson traça les premières lignes de ce qui allait devenir le plus grand secret de la compagnie. Bien plus encore que la mystérieuse formule[3] donnant, depuis 1886, son goût unique à la boisson gazeuse.

*

Robert W. Woodruff appréciait modérément Burke Nicholson. Certes, il lui reconnaissait des qualités d'administrateur dévoué toujours prompt à exécuter un ordre, à remplir une demande venant d'Atlanta, mais il manquait, à ses yeux, de la fibre entrepreneuriale qui habitait chacune de ses propres pensées. Et la

---

1. Voir chapitre 79.

2. Et ce malgré la rumeur que Coke était une entreprise contrôlée « par le lobby Juif ». Voir chapitre 77.

3. Dont le nom de code est le 7X et qui apparaît sous le nom *Sevenex* dans la correspondance de Burke Nicholson.

lecture de ses deux missives l'avait agacé. Une nouvelle fois, pensa-t-il, Nicholson se déchargeait sur lui, alors qu'il était payé pour régler ce genre de problèmes.

Néanmoins, quelques phrases avaient accroché sa curiosité. Quand son interlocuteur indiquait « détester aborder ce genre de sujet[1] », en expliquant qu'il était temps de le faire, et lorsqu'il précisait cette mise en garde : « Je préfère ne pas mettre par écrit la manière et la marche à suivre[2]. »

À n'en pas douter, tout cela nécessitait prudence. Par précaution, Woodruff fit donc immédiatement suivre les courriers à Arthur Acklin.

*

Ancien agent de l'IRS, le fisc américain, Arthur Acklin incarnait le parfait contraire de Nicholson. Actif, audacieux, indépendant, il s'était illustré quelques années plus tôt comme représentant du gouvernement dans une série de procès contre... Coca-Cola. Alors qu'il s'agissait de récupérer des impôts que Washington considérait dus par la Compagnie, ce qu'elle contestait, il s'était montré un adversaire coriace. Mettant en pratique l'adage selon lequel il vaut mieux un bon élément dans son camp que parmi les rangs de ses ennemis, Woodruff avait très vite engagé Acklin, le chargeant de s'assurer, désormais, que les taxes payées par la Compagnie resteraient le plus bas possible et que le droit soit toujours du côté du boss.

Le 6 février 1940, après s'être longuement entretenu la veille avec Burke Nicholson, Acklin rédigea un mémorandum destiné au patron de Coca-Cola[3].

---

1. Correspondance de H.B. Nicholson à R.W. Woodruff, 26 janvier 1940 in *Special Collections and Archives*, Robert W. Woodruff Library, Emory University, Atlanta. Voir annexe.

2. *Idem.*

3. Memorandum to Mr. R.W. Woodruff. Atlanta, Georgia, 6 février 1940, *in Special Collections and Archives*, Robert W. Woodruff Library, Emory University, Atlanta. Voir annexe.

Prologue

Sur deux feuillets ne portant aucun logo de la Compagnie, Acklin rendait justice à Nicholson : ses lettres du 26 janvier 1940 étaient exactes. Si Coca-Cola ne faisait rien, la boisson risquait ni plus ni moins de disparaître d'Angleterre et d'Allemagne, deux marchés capitaux.

Pour Woodruff, agir s'imposait.

D'ordinaire, les décisions délicates procuraient tout leur sel à sa position, tandis que là, il s'agissait de flirter avec les limites de la loi et, in fine, d'oser prendre le risque de compromettre la place que lui-même, Woodruff, laisserait dans l'Histoire. S'il échouait, la Compagnie serait menacée. S'il réussissait mais que le monde l'apprenne, l'image de Coca-Cola serait en jeu.

*

Le combat de Woodruff se déroulait sur deux fronts.

En Angleterre, le gouvernement avait décidé des restrictions de sucre, quotas qui pouvaient anéantir la production de la boisson. Dans ce cas, appuyer sur les sonnettes efficaces et actionner les réseaux politiques utiles devait permettre de lever le blocage. D'ailleurs, Nicholson avait déjà mis la pression sur Gunnels, le représentant d'Atlanta à Londres, lui expliquant clairement que s'il ne parvenait pas « à tirer les bonnes ficelles au sein du gouvernement », Coca-Cola quitterait ni plus ni moins la Grande-Bretagne [1].

Le danger allemand se révélait en revanche plus complexe. Il en allait de la présence de la boisson américaine en territoire nazi mais également, comme l'avait précisé Acklin, de la survie de la marque elle-même. Si Coke disparaissait du pays, la

---

1. Correspondance de H.B. Nicholson à R.W. Woodruff, 8 février 1940, *in Special Collections and Archives*, Robert W. Woodruff Library, Emory University, Atlanta. Voir annexe.

13

Compagnie risquait en effet de voir apparaître « un autre produit vendu sous le nom de Coca-Cola[1] ». Ce qui signifiait que
lorsque la folie des hommes serait apaisée, lorsque le monde
serait enfin prêt à boire à nouveau du Coca-Cola, la firme
peinerait à reprendre pied en Allemagne. Un territoire bien
trop important pour ignorer le danger. L'Allemagne était,
serait et resterait le moteur de l'expansion européenne de
Coca-Cola.

*

Robert Winship Woodruff n'avait d'autre solution que de
trancher. Il se replongea à nouveau dans la lecture du plan
qu'on lui proposait.

Et, le 16 février 1940, entre le risque de perdre la maîtrise
de l'avenir et celui de rejoindre les poubelles de la mémoire,
il choisit le moins amer des deux poisons.

---

1. Memorandum to Mr. R.W. Woodruff. Atlanta, Georgia, 6 février
1940, *in Special Collections and Archives*, Robert W. Woodruff Library,
Emory University, Atlanta. Voir annexe.

PREMIÈRE PARTIE

Légende

« When the legend becomes fact,
print the legend. »

The man who shot Liberty Valence,
John Ford, 1962.

1. Première fois

Je ne me rappelle pas de ma première fois. Alors, que j'ai un souvenir précis de mon premier Orangina. Je devais avoir six ou sept ans, j'assistais à un spectacle de cascades en motos et voitures, j'étais assis sur les gradins, il faisait chaud et j'avais soif. La bouteille ronde, orangée et granuleuse, me parut attirante, son alchimie, entre l'amertume de la pulpe et la douceur de l'orange, plutôt agréable. Le sucre me colla à la langue et finalement, pour être honnête, au-delà de sa fraîcheur, la boisson ne me sembla guère désaltérante. Mais, de cette première expérience il me reste au moins des traces. Mais pas de mon premier Coca-Cola.

*

J'ai vite rattrapé ce retard. Entre une adolescence placée sous le signe de la fascination de l'Amérique et le goût si particulier du soda, je suis devenu un consommateur accro de Coca-Cola. Un fidèle parmi les fidèles même.

Mieux, plus que l'absorption de litres de boisson gazeuse, j'ai développé un autre vice : je suis désormais un collectionneur. Certains amassent les timbres, d'autres multiplient les conquêtes. Moi, c'était les bouteilles, les objets publicitaires

17

et, finalement, tout ou presque ce qui portait le plus célèbre logo du monde.

À mieux y repenser, si mon père n'avait pas su donner un sens à cet engouement, j'aurais pu devenir un obsessionnel. Un coca-colamaniaque. Mais voilà, mon père m'apprit deux choses. Que toute collection est vaine si elle n'est pas thématiquement limitée. Et qu'elle s'avère sans intérêt si elle ne dépasse pas le seul cadre de l'accumulation.

Et c'est ainsi, qu'ensemble, nous avons entamé une collection unique en son genre. Désormais, notre intérêt allait se porter exclusivement sur tout ce qui avait trait à la présence de Coca-Cola en France. Documents, images, affiches... à travers la récupération de vestiges du temps, nous voulions tenter de découvrir l'histoire hexagonale de la plus américaine des boissons.

Bientôt, évidemment, notre collecte d'objets fut enrichie par celle de témoignages et de textes d'un passé que, depuis Atlanta et jusque dans les couloirs parisiens de sa filiale française, Coca-Cola semblait négliger, voire ignorer ou même mépriser.

Et puis, au fil des années, cette passion de jeunesse s'est transformée en une véritable œuvre de recherche. D'abord dans les arcanes de l'histoire d'un produit plus que centenaire, puis sur le terrain familier, mais bien plus sensible, de l'enquête journalistique.

Si ma première gorgée de Coca-Cola s'était irrémédiablement noyée dans les limbes de ma mémoire, il me fut en revanche impossible de ne pas songer à tout le chemin parcouru, et aux récents obstacles que j'avais rencontrés dans ma quête, tandis qu'Atlanta s'étendait devant moi.

2. Ventilation

Atlanta, 6 mars 2005.

Là, les urbanistes ont cruellement manqué d'imagination. À Atlanta, toutes les rues ou presque se nomment en effet Peachtree. Une obsession du pêcher qui se retrouve sur plus d'une centaine d'axes. Mais peu importe. Alors qu'ailleurs toutes les routes mènent à Rome, ici elles se terminent chez Coca-Cola.

Certes, la ville fut aussi le berceau de Martin Luther King, dont désormais la maison natale se visite. Certes, Atlanta est également la cité de Margaret Mitchell puisque lorsque *Autant en emporte le vent*, son plus célèbre roman, devint un film, l'avant-première mondiale y eut lieu[1]. À Atlanta se trouvent encore le quartier général de CNN, le siège de Home Depot, la première chaîne de magasins de bricolage du pays, la direction de Delta Airlines, d'UPS et son réseau mondial de distribution express de courrier. À Atlanta, il y a aussi l'un des plus grands zoos du monde. Et une pitoyable équipe de basket-ball, mais un solide club de base-ball. Sans oublier du football, de l'opéra, du blues, du jazz et de l'art.

---

1. Bien évidemment, Coca-Cola sponsorisait la soirée.

Néanmoins, il ne faut pas se leurrer, depuis 1886 et son invention par John S. Pemberton, ce sont les bulles de Coke qui pétillent dans les veines de la cité sudiste.

Une capitale dont le cœur, pour battre, aurait besoin de discrétion... et d'une armée de juristes capables d'assurer sa bonne ventilation.

3. Lettre

Je n'ai jamais rencontré Brad Fields. Et je suis prêt à parier qu'à l'heure actuelle, il ne se souvient plus de moi. Mais le 4 octobre 1999, Brad Fields, « Consumer Affairs Specialist », m'adressa un courrier de huit lignes.

Sur papier à en-tête de la Compagnie, il sifflait la fin de partie.

*

Depuis quelques années, mon père et moi avions pris l'habitude d'écrire aux Archives de Coca-Cola pour obtenir un détail sur ceci, un renseignement sur cela. Et ce avant même de penser un jour que notre quête pourrait se transformer en livre. Notre idée était simple : nous désirions récolter quelques informations sur l'histoire de l'implantation de la marque en France. Nos demandes n'avaient donc rien de révolutionnaire : il s'agissait, la plupart du temps, de connaître la date de l'ouverture d'une usine ou le moment de l'introduction de la bouteille dite familiale sur le marché hexagonal.

Par commodité, nous aurions pu nous adresser directement à Coca-Cola France, mais nos communications avec le service des consommateurs parisien avaient vite tourné court. Les responsables du 21, rue Leblanc, dans le XVe arrondissement, apparemment peu soucieux d'exactitude, semblaient se suffire de la légende maison et ne guère avoir envie – ou les moyens – d'aider des personnes en recherche de vérité historique.

Avec les États-Unis et l'équipe de Phil Mooney, l'archiviste en chef, l'échange était parfois frustrant, généralement lent mais, à terme, il se concluait toujours par l'envoi du renseignement demandé. Jusqu'à l'apparition de Brad Fields et de son courrier du 4 octobre 1999. Là, avec simplicité mais une fermeté toute bureaucratique, l'employé de la Compagnie nous expliqua que si, jusqu'à présent, ses services nous avaient répondu sans réticence, c'était parce qu'ils ignoraient que je préparais un livre sur Coca-Cola. Les données ayant donc changé – à leurs yeux –, le *modus operandi* afin de reprendre l'échange d'informations devait lui aussi évoluer. Notre correspondant se montra on ne peut plus clair : il fallait que le département juridique de Coke soit en mesure d'examiner l'intégralité de mon texte pour donner, ou non, suite à mes requêtes.

Au-delà d'une méthode de contrôle typique des multinationales, lesquelles craignent presque autant les journalistes qu'une mauvaise notation d'un analyste financier, le courrier de Fields avait de quoi me laisser perplexe. Comment Coca-Cola avait-il su que je travaillais sur un livre ?

S'agissait-il d'une méprise ? D'un problème de communication ? Un employé des Archives avait-il interprété notre dernière demande comme la preuve que je mijotais autre chose qu'une simple recherche ? L'information venait-elle de France, dans la mesure où, à l'époque, j'étais en contact très avancé avec un éditeur pour ce sujet ? Pourtant, autant que je me souvienne, rien n'avait filtré. Je me perdais en conjectures.

*

Lettre

Très sincèrement, je n'en savais rien. Et, aujourd'hui encore, je reste dans l'expectative. En revanche, ce 6 mars 2005, alors que je tente de trouver le chemin menant à mon hôtel, j'ai amèrement appris ma leçon.

Six ans plus tard en effet, fidèle à son slogan publicitaire, Coca-Cola est toujours Coca-Cola. Et une nouvelle fois vient de me claquer la porte au nez.

4. Enquête

Mon enquête touchait à sa fin et le voyage à Atlanta en constituait la conclusion logique. En recherche d'ultimes informations, j'avais estimé que c'était le moment de tenter à nouveau ma chance. Je n'étais évidemment pas naïf non plus. Je savais que pour la Compagnie, il existait deux types de livres : ceux faits sous le patronage de Coca-Cola, auxquels leurs services collaboraient[1], et les autres, gratifiés d'un refus d'ouverture des archives de la société et, bien souvent, d'une

---

1. En France, ce fut le cas de *Coca-Cola Story* de Julie Patou-Senez et Rober Beauvillain (Éditions Guy Authier, 1978). Coca-Cola France acheta une grosse partie du tirage et le livre servit pendant de nombreuses années de cadeau aux employés lors de cérémonies comme les départs en retraite. Le cas le plus étonnant de cette pratique reste la parution de *The Real Coke, the Real story*, par Thomas Oliver (Random House, 1986). Le livre, étroite collaboration entre Oliver et la Compagnie, devait raconter les coulisses du lancement du New Coke. Flop marketing du siècle, la nouvelle formule fut rapidement remplacée par le retour du bon vieux Coca-Cola. Avec cet échec, la Compagnie n'avait plus aucun intérêt à voir le livre publié. Et, de fait, cessa abruptement de travailler avec lui, demandant à ses cadres de ne pas répondre à ses appels téléphoniques. À noter que l'ouvrage est un des rares traduits en français. Sous le titre *La Vraie Coke Story*, il est paru aux Éditions Michel Lafon. Pour l'introduction du New Coke, voir chapitre 45.

stricte consigne transmise aux employés de ne pas répondre à l'auteur non approuvé. Un comportement habituel chez les grandes sociétés.

Mon travail se plaçait dans la seconde catégorie, mais l'occasion était trop belle. D'autant que mes questions se révélaient essentiellement techniques et ne demandaient la divulgation d'aucun secret. Ainsi, l'un de mes courriers électroniques à Kelly Brooks, responsable de la communication de The Coca-Cola Company, contenait-il une liste précise, allant de la copie d'une publicité illustrée par Louise Ibels en 1920 aux adresses des usines implantées en France avant la Seconde Guerre mondiale [1]. Rien de bien méchant donc. Bien entendu, je me proposais aussi de prendre en charge la totalité des frais de recherche et de reproduction.

Pourtant, ma requête ne rencontra pas un franc succès.

*

La promenade avait débuté le 1er février 2005, quand j'avais contacté Kelly Brooks pour l'avertir de la fin imminente de mes recherches et lui demander l'autorisation d'accéder aux archives afin de vérifier certains points sur l'arrivée de la boisson en France. Mon séjour à Atlanta approchant, j'insistais aussi sur la nécessité d'avancer rapidement.

Deux jours plus tard, Brooks me renvoyait sur Paris. Étant français, il me fallait au préalable passer par le filtre d'Éric Laurencier [2]. L'Américain l'avait informé de ma démarche et m'indiquait sa ligne directe afin que je le contacte. Finalement, tout cela s'annonçait plutôt bien.

*

---

1. *E-mail* de William Reymond à Kelly Brooks, 28 février 2005.
2. Le 1er juillet 2005, Éric Laurencier a quitté Coca-Cola France pour accepter le poste de vice-président de la communication de Nissan Europe. Il travaillait pour la Compagnie depuis 1999.

Au téléphone, l'accueil enthousiaste de l'assistante d'Éric Laurencier avait la résonance de l'artifice. Au-delà d'une prétendue impatience proclamée pour la sortie d'un livre sur la Compagnie, la Mata Hari en herbe souhaita surtout connaître les noms « des chers anciens qui avaient accepté » de collaborer à mes recherches.

L'énormité de la demande, et sa maladresse, manquèrent de me prendre de court. Finalement, un trou de mémoire, aussi bien simulé que bienvenu, m'évita de répondre. Néanmoins, je devinai que mes efforts à protéger mes sources seraient vains. Le ver était dans le fruit.

Effet direct, ou coïncidence malheureuse, les « chers anciens » interrompirent brutalement tout contact avec moi dans les jours qui suivirent mes discussions avec Coca-Cola France. La plupart d'entre eux, retrouvés grâce aux efforts de mon père, étaient, il est vrai, regroupés au sein d'une association maintenant des liens étroits avec la Compagnie.

*

Quand j'obtins Éric Laurencier, je le sentis préoccupé. Le son de sa voix ne laissait même planer aucun doute. Il savait pertinemment qui j'étais, n'ignorant rien de mon parcours éditorial, de Dominici à JFK en passant par les frontières floues du Bush Land[1]. Le responsable de la communication de la filiale française se montra en tout cas surpris d'apprendre que je préparais un livre sur la Compagnie. Étonné notamment de ne pas l'avoir su plus tôt et désireux, surtout, de connaître mes motivations. Je lui expliquai dès lors que la saga Coca-Cola était fascinante, que l'épisode France me semblait incomplet et que j'avais envie de poser un regard honnête sur la Compagnie.

---

1. *Dominici non coupable, Lettre ouverte pour la révision, JFK, autopsie d'un crime d'État, JFK, le dernier témoin* et *Bush Land* sont tous disponibles chez Flammarion.

Dans la conversation, qui dura une dizaine de minutes, Éric Laurencier reprit l'idée que Brad Fields avait avancée dans son courrier de 1999. Autrement dit que je lui passe mon manuscrit afin de le lire et de juger si Coca-Cola pouvait accéder à ma requête. Le côté orwellien de la situation semblait lui échapper puisqu'il estimait normal que je termine la phase d'écriture avant d'effectuer des recherches qui, justement, devaient alimenter ma rédaction !

Face à mon absence de réaction, il conclut en réclamant une présentation écrite de mon projet... et promit de m'aider.

Le jeu du chat et de la souris ne faisait que commencer.

*

Le 9 février 2005, j'expédiai un courrier électronique à Éric Laurencier. Dont le contenu détaillait – succinctement, je le conçois – les contours de mon projet[1] :

« Cher Monsieur, suite à notre conversation téléphonique du 4 février dernier, je reviens vers vous afin d'obtenir votre aide dans mes démarches auprès des archives de The Coca-Cola Company. Comme je vous l'ai exposé lors de notre entretien, je prépare actuellement un livre à paraître aux éditions Flammarion sur l'histoire de votre compagnie et plus particulièrement son histoire française. Si mes recherches, fruit de longues années de travail, sont désormais quasiment abouties, elles bénéficieraient d'un accès aux archives de votre société concernant l'arrivée de Coca-Cola en France au lendemain de la Première Guerre mondiale. C'est dans cet esprit que je tente depuis quelque temps d'obtenir un rendez-vous à Atlanta pour le début du mois de mars.

J'espère que ma démarche retiendra toute votre attention et que, face à un calendrier très tendu, vous pourrez faciliter mon travail.

---

1. *E-mail* de William Reymond à Éric Laurencier, 9 février 2005.

Je me tiens bien évidemment à votre disposition pour toute information complémentaire. »

Cinq jours plus tard, je n'avais toujours eu aucun signe de vie de Coca-Cola France. Je réitérai donc ma demande [1] :

« Mon *e-mail* du 9 février dernier étant resté sans réponse, je reviens vers vous afin d'obtenir votre aide. Comme vous le savez suite à notre entretien téléphonique et à mon dernier courrier électronique, la date de mon séjour à Atlanta approche. Afin de finaliser mon emploi du temps sur place, j'ai besoin le plus rapidement possible de savoir s'il m'est possible de consulter les archives de votre compagnie concernant ses relations avec la France au lendemain de la Première Guerre mondiale. Je suis certain que vous êtes en mesure de saisir mon besoin urgent d'obtenir une réponse et j'espère que vous répondrez à cet appel. »

Le 18, soit plus de deux semaines après mon premier contact avec Kelly Brooks, je décidai que le silence de Coca-Cola méritait un petit rappel à l'ordre. Un courrier du même jour à Éric Laurencier fut donc envoyé parallèlement en copie au siège de la marque à Atlanta. Un mail au contenu sans équivoque :

« Constatant que mes derniers e-mails sont restés sans réponse, je ne peux que déplorer votre silence et vous faire part de ma déception à débuter mon prochain ouvrage par la narration de ce peu glorieux refus de communiquer de la part de The Coca-Cola Company [2]. »

Moins de trois heures après l'envoi, j'obtins enfin une réponse. Pour la première fois, Éric Laurencier m'écrivait en anglais, sans doute afin d'être certain que personne à Atlanta n'ignore qu'il remplissait parfaitement sa fonction. Son courrier se plaignait de l'absence de précision de ma présentation, justifiait son silence par la maladie, et me demandait – une

---

1. *E-mail* de William Reymond à Éric Laurencier, 14 février 2005.
2. *E-mail* de William Reymond à Éric Laurencier et Kelly Brooks, 18 février 2005.

nouvelle fois – quel était le but de mon livre. Avant de conclure sur la nécessité de nous parler au téléphone, il me précisa que, même si j'étais une priorité, je n'étais pas la seule. Ce dont je pouvais assurément convenir.

*

La conversation téléphonique qui ne manqua pas de suivre fut brève. Avant de lui parler, j'avais précisé à Eric Laurencier par un nouveau courriel que mon « ouvrage serait un regard global, un tour d'horizon sur l'histoire de votre compagnie et plus particulièrement son histoire française [1] ».

À l'appareil, mon interlocuteur se montra moins hésitant que durant notre premier entretien. Peut-être était-il soulagé de voir « l'affaire » retraverser l'Atlantique puisqu'il m'annonça que Coca-Cola allait accéder à ma demande mais qu'il me fallait adresser la liste complète de mes exigences à Kelly Brooks.

Le 28 février, après avoir rassemblé mes notes et consulté l'état de nos recherches, suivant les consignes de Paris je reprenais donc contact avec Atlanta. Et, le 2 mars, précisément un mois et un jour après mon premier courrier électronique, Kelly Brooks me répondit. Semblant ignorer l'engagement de Laurencier, l'Américain me livra à nouveau le discours que Coca-Cola affichait depuis 1999. En somme, pour m'aider la Compagnie avait besoin de savoir ce que j'écrivais !

Le serpent venait de se mordre la queue.

*

Agacé, je me dis que l'exigence d'explication avancée était peut-être l'occasion de prendre la Compagnie à son propre piège. Le 4 mars, j'accédai donc – à ma manière – à la volonté

---

1. *E-mail* de William Reymond à Éric Laurencier, 18 février 2005.

de Kelly Brooks. Lui souhaitait des éclaircissements, moi je m'offris de lui en donner de vive voix... lors de mon séjour à Atlanta. Comme c'était dans deux jours, afin d'éviter qu'il ne rate un courrier électronique, je lui communiquai, en le remerciant une nouvelle fois, mon numéro de téléphone portable.

On s'en doute, cette idée de rencontre échoua lamentablement. Coca-Cola, ne souhaitant pas m'aider, pensa que la meilleure manière de m'annoncer un refus consistait à... cesser immédiatement toute communication[1]. En vérité, le silence de Kelly Brooks se rapprochait beaucoup des hésitations d'Éric Laurencier.

Un embarras qui, une seule et unique fois, avait été percé par un éclair de vérité. Oubliant un discours formaté par Atlanta, Laurencier avait en effet baissé la garde lors de notre entretien. Soucieux de comprendre les véritables motifs de mon intérêt pour la Compagnie. exaspéré peut-être aussi par mon mutisme, il avait lâché

— Mais, vous, vos livres... Ce sont des enquêtes !

Dans l'univers aseptisé du *corporate,* là où chaque mot est pesé, chaque commentaire disséqué, chaque risque calculé, sa formule avait tranché par sa subite vérité.

---

1. Les Archives de The Coca-Cola Company n'étant pas la seule source d'informations sur l'histoire de la boisson, le voyage à Atlanta fut quand même une réussite. Et je pense ici en particulier à l'étape par la Robert W. Woodruff Library de l'université d'Emorv.

5. Formule

Le culte de la discrétion au sein de Coca-Cola n'est en rien l'effet d'une paranoïa outrancière. Le secret est au cœur même de la Compagnie. Dans une lutte économique mondiale où elle joue sa propre survie, c'est pour elle l'unique moyen de défendre son plus précieux capital. Et, contrairement aux apparences, je ne fais pas ici référence à l'énigmatique formule du soda le plus populaire du monde.

*

Depuis 1886, Coke cultive un mystère croissant autour des ingrédients donnant son goût spécifique à sa boisson. Si, à la fin du XIXe siècle, la protection de la recette s'imposait de peur qu'elle passe à la concurrence[1], elle n'a évidemment plus aucune raison d'être de nos jours. Et ce parce que n'importe quel chimiste est en mesure de déterminer avec précision le

---

1. Ainsi, sous la présidence d'Asa Candler, le deuxième « père » de Coca-Cola, les noms des ingrédients de la recette furent remplacés par le terme générique « Merchandise » suivi d'un chiffre. Par exemple, le caramel donnant sa couleur à la boisson devint Merchandise # 1. Le même code fut encore utilisé par les chimistes de The Coca-Cola Company.

dosage du mélange. Les rivaux de la Compagnie, Pepsi-Cola en tête, n'ignorent d'ailleurs rien de la composition du sirop permettant la fabrication du Coca[1].

Mieux encore, en 1985, la formule « secrète » a été diffusée sur le réseau BBS, l'ancêtre de l'Internet tel que nous le connaissons[2]. À l'époque, le monde des fans du Coca-Cola était agité par l'introduction du New Coke sur le marché. La nouvelle boisson, présentée en fanfare, avait vocation à remplacer intégralement la recette originale. Entre les mouvements de protestation de maints buveurs et la frénésie de stockage d'autres, certains activistes décidèrent de faire circuler la formule afin que chacun puisse préparer l'élixir à domicile. Source de l'information, un livre publié deux ans plus tôt. Dans *Big secrets*[3], William Poundstone, après avoir recoupé les différentes analyses effectuées dans les années 1910-1920 lorsque la Compagnie, devant les tribunaux, avait l'obligation de prouver sa pureté, son taux de caféine et l'absence de cocaïne, publiait en effet la liste des ingrédients nécessaires à l'élaboration du sirop de base, 7X[4] inclus. Au-delà des incontournables eau, caramel, caféine, acide phosphorique, sucre, extraits de noix de Kola et autres feuilles de coca décocaïnisées, l'ouvrage assurait que le Coca-Cola contiendrait de la glycérine, de l'extrait de vanille[5] et du jus de citron vert. Sans oublier, au cœur de la recette, les fameux « extraits naturels » indiqués sur l'étiquette, un mélange ayant peu évolué depuis 1886 où se retrouvent de la cannelle de

---

1. Les rivaux mais aussi Fidel Castro qui, amateur de la boisson, se fait préparer un ersatz de Coke mis au point par ses propres chimistes.
2. http://www.totse.com/en/technology/science_technology/newcoke.html
3. *Big Secrets*, William Poundstone, William Morrow & Co, 1983.
4. Ou bien encore, depuis Candler, Merchandise # 7.
5. De la vanille provenant d'Afrique mais également de Madagascar et Tahiti. Sur les effets positifs sur l'économie tahitienne, lire http://www.williamreymond.com/articles.htm#vanilla

Chine[1], de l'extrait d'orange et de citron, de la noix de muscade, de l'huile de coriandre et de Néroli[2]. Avec, même si Poundstone n'avait pu l'établir avec une complète certitude, une infime quantité d'extrait d'essence de lavande[3]. En tout donc, sept extraits naturels formant la plus secrète des recettes.

Cette révélation, si elle ne fut pas commentée par la Compagnie, trouva confirmation en 2000. Dans la seconde édition d'un ouvrage sur l'histoire de Coca-Cola, Mark Pendergrast[4] proposa à ses lecteurs la retranscription de la recette telle qu'il l'avait découverte, *par hasard*, dans les archives de la firme. Si la chance relève de l'excuse bien commode pour ne pas avoir à justifier l'origine de la fuite, le document présenté par Pendergrast semblait authentique[5]. Bien que les dosages diffèrent de la formule de Poundstone, la liste des ingrédients regroupés sous la section « saveur » était la même.

---

1. *Cinnamomum cassia.* Coca-Cola se ravitaille en cannelle chinoise au Vietnam et en Chine. Le passage sous influence communiste de ses deux pays causa de sérieux soucis du côté d'Atlanta. Finalement, la Compagnie signa un contrat avec une société d'import-export britannique installée à Hongkong qui commerçait avec la Chine de Mao. À noter également que dans la médecine traditionnelle chinoise, le *Cinnamomum cassia* est prescrit contre les troubles intestinaux. Ce qui explique pourquoi, peut-être, certains médecins conseillent Coca-Cola lors de légers ennuis de ce genre.

2. Extrait de la fleur d'oranges amères qui provient en grande partie de Tunisie. La Californie et la Floride complètent les sources de la compagnie.

3. Provenant de la Provence. Depuis des décennies, Coca-Cola maintient une relation privilégiée, et discrète, avec différents artisans de Grasse dans les Alpes-Maritimes.

4. *For God, Country & Coca-Cola*, Mark Pendergrast, Basic Books 1993, 2000.

5. D'autant que Pendergrast trouva confirmation auprès de Mladin Zarubica, un chimiste de Coke chargé de préparer secrètement du Coca-Cola pour la consommation du général soviétique Zhukov en pleine guerre froide.

*

De Poundstone à Pendergrast, en passant par Internet, le secret si cher à Coca-Cola est donc largement éventé. Pourtant la Compagnie poursuit l'œuvre de sacralisation de la formule en laissant régulièrement filtrer de vagues confidences sur les conditions de sécurité entourant le 7X. Offrant du même coup à son produit une mystique surfaite, dans la mesure où toute cette affaire relève seulement de l'assemblage de parfums. La manœuvre est néanmoins habile, dans la mesure où elle permet à la recette d'accéder au statut de document sacré.

En distillant que ce secret reposerait dans un coffre situé dans les sous-sols inviolables de la SunTrust Bank, établissement financier d'Atlanta actionnaire historique de la Compagnie ; que seuls deux ou trois employés, élus parmi les élus, connaîtraient sa formulation exacte [1] et que chaque transmission du « savoir » incarnerait un moment où l'émotion serait seulement altérée par la gravité de la responsabilité, la maison-mère entretient à merveille la magie du breuvage. Donc ses ventes. En ajoutant que le novice recevrait du maître vieillissant les instructions pour la préparation mais également une série de recommandations, parmi lesquelles, faisant écho à un mode de fonctionnement washingtonien, l'obligation pour les employés dans la confidence de ne jamais partager le même vol [2] et des instructions sur la meilleure manière de garantir la

---

1. Dans son livre, Mark Pendergrast tente une chronologie de la passation de la formule depuis son lancement commercial par Asa Candler, ce dernier transmettant le secret à son fils Howard puis au chimiste W.C. Heath. En 1948, la recette du 7X est donnée à Orville May puis, à son successeur Carl Shillinglaw en 1966. En 1974, un autre chimiste, Roberto Goizueta est mis dans la confidence. En 1980, Goizueta devient président de la Compagnie. Le premier depuis Asa Candler à connaître la liste des ingrédients et le dosage du mélange. *In For God, Country & Coca-Cola*, Mark Pendergrast, Basic Books, 1993.

2. Le Président et le vice-président des États-Unis sont soumis à la même obligation afin de ne pas paralyser le pouvoir en cas d'accident.

pérennité des réseaux d'approvisionnement en matière première, c'est une légende qui est édifiée[1]. Et un moyen de museler les membres du personnel qui auraient envie de se répandre. Car en mettant en avant des employés soigneusement sélectionnés, on s'attache leur fidélité et on élabore un esprit d'entreprise – et de communication – unique. L'initié voue dès lors une fidélité sans faille à la Compagnie, n'hésitant pas à payer de sa personne lorsque les circonstances l'exigent. Un des rares exemples connus remonte à 1974 quand, pour éviter que l'Europe ne se retrouve à cours de 7X, Bob Broadwater fit entrer clandestinement aux États-Unis des feuilles de cannelle de Chine malgré un embargo. En transit depuis Moscou, ce salarié zélé avait dissimulé sa marchandise dans la toque en fourrure qu'il portait[2].

*

En vérité, la réalité est aussi plate qu'un Coca-Cola sans bulles : la fameuse formule est ni plus ni moins un argument publicitaire. Un artifice de communication. Un coup de génie concocté et développé par Robert Woodruff. Jeune président, il n'avait pas hésité à médiatiser, après-coup, un voyage en train depuis New York durant lequel il avait rapatrié la recette sur Atlanta. D'après la légende, la formule avait été confiée à une banque pour servir – à elle seule ! – de garantie en échange d'un important emprunt. C'est lui aussi qui eut l'idée d'évoquer le secret entourant l'élaboration du Coca-Cola dans une campagne de presse des années 1930.

La fonction quasi mercantile de la recette originale est aujourd'hui presque assumée par la Compagnie. Certains

---

1. De la Chine communiste à Grasse, en France, Coca-Cola dépend d'une kyrielle de fournisseurs livrant les produits essentiels à l'élaboration de son sirop de base, et offrant depuis des décennies la garantie de passer à travers les coups de fièvre de la politique internationale.

2. *In For God, Country & Coca-Cola, op. cit.*

diront avec arrogance, d'autres avec candeur. Ainsi, dans un documentaire réalisé en complète collaboration avec la marque, Phil Mooney, l'archiviste maison, déclara : « C'est un de ces sujets dont nous refusons de parler. Nous ne souhaitons pas faire de commentaire public sur le nombre de personnes qui connaissent la formule. Où elle se trouve précisément et sous quelle forme nous la conservons. » Puis, poussant l'analyse, presque dans un souffle il conclut, dévoilant le pot aux roses : « Tout cela contribue à maintenir l'intérêt du public pour le produit. Et c'est une bonne chose[1]. »

*

En entretenant ce type de secret, The Coca-Cola Company procure à sa boisson vedette une valeur ajoutée. Où il est question de mythe et de magie. En devenant de la même manière un symbole, Coca-Cola se transforme en icône enviée. Un statut entretenu et cultivé à coups de milliards de dollars de communication. Des publicités qui, depuis longtemps, martèlent le même message : Coke n'est pas une simple boisson. C'est une part de notre histoire, un moment partagé, un rendez-vous privilégié. Dès lors, en vendant la légende autour de son passé, la Compagnie, chaque jour, conquiert de nouveaux gosiers.

---

1. Vendu dans la boutique du musée Coca-Cola d'Atlanta, le documentaire est diffusé et produit par la société MPI. Il ne faut toutefois pas se tromper sur le contrôle de la marque puisque le copyright du film appartient à... The Coca-Cola Company. *In Coca-Cola, the history of an American Icon*, MPI.

6. Panthéon

Atlanta, 7 mars 2005.

À défaut des archives et dans l'attente d'un improbable appel de Kelly Brooks, il me reste World of Coca-Cola[1] pour confronter mes connaissances à la version officielle de la légende.

Depuis son inauguration, le 3 août 1990, ce musée est devenu la première attraction couverte d'Atlanta. Un succès à la hauteur des habitudes de la marque puisque, en quinze ans, ce sont plus de douze millions de visiteurs qui ont franchi les portes de ce Panthéon à la gloire de Coke.

Douze millions de personnes qui ont joyeusement payé neuf dollars pour admirer la plus grande attraction publicitaire du monde. Là, sur trois niveaux et à travers plus de mille deux cents objets, le curieux se plonge dans cent vingt ans d'histoire. Et il faut reconnaître que lorsqu'il s'agit de mettre en scène son propre mythe, Coca-Cola n'a pas de concurrent. Dès l'entrée, et la reproduction grandeur nature d'une chaîne d'embouteillage, les neuf dollars sont oubliés. Usant de tous les trucs du marketing, l'architecte du World of Coca-Cola[2] a

---

1. Voir www.worldofcocacola.com
2. Anna Owens du cabinet Thompson, Ventulett, Stainback & Associates Inc.

37

tout prévu. Ainsi la visite se termine évidemment par Everything Coca-Cola Store, la boutique de souvenirs à la gloire du produit vedette où, après une heure d'un brillant lavage de cerveau, il est difficile de résister à quoi que ce soit.

Mais ce n'est pas au milieu des t-shirts, casquettes et autres peluches que se mesure la puissance de Coca-Cola. Ni même lors du visionnage, sur écran géant, d'un film à la gloire de la marque. Non, en ces lieux, l'intime rapport liant chacun de nous – ou presque – au soda d'Atlanta se ressent à chaque pas. Notamment lorsque votre inconscient, submergé par un incessant carrousel de jingles et images savamment mis en scène, ne cesse de vous torturer pour obtenir sa dose. Autrement dit boire, enfin, un Coca-Cola bien frais. Du reste, quand le musée ouvre gratuitement ces vannes, la foule, telle une armée de cobayes, se précipite, gobelets en main, vers les fontaines déversant le précieux jus brunâtre.

Alors, désaltéré à la source, en nouveau converti ou en missionnaire convaincu, le visiteur quitte le musée l'œil réjoui et le gosier rassasié, prêt à propager la sainte parole. Celle où il est uniquement question d'un succès phénoménal, de destin hors du commun et de coups de génie. Et si la légende est effectivement composée de ce genre d'ingrédients, comme tout bon conte elle possède un double tranchant.

7. Écorcheurs

La Compagnie a toujours aimé les belles histoires. D'abord parce qu'elles permettent de fortifier le mythe et son pouvoir d'attraction. Ensuite, et c'est pour le moins gênant, parce qu'elles offrent l'occasion de réviser certaines pages encombrantes d'un passé moins glorieux qu'affiché. D'en expurger les épisodes troubles pour en promouvoir les heures de gloire. Une pratique plus que centenaire qui s'est amplifiée avec le succès du soda[1]. D'abord lorsque Coca-Cola, quittant son rôle de boisson régionale, résolut de devenir le rafraîchissement préféré de l'Amérique. Ensuite quand Coke se glissa dans la peau d'un géant. Et enfin, aujourd'hui, à l'heure avancée de la mondialisation, au moment où la Compagnie décline à tout-va sa légende avec un goût prononcé pour le politiquement correct, en prenant soin de nier certains faits liés à ses origines.

*

---

1. Ainsi Asa G. Candler, dès la fin des années 1890, fut le premier à créer « la romance Coca-Cola ». Notamment, comme nous le verrons, parce qu'elle permettait de camoufler ses propres indélicatesses.

La vérité sur la naissance de la marque, ses personnages fondateurs et le contenu de la formule originale sont, depuis longtemps, victimes des écorcheurs de mémoire.

C'est avec ce paramètre à l'esprit qu'il convient de se plonger dans les écrits de Wilbur Kurtz, le premier archiviste maison. En lisant la manière dont il retrace la création du Coca-Cola, il paraît plus habité par l'exaltation poétique que par la précision historique : « Il se pencha au-dessus de son chaudron afin d'humer le bouquet qui s'échappait. Puis, il prit une longue cuillère en bois et captura un petit peu de l'épais et bouillonnant contenu brun de la marmite. Il le laissa refroidir un moment. Puis, il approcha la cuillère de ses lèvres et goûta [1]. »

Évidemment, soixante ans plus tard, si l'épisode a perdu de sa qualité littéraire, les faits rapportés officiellement ont quelque peu évolué :

« C'était en 1886, assène la version actuelle, [...] et comme beaucoup de ceux qui changèrent l'histoire, John Pemberton, un vétéran de la Guerre de Sécession, pharmacien à Atlanta, n'était mû que par son esprit curieux. Il aimait tester les formules médicinales et, un après-midi, alors qu'il cherchait un remède rapide contre la migraine, il obtint un liquide parfumé, de couleur caramel, qu'il versa dans un récipient à trois pieds. Il l'apporta ensuite à la pharmacie Jacob. La mixture fut alors mélangée à de l'eau gazeuse et goûtée par des clients qui tous, à l'unanimité, lui trouvèrent quelque chose de nouveau, d'unique et de spécial. [...] Pemberton, qui était malheureusement plus un inventeur qu'un homme d'affaires, était loin de se douter qu'il venait d'inventer l'un des produits les plus formidables au monde [2]. »

---

1. Wilbur Kurtz Jr., *Papers and Speeches. Coca-Cola Archives* cité *in For God, Country and Coca-Cola, op. cit.*

2. *In L'Histoire de Coca-Cola.* Téléchargeable sur http://www.coca-cola-france.fr

À en croire la Compagnie, John S. Pemberton était donc un aimable raté, un doux rêveur. En quelque sorte, le croisement improbable de Typhon Tournesol et du druide Panoramix. Un portrait renforcé par les propos de Phil Mooney, actuel responsable de la mémoire de la Compagnie. Sans tenir le moins du monde compte de multiples documents – des correspondances, des témoignages, des écrits et même des entretiens dans la presse d'Atlanta –, celui-ci affirma : « En fait, nous en savons très peu sur Pemberton. [...] Il est difficile de retourner au printemps 1886 et de savoir à quoi pensait John Pemberton. À mon avis, il essayait de trouver une formule magique qui pouvait se vendre [1]. »

*

Évidemment, ce sympathique tableau et l'absence d'informations méritent quelques corrections. Néanmoins, avant d'y procéder, il faut revenir à l'origine. À « cet après-midi » où John Stith Pemberton découvrit sa « formule magique ».

---

1. Phil Mooney, archiviste de The Coca-Cola Company *in Coca-Cola, The history of an American icon, op. cit.* Dans le même esprit, en 1978, The Coca-Cola Company publiait *The Wonderful world of Coca-Cola.* Dans de nombreux pays : « La formule de Coca-Cola la plus appréciée, remonte à des temps immémoriaux et a supporté l'épreuve du temps et des changements des courants et des modes. »

8. Genèse

Contrairement à ce qu'avance la Compagnie, la naissance de Coca-Cola, en mai 1886 à Atlanta, ne doit absolument rien au hasard. L'arrivée sur le marché du soda de Pemberton est le résultat de l'acharnement d'un homme, de l'intuition d'un autre, d'un concours de circonstances politico-religieuses et, plus simplement, des habitudes d'une époque.

*

Il faut imaginer un monde où l'aspirine n'existait pas. Un monde où la médecine était primitive, où les élixirs promettaient vigueur sexuelle, meilleure haleine et jeunesse éternelle. Un monde où toutes les potions vantant monts et merveilles se vendaient comme des petits pains. Or c'est dans ce monde-là que Pemberton évoluait. Et c'est de ce monde-là qu'est né Coca-Cola.

John S. Pemberton n'était pas un créateur de sodas mais un inventeur de pilules magiques et autres mixtures étranges. Et si, dès son origine, Coca-Cola a été vendu également comme une boisson rafraîchissante, c'est parce que la mode était à la *soda fountain* [1]. D'où cette dualité promettant des perspectives de profits plus conséquents, atout qui ne pouvait échapper à Pemberton.

Avant même son arrivée à Atlanta, dans la petite ville de Columbus, Pemberton avait compris que le métier de pharmacien lui apporterait fortune. Ou plus exactement qu'une branche de cette activité ne manquerait pas de lui être profitable. Ayant exercé ses talents de chirurgien avec brio et honoré les commandes de ses clients, « Doc [2] » avait en effet noté que l'essentiel de son chiffre d'affaires provenait des élixirs. Des produits miracles, des médicaments de « grand-mère » possédant une seule vertu attestée : leur coût de fabrication ridiculement bas et des marges importantes.

Les recettes et la matière première s'avérant aisément disponibles, l'apothicaire se glissa donc peu à peu dans la peau d'un chimiste. Après un voyage à New York afin de faire le tour des fournisseurs en produits exotiques et préparations diverses, il franchit le Rubicon et transforma son officine en laboratoire. Le 23 juin 1867, le Colombus Enquirer reproduisit les propos enthousiastes d'une personne venant de visiter l'installation de Pemberton : « J'ai été étonné de l'importance de son laboratoire. J'ignorais qu'il existait un tel établissement dans le Sud. » Même s'il s'agit de Columbus et pas encore d'Atlanta, la version promue par Coca-Cola d'un savant

---

1. La *soda fountain* est un phénomène purement américain. À l'époque, les pharmacies ou drugstores étaient souvent également des débits de boissons, un lieu populaire, convivial, où l'on ne servait pas d'alcool, mixte et souvent saisonnier. L'attraction principale de l'établissement, qui donnera bientôt son nom au lieu, s'appelait la *soda fountain*, une machine à dispenser de nombreux parfums mélangés ensuite à de la glace pillée et de l'eau gazeuse. À noter que si, dans un premier temps, l'eau pétillante était vendue pour ses vertus curatives, la *soda fountain* se transforma en moment de détente lorsque, en 1839, Eugène Roussel, un Français installé à Philadelphie, eut l'idée d'aromatiser son eau gazeuse.

2. Surnom donné à Pemberton qui, pourtant, n'avait pas de diplôme de médecin mais de pharmacien.

Cosinus expérimentant ses recettes dans la cave de sa maison paraît donc bien loin.

L'installation à Atlanta, en 1870, confirma l'intuition du pharmacien. S'il voulait réussir et faire fortune, il devait ouvrir un nouveau marché à ses produits, Columbus étant trop modeste. Car son catalogue ne manquait pas de références. Pemberton avait en effet mis au point des pilules Triplex pour le foie, de la liqueur de gingembre, le Stillinga pour les problèmes dermatologiques[1], et Indian Queen, une teinture pour cheveux. Sans oublier, valeur sûre au milieu de succès plus éphémères, le sirop pour la toux Globe Flower « permettant de guérir » l'asthme et les saignements pulmonaires[2].

*

Les débuts dans la capitale de la Géorgie furent flamboyants. L'argent coulait à flots, le laboratoire s'agrandit et « Doc » devint une figure incontournable de la cité sudiste[3].

Seul problème, Pemberton, vraisemblablement suite à une blessure à l'estomac reçue lors des derniers jours de la guerre de Sécession, était miné par une douleur lancinante. Qu'il essayait d'atténuer en fumant de l'opium et en consommant de l'héroïne. Une habitude incontrôlable qui, peu à peu,

---

1. Ce produit « purifie le sang, éclaircit la peau et rend les yeux brillants. [...] Le corps mourant est régénéré par la vigueur de la vie grâce à cette merveille de la science moderne. » Publicité parue dans *The Daily Constitution*, 27 juin 1874.

2. Une publicité parue dans *The Daily Constitution*, le 11 mars 1874, vante en ces termes les vertus magiques du sirop.

3. Ainsi, *The Atlanta Constitution*, principal quotidien de la ville, dans un des nombreux articles consacrés à Pemberton avant même l'invention de Coke et qui semble avoir échappé à la sagacité des Archives de la Compagnie, raconte : « Lequel d'entre les citoyens d'Atlanta ne reconnaît pas ce visage plaisant, cette barbe patriarcale, et ces yeux doux, de notre bien aimé et universellement respecté, citoyen de la ville, le Dr J.S. Pemberton ? » *The Atlanta Constitution*, 16 avril 1886.

compromit les différentes entreprises qu'il lançait. Non seulement son addiction ne lui permettait pas de gérer sereinement ses sociétés mais en plus elle l'obligeait à pratiquer l'art de la cavalerie comptable. Chaque nouvelle invention venait en fait financer ses dettes et payer, pour un moment, sa consommation de drogue.

Heureusement, le pharmacien avait la chance pour lui : sa réputation d'affairiste peu fiable ne semblait pas nuire à sa reconnaissance comme inventeur de génie. Ni décourager les investisseurs. Partenaire après partenaire, « Doc » continua donc à inonder le marché de nouveaux produits. Désormais à la tête de la J.S. Pemberton & Company, en 1879, il abandonna « la vente des produits de comptoir pour se consacrer à la fabrication de médicaments. Dans ce domaine, il eut de nombreux succès, et fut rapidement sur le chemin de la fortune avec son immense usine [1]. »

Une nouvelle preuve que le mythe de la cave, du chaudron à trois pieds et de la cuillère en bois ne résiste pas aux faits. Dès lors, il ne reste pas grand-chose de la légende.

*

L'acharnement de Pemberton à réussir ne pouvait s'autoriser le luxe du hasard. Dans le choix de ses partenaires, le « Doc » recherchait des apports de fonds immédiats mais aussi les talents permettant de commercialiser efficacement ses élixirs. Frank Robinson semblait incarner le candidat idéal.

Frank M. Robinson, nordiste, comptable de formation, fasciné par la publicité, partageait un point commun avec Pemberton : en vrai capitaliste, il était déterminé à devenir riche. Et Atlanta, ville à l'économie bouillonnante depuis sa reconstruction post-guerre de Sécession, constituait le terrain idéal.

---

1. *The Atlanta Constitution* cité *in Le Monde merveilleux de Coca-Cola, op. cit.*

En décembre 1885, Robinson avait quitté l'Iowa pour la capitale de la Géorgie. Son intention était claire : vendre ses services de concepteur et d'imprimeur de publicité en bichromie. Dès lors, les fabricants d'élixirs, grands consommateurs de réclames, devinrent sa cible naturelle. D'où la rencontre avec John Pemberton et Ed Holland, son associé du moment. Le courant passa si bien que « Doc » lui proposa d'emblée un marché : au lieu de devenir client, il lui suggéra un partenariat en vue de la création d'une nouvelle société commercialisant les inventions du premier et se fondant sur les aptitudes à la vente du second. Cinq mois avant la naissance officielle de Coca-Cola, la Pemberton Chemical Company vit le jour.

La légende attribue trois faits d'armes à Frank M. Robinson. La création du nom de la nouvelle boisson, sa calligraphie spencerienne qui n'a guère évolué depuis 1886 et le recours massif à la publicité. Si, concernant les formes rondes et déliées du nom Coca-Cola, la responsabilité de Robinson paraît authentique, les deux autres points sont plus sujets à caution. D'abord parce qu'il fallut attendre le début du XXe siècle, un temps où ses partenaires d'alors étaient décédés, pour que Robinson précise son rôle en ces termes : « Nous étions quatre associés et chacun de nous a proposé un nom. J'ai soumis le nom "Coca-Cola" et il a été adopté et utilisé[1]. » En fait, bien que rien n'infirme qu'il n'ait pas été le père du patronyme, son récit oublia de préciser l'existence d'un produit extrêmement populaire en 1885, le Coca-Bola, une pâte à mastiquer dont les multiples publicités n'avaient pu échapper aux associées de la Pemberton Chemical Company. Et ce n'était pas tout. Ainsi l'édition 1884 du catalogue de la Frederick Stearns, l'entreprise où Pemberton commandait sa matière première, ne vantait-elle pas, sur une page séparée en deux colonnes, les vertus du Coca et de la Cola ?

---

1. Témoignage en justice de Frank M. Robinson cité *in The Coca-Cola Company v. The Koke Company of America*, 1913-1920.

Tout cela paraissait oublié lorsque, en 1914, Robinson raconta la genèse de la marque en insistant sur le rythme du mot, la force de l'allitération et son dynamisme visuel. Une explication adoptée depuis par la Compagnie qui permet, là encore, d'oublier que le nom Coca-Cola désigne d'abord ses deux composants principaux[1]. Et qui a le mérite de couper court, comme nous le verrons, à tout débat sur la présence de cocaïne dans le soda.

*

En 1994, Frederick Allen, ancien de The Atlanta-Constitution et analyste financier pour CNN, publia *Secret Formula*[2], un volumineux livre qui se voulait une étude exhaustive et objective de l'histoire de la Compagnie. Et qui s'ouvrait sur l'idyllique portrait[3] d'un couple hétéroclite. Celui d'un sudiste

---

1. J. C. Mayfield, le dernier associé de Pemberton, commercialisa en 1901 Celery-Cola, le breuvage que Pemberton expérimentait à la fin de sa vie, en 1888. Interrogé sur l'origine du nom, Mayfield expliqua : « Le vieux Dr. Pemberton était un grand inventeur [...]. Je me souviens lorsqu'il suggéra que nous fabriquions Celery-Cola. Nous avons tourné autour de la chose, mais l'idée était d'avoir une boisson qui avait ce que son nom indiquait : du céleri et du cola. Laissant de côté la coca. Il m'a expliqué que les lois sur les marques déposées exigeaient que le produit contienne ce que l'étiquette indiquait. » *The Coca-Cola Company v. The Koke Company of America*, 1913-1920.

2. *Secret Formula*, Frederick Allen, HarperCollins, 1994. À noter que contrairement à ce qu'avance le site de l'éditeur, Allen n'est pas décédé en 1954.

3. Quelques remarques sur l'ouvrage d'Allen. La lecture des remerciements du livre démontre qu'il a été écrit en collaboration avec Coca-Cola, la compagnie lui ayant accordé un accès complet à ses archives et à son personnel. Allen participa également au DVD, *Coca-Cola, a history of an American Icon* qui mérite le titre de publi-reportage plus que de documentaire. Le 12 novembre 1998, Ted Ryan, un des responsables des Archives de la Compagnie, me recommandait d'ailleurs par courrier la lecture de *Secret Formula* au détriment du bien plus critique *For God, Country and Coca-Cola*. Le représentant de la Compagnie, mettant en avant, comme c'est l'usage, qu'il s'agissait seulement de son avis personnel, m'expliqua

chaleureux et rêveur et d'un nordiste plutôt solitaire mais génial, d'un homme qui venait d'inventer une nouvelle boisson et de son ami qui allait la faire vivre grâce au recours inédit à la publicité, en somme la saga parallèle de John S. Pemberton et Frank M. Robinson[1].

Évidemment, la vérité historique écorne ce tableau trop parfait, dont le seul intérêt pour ses concepteurs consistait à toiletter l'image de l'un des pères fondateurs de la marque. Car s'il est vrai que Coca-Cola a été pendant longtemps précurseur dans le domaine de la communication, la Compagnie a surtout su profiter de son immense surface financière pour capter et saturer les espaces publicitaires et évincer la concurrence. Par ailleurs, les prétendus éclairs de clairvoyance de Robinson ignorent le contexte économique de la fin des années 1880 : ses messages rompaient avec le style de l'époque et optaient pour des formules courtes au détriment des phrases ampoulées... essentiellement parce que la Pemberton Chemical Company payait ses réclames au mot[2].

Idem pour le recours massif à la réclame. Il s'agissait non seulement d'une habitude de l'époque mais également d'une obligation propre aux élixirs miracles. Ainsi, en 1881, soit cinq ans avant Coca-Cola, St. Jacob's Oil investissait déjà plus de cinq cent mille dollars dans ses publicités. Une somme

---

que le livre d'Allen était un « livre bien plus exact ». Comme nous le verrons, l'exactitude d'Allen soulignée par Coca-Cola était loin de la réalité historique, notamment concernant la situation en France.

1. Asa Candler, nous y reviendrons, vint compléter le tableau en devenant le premier président de The Coca-Cola Company et en y apportant son savoir-faire industriel.

2. Mark Pendergrast remarque également que, même si ce n'était pas habituellement le cas des publicités pour les autres produits de Pemberton, les élixirs aimaient utiliser des formules courtes facilement mémorisables. Ainsi, la première publicité de Coca-Cola parue le 29 mai 1886 dans l'*Atlanta-Journal* débutait par : « Coca-Cola. Délicieux ! Rafraîchissant ! Ragaillardissant ! Vivifiant ! »

énorme quand on songe qu'une pancarte accrochée à un tramway n'excédait pas un dollar. Dix ans plus tard, la revue *Scientific American* citait une dizaine de laboratoires dépensant plus d'un million de dollars annuels afin de promouvoir leurs préparations miracles[1]. En outre, les fabricants de potions utilisaient les méthodes classiques – affiches, hommes-sandwiches – mais développaient déjà l'idée de produits dérivés. En 1886, lorsque Pemberton et Robinson lancèrent Coca-Cola, le million d'habitants d'Atlanta avait déjà été inondé d'objets publicitaires en tout genre, du peigne au calendrier.

Dès sa première année Coca-Cola a néanmoins investi plus d'argent en publicité que le profit engendré par la seule vente de la boisson, non parce que Robinson fut touché par une intuition de génie, mais parce que la Pemberton Chemical Company en avait les moyens. En effet, les remèdes de grand-mères avaient permis le développement du secteur publicitaire aux États-Unis avant tout parce que leurs coûts de fabrication étaient fort bas. En moyenne, un produit vendu un dollar revenait à moins de dix cents à son inventeur. Une fois la marge du distributeur défalquée, le profit était tel qu'il ne coûtait guère d'investir dans la réclame.

En plus d'une activité à la marge importante et dépendante de la réclame, Coca-Cola a en fait profité des circonstances de l'Histoire. D'un phénomène politique et religieux que la Compagnie paraît avoir aujourd'hui oublié, préférant mettre en avant le don de divination de ses pères fondateurs.

*

Le 25 novembre 1885 pourrait représenter la date la plus importante de l'histoire de la Compagnie.

Depuis des mois, les ligues du révérend Sam Jones manifestaient, parfois violemment, contre la consommation d'alcool.

---

1. *In For God, Country and Coca-Cola, op. cit.*

Ce mouvement de tempérance, essentiellement bigot, qui regroupait de nombreuses femmes, mettait en avant la multitude d'existences maltraitées pour cause d'abus de liqueurs. Et insistait, principalement, sur le pouvoir rédempteur de la Bible. Rapidement, les saloons de Point Five, le cœur d'Atlanta, là même où Pemberton assurait l'essentiel de son commerce, devinrent la cible principale des troupes de Jones. En octobre, cédant à la pression, le maire de la ville sudiste décida un référendum sur la question pour la fin du mois de novembre. Et, le 25, d'une courte majorité, Atlanta devint une ville « sèche[1] ». Pour une période d'essai de deux ans, la vente d'alcool y fut interdite, prohibition qui poussa de nombreux cafés à la fermeture.

Au lendemain des résultats, la municipalité offrit toutefois un délai de grâce aux propriétaires des établissements visés : ils avaient jusqu'au 1er juillet 1886 pour cesser leur activité.

L'effet du scrutin fut dévastateur pour les fabricants d'élixirs miraculeux, de nombreuses potions contenant une solide base d'alcool. Surtout, il annonça un changement de mœurs majeur : désormais, les *soda fountains* et leurs boissons gazeuses aromatisées aux fruits deviendraient les seuls lieux de convivialité autorisés. Et *ipso facto*, le point de mire de nombreux laboratoires d'Atlanta. Conséquence, le premier qui serait en mesure d'offrir une boisson sans alcool tranchant avec les orangeades et procurant un coup de fouet proche de la sensation du bourbon, assurerait une véritable fortune à ses actionnaires.

John S. Pemberton avait moins de six mois pour réussir.

---

1. Certaines villes, comme Dallas par exemple, sont séparées en deux zones. La « dry », sèche, où la vente d'alcool est interdite, et la partie « wet », mouillée, où elle est autorisée. Ce quadrillage a généralement fait la fortune du crime organisé, installant des débits de boissons à la limite des deux zones.

9. Négation

La Compagnie n'aime guère cet aspect de l'histoire. Elle préfère en effet évoquer une création artisanale et un heureux fruit du hasard. Pourtant, le tour de force de John Pemberton est méritoire. Après tout, lui et ses associés ont su anticiper l'évolution du marché et répondre rapidement à cette nouvelle demande.

Les « oublis » de The Coca-Cola Company paraissent dès lors étranges. Comme si elle voulait volontairement diminuer les talents créatifs de John Pemberton.

Ainsi, occultant les conséquences du référendum du 25 novembre, le récit officiel note que Pemberton « aimait tester les formules médicinales[1] », comme s'il agissait d'une sorte de hobby. Pourquoi faire abstraction des différents documents prouvant que « Doc » cherchait frénétiquement un produit répondant à la nouvelle loi, comme le courrier de mai 1886 rédigé par Lewis Newman, son neveu, qui affirmait : « Il était disposé à me faire visiter son "usine" et à me raconter qu'il avait commencé à vendre sa "boisson de tempérance" comme il l'a nommée[2] » ?

---

1. *In L'Histoire de Coca-Cola, op. cit.*
2. *In For God, Country and Coca-Cola, op. cit.*

Afin de défendre sa théorie de l'« immaculée conception », la Compagnie, au fil du temps, a toujours maintenu le cap. Ainsi, enterrant l'idée d'une création fruit d'un effort long et réfléchi, Coca-Cola est allé jusqu'à remettre en question la forme même du produit de Pemberton. Depuis les années 1920, Coke prétend ainsi que, durant un an, le Coca-Cola se résumait à un sirop mélangé à de l'eau plate et que l'ajout de gaz fut accidentel, puis généralisé face à la réaction enthousiaste des consommateurs[1]. Or rien n'est plus contestable, l'hypothèse d'une boisson non pétillante allant à l'encontre du fonctionnement des *soda fountains* mariant arôme et eau gazeuse comme des témoignages écrits de Lewis Newman ou John Turner, un apprenti de Pemberton. Dans différentes correspondances, ceux-ci évoquent en effet la commercialisation de « coca-cola » à la pharmacie Jacob's en mentionnant clairement que le sirop produit par le « Doc » est mélangé à de l'eau gazeuse.

*

En 1966, *The Refresher*[2], revue interne de The Coca-Cola Company, fêta les soixante-quinze ans de l'invention officielle du soda avec, sur cinq pages d'un numéro commémoratif, un article retraçant la saga de la marque. Un papier où le nom de son inventeur est cité à seulement deux reprises, la Compagnie ne jugeant même pas utile de fournir quelques informations sur son parcours. Alors que les portraits d'Asa Candler et Robert Woodruff, les deux présidents historiques de la société, eux, occupent bien plus d'espace.

---

1. *In The True Origin of Coca-Cola*, Charles Howard Candler. *Special Collections and Archives*, Robert W. Woodruff Library, Emory University, Atlanta. Charles H. Candler était le fils d'Asa Candler, le premier président de The Coca-Cola Company.
2. Collection Guy et William Reymond.

Négation

Cet acharnement à faire « disparaître » Pemberton, cette insistance à minorer son rôle ne sont en rien le fruit du hasard. Ils touchent au cœur de la légende. Et brouillent les origines véritables de la boisson comme la naissance, controversée, d'un empire.

10. Corse

« Le succès de ses propres préparations médicamenteuses est quelque part remarquable, écrivait la presse en mars 1885. Sa réputation est telle, parmi la masse des consommateurs du Sud, que son nom sur une étiquette constitue à lui seul une garantie de succès et d'efficacité[1]. »

En 1885, la renommée de John S. Pemberton ne fait pas de doute. Ni l'étendue de ses recherches. Dans un article de l'*Atlanta-Journal* du 21 décembre 1886, on apprend ainsi que le « Doc » achève un ouvrage recensant ses « 12 000 expériences chimiques ».

L'archétype du chercheur sans moyens ni reconnaissance de son temps se fendille donc un peu plus. Et si Pemberton était une figure incontournable d'Atlanta, ce n'était en rien, encore, à cause de Coca-Cola, mais parce qu'il avait remporté un autre challenge régional que la Compagnie, depuis, tente d'ignorer.

*

---

1. *In Atlanta-Journal*, 10 mars 1885.

Début 1885, John S. Pemberton se lança dans une nouvelle aventure. Son sirop contre la toux trustant le marché depuis bientôt dix ans, l'ancien pharmacien avait remarqué combien son nom aidait à mieux vendre. D'où sa nouvelle invention, un tonique aux nombreuses qualités : « Les Américains sont le peuple le plus nerveux au monde... Et pour tous ceux qui souffrent de tels mots, nous recommandons notre nouveau remède [...], affirmait l'apothicaire. Il est infaillible pour guérir ceux qui sont affligés de n'importe quel trouble nerveux, qui souffrent de fatigue physique et intellectuelle, d'irritabilité gastrique, de constipation, de maux de tête. [...]. Il guérira les faibles productions de semence, l'impuissance... lorsque tous les autres remèdes auront échoué[1]. »

Le succès fut immédiatement au rendez-vous. Le premier samedi suivant la mise en vente du produit, Pemberton battit un record : près de neuf cents fioles à un dollar pièce se vendirent en un seul point de vente d'Atlanta. Mieux, cette réussite n'eut rien d'éphémère, l'élixir s'installant et résistant à l'effet de mode. Commercialisé initialement comme l'ultime innovation de J.S. Pemberton & Company, il devint, en 1886, le produit phare de la nouvelle entité formée par lui et Frank Robinson. D'ailleurs, une publicité parue à l'automne 1886, soit quelques mois après l'introduction du Coca-Cola, vantait le tonique de Pemberton ainsi que le procédé unique, et exclusif, d'impression en deux couleurs de Robinson[2].

En fait, les ventes du tonique atteignirent de tels records que les premiers cent cinquante dollars investis dans la publicité de Coca-Cola provenaient des bénéfices engrangés par le miraculeux élixir. Une manne qui va permettre au soda de franchir le cap de sa première année, à un moment où son avenir n'était en rien assuré et où la plupart des mélanges aromatisés avaient déjà disparu, vivant seulement le temps d'une saison.

---

1. *In Atlanta-Journal*, 14 mars 1885.
2. Voir le cahier iconographique.

Or cette vérité-là ennuie, aujourd'hui, la Compagnie. Parce que le produit miracle de Pemberton était un mélange fortement alcoolisé, comble pour une entreprise qui, depuis bientôt cent vingt ans, se pose en alternative aux vins et eaux-de-vie et insiste sur leurs conséquences nocives. Et surtout parce que le French Wine Coca de John S. Pemberton était une imitation.

*

Louis Blériot se montrait enthousiaste : « J'ai pris la précaution d'emmener avec moi une fiole de vin Mariani. Son action énergétique m'a grandement aidé lors de ma traversée de la Manche. »

Le sculpteur Auguste Bartholdi n'en pensait pas moins : « Si j'avais découvert plus tôt les vertus du vin Mariani, la statue de la Liberté mesurerait plusieurs centaines de mètres. »

Et Émile Zola, de son côté, estimait avoir trouvé dans ce breuvage sa fontaine de jouvence. « J'ai à vous adresser mille remerciements, cher monsieur Mariani, pour ce vin de jeunesse qui fait de la vie, conserve la force à ceux qui la dépensent et la rend à ceux qui ne l'ont plus », écrivit-il un jour.

Ces enthousiastes n'étaient pas les seuls. De la reine Victoria au pape Léon XIII, en passant par H. G. Wells, Thomas Edison et Sarah Bernhardt, les plus grandes personnalités de la fin du XIXe siècle peinaient à trouver des mots assez forts et laudateurs pour décrire leur admiration envers le mélange tonique d'Ange Mariani.

*

Né en 1838 à Pero-Casevecchie, Ange Mariani rejoignit Paris en 1863. Ce Corse, poursuivant une tradition familiale, était apothicaire. Comme aux États-Unis, la médecine européenne vivait une intense révolution et l'industrie pharmaceutique découvrait les vertus de l'aromathérapie et de la médecine par les plantes. Dans son arrière-boutique, ce pharmacien ingénieux préparait donc ses propres concoctions associant racines et feuilles et destinées à guérir « le vomissement, la colique et l'obstruction ».

Il avait, parmi ses connaissances, un médecin appelé Charles Fauvel. Lequel, futur associé de Mariani, venait de lire les écrits de Palo Mantegaza, un praticien milanais qui, de retour d'un voyage au Pérou, avait expérimenté le pouvoir de la coca et était persuadé que les feuilles mâchées par les indiens pour lutter contre la fatigue et les effets de l'altitude possédaient un avenir en médecine[1]. La même année, à l'université de Göttingen, en Allemagne, Albert Niemann était de son côté parvenu à isoler et purifier de la cocaïne, confirmant l'intuition de Mantegaza quant à la future utilisation de ce produit[2].

La conjonction des deux événements n'échappa pas à Mariani qui, anticipant sur la mode, décida de commercialiser un produit à base de feuilles de coca. Après quelques essais ratés, le pharmacien aboutit à une solution viable en optant en faveur d'un mélange de vin de Bordeaux et de feuilles péruviennes[3].

N'ignorant pas la nécessité de recourir à la publicité pour percer dans la branche pharmaceutique, l'apothicaire engagea

---

1. Pour, entre autres, selon l'Italien, traiter « la langue chargée du matin, les flatulences et blanchir les dents. » *In* http://www.nationmaster.com/encyclopedia/Cocaine

2. La cocaïne fut utilisée comme anesthésique dentaire puis en chirurgie ophtalmologique. Pour les différentes histoires des drogues et, plus tard, leur distribution par le crime organisé, voir *Mafia S.A.*, William Reymond, Flammarion, 2001.

3. Si, dans un premier temps, les feuilles venaient du Pérou, par la suite Ange Mariani fit pousser ses propres plants dans le jardin de son pavillon de Neuilly-sur-Seine. Bien qu'il soit difficile d'estimer aujourd'hui la quantité de cocaïne dans la boisson de Mariani, on affirme que chaque verre combinait le pouvoir de l'alcool à celui d'une ligne de coke pure. Il ne fait alors aucun doute que les témoignages évoquant un véritable coup de fouet étaient authentiques !

les services de Jules Chéret, le plus grand illustrateur de l'époque. Le vin Mariani était lancé. Avec un retentissement immédiat qui dépassa les frontières de l'Hexagone. On en but à Londres d'abord, où le Corse installa une succursale, puis en Belgique, en Suisse, en Égypte, en Indochine et même en Russie. Toutefois, Mariani, devenu millionnaire, visait un autre eldorado : l'Amérique. Pour mettre un pied au nouveau monde, il aborda le continent par Montréal où, profitant d'une présence corse réelle, il ouvrit des bureaux et organisa les importations. Une stratégie en avance sur son temps.

Au-delà des publicités en couleur, le vin Mariani possédait un autre atout : mettre systématiquement en avant les témoignages enthousiastes des célébrités du moment[1]. De quoi séduire les anonymes. Sans oublier une caution essentielle, celle du pape dont seul le pharmacien français avait obtenu la bénédiction. Néanmoins, c'est l'histoire et la fin tragique de l'ancien Président Grant qui offrirent à Angelo, comme le surnommèrent ses clients connus, son ticket d'entrée aux États-Unis.

*

Depuis le début de l'été 1884, Ulysses Grant, ancien héros de la guerre de Sécession, était malade. À l'automne, le diagnostic de ses médecins tomba : l'ex-Président des États-Unis[2] souffrait d'un cancer à la gorge et ses jours étaient comptés. Criblé de dettes et soucieux de laisser un pécule à ses proches, Grant entama l'écriture de ses Mémoires[3] dans une véritable

---

1. Les volumes, regroupant les témoignages de deux papes, seize souverains et une centaine de célébrités, et couvrant la période 1891-1913, sont consultables à la British Library de Londres. À noter aussi que la bibliothèque de Lisieux propose sur Internet une série de contes écrits à la gloire d'Angelo Mariani par Frédéric Mistral, Paul Arène, Victorien Sardou et Alphonse Allais. http://www.bmlisieux.com/litterature/bibliogr/mariani.htm

2. Grant présida deux mandats, de 1869 à 1877.

3. *Personnal Memoirs of Ulysses S. Grant.* Le livre, hautement recommandé, a été publié par Mark Twain. La vente a rapporté quatre cent

course contre la mort. Pire, son calvaire devint bientôt public et les Américains se fascinèrent pour ce challenge morbide[1]. Ils retinrent aussi une information capitale : pour supporter la douleur et terminer son œuvre avant qu'il soit trop tard, les médecins du Général lui avaient prescrit un seul médicament : le vin Mariani.

On s'en doute, l'inventeur de cette substance miracle eut immédiatement droit au statut de héros national. Il fut ainsi invité à New York pour présenter son breuvage salvateur et vanter les mérites de la coca. Bientôt les bureaux québécois se virent transférés sur la quinzième rue de la cité américaine et, bénéficiant de cette publicité gratuite, le vin Mariani, le meilleur des *brain tonic*[2], débarqua en Amérique. Atlanta n'échappa évidemment pas à la déferlante.

---

cinquante mille dollars à la famille de Grant. Près de dix millions en valeur actuelle.

1. Grant acheva ses Mémoires quelques jours avant de décéder, le 23 juillet 1885.

2. Littéralement, « tonique pour le cerveau ». Pemberton, ce qui confirme le plagiat, utilisa le même slogan pour ses publicités.

11. Gonflée

Le produit était assurément parfait. Depuis que Pemberton en consommait régulièrement, sa dépendance à l'héroïne avait presque cessé. Et ses intestins ne le rongeaient plus.

Certes, Mariani avait été le premier à oser. Le premier à penser que l'amertume des feuilles de coca serait idéalement noyée dans du vin, que l'éthanol contenu dans l'alcool modérerait naturellement la teneur en cocaïne des feuilles et, dès lors, rendrait le breuvage final consommable. Mais Pemberton pensait pouvoir aller au-delà. Le succès de Mariani ne confirmait-il pas son intuition ? Celle que l'avenir appartenait à la cocaïne ?

*

Pemberton aurait-il dû avoir mauvaise conscience de suivre ce mouvement ? Assurément non, car avant même que le vin miraculeux de Mariani traverse l'Atlantique, il se fascinait déjà pour les vertus thérapeutiques des feuilles péruviennes. En 1876, il avait en effet lu un article instructif de Sir Robert Christinson. À soixante-dix-huit ans, âge canonique pour l'époque, ce président de l'Association médicale britannique venait de réussir l'exploit d'atteindre le sommet du Ben

Vorlich[1] sans souffrir de la fatigue ou de l'altitude parce qu'il avait, tout au long de son expédition, mâché des feuilles de coca[2].

En outre, neuf ans plus tard, alors même que Mariani entamait à peine la conquête de son territoire, la parution d'*Über Coca*, de Sigmund Freud, consommateur convaincu, avait alerté l'opinion.

Non, décidément, pourquoi laisserait-il passer sa chance ? Les élixirs contre la toux ayant fait leur temps, il lui fallait opter pour la coca. Par ailleurs, Pemberton n'était en rien stupide. Il savait pertinemment que si Mariani dénonçait les imitateurs de son vin dans certaines de ses publicités – et il commençait à y en avoir –, les risques de procès s'avéraient plus que mineurs. Par prudence tout de même, lorsque, en 1885, il déposa le nom « French Wine Coca », il affirma fabriquer sa boisson depuis 1882, soit deux ans avant l'arrivée sur le marché de Mariani.

Le manipulateur d'essences possédait une autre conviction : les contrefaçons du vin français n'avaient pas rencontré le succès escompté parce qu'elles s'avéraient inférieures au produit original ! Pemberton n'allait pas tomber dans ce piège. Si le Français avait réussi à créer la solution parfaite, lui, le Sudiste, saurait parfaitement l'imiter mais, surtout, l'améliorer.

*

« Comme la Coca, le Kola permet à ses consommateurs de passer outre le jeûne et la fatigue[3]. »

---

1. Une montagne écossaise qui culmine à 943 mètres d'altitude.

2. Pemberton cita l'article dans un entretien à l'*Atlanta-Journal* de 1885. *In For God, Country & Coca-Cola, op. cit.*

3. *Further notes on the utility of Coca and Kola*, New Line, juin 1884. Cité *in For God, Country & Coca-Cola.*

Depuis qu'il l'avait lue au printemps 1884, cette phrase hantait John S. Pemberton. Et si les noix de kola[1] représentaient la solution ? Certes, il n'ignorait pas que, depuis fort longtemps, les peuplades d'Afrique utilisaient ces noix transformées en poudre pour supporter des efforts prolongés, mais il pensait à autre chose. Après avoir analysé les graines, il constata que, broyées, elles possédaient, comme la Coca, une quantité importante d'alcaloïdes. Que le taux en caféine de cette poudre était même étonnamment élevé, plus que la quantité comprise dans le thé ou le café. L'idée lui apparut : combiner Coca et Kola.

Et, ainsi, créer une version américaine, gonflée à la cocaïne et à la caféine, du vin français qui rencontrait les faveurs du public.

« French Coca Wine », le premier supertonique, partit alors à la conquête du sud du pays. Et l'expansion du vin Mariani aux États-Unis allait bientôt toucher à sa fin[2].

*

John S. Pemberton devait pourtant partager son secret. Et faire connaître sa trouvaille qui, comme prévu, constituait une imitation parfaite d'un produit concurrent – et étranger – en voie d'implantation. Mais lui, le pharmacien d'Atlanta, à la différence de tous les autres, avait remporté le pari de rendre meilleur le breuvage ayant accordé un sursis à Grant. N'y tenant plus, il contacta l'*Atlanta-Journal*.

Le quotidien se montra d'emblée intéressé. Pemberton n'était pas un inconnu, passait régulièrement ses réclames

---

1. En réalité, il s'agit de la graine. Les Kolatiers se trouvent principalement en Côte d'Ivoire et au Niger.

2. En France, la version cocaïnisée du vin fut autorisée à la vente jusqu'en 1910. Dans les années trente, les héritiers d'Ange Mariani, décédé en 1914, supprimèrent l'alcool. La nouvelle boisson, rebaptisée Tonique Mariani, resta en vente en pharmacie jusqu'en 1963.

dans les colonnes du titre. Et, surtout, le Doc semblait disposé à lever le voile sur le « French Coca Wine » que le tout Atlanta adorait.

Aussi, début mars 1885, le quotidien envoya-t-il un de ses reporters à la J.S. Pemberton & Co, sise au 59 South Broad Street en plein centre ville. Là le pharmacien, ravi, expliqua sans sourciller la fabrication de sa boisson. « Elle est composée d'un extrait de feuille péruvienne de Coca, du plus pur des vins et de noix de Kola, raconta-t-il. C'est le meilleur des toniques, aidant la digestion, apportant de l'énergie aux organes de la respiration et rendant plus forts les systèmes musculaires et nerveux [1]. »

Ensuite, après avoir retracé l'histoire de la feuille de coca, il parla de la France : « Ce sont les scientifiques français qui, les premiers, ont enquêté sur les pouvoirs de la coca. Qui ont réussi à isoler l'extrait contenu dans les feuilles [2]. Qui l'ont associé avec du vin pur [3]. »

Pour le journaliste averti des rumeurs et des mises en garde récurrentes de la société Mariani, l'occasion était trop belle. Le moment enfin venu de poser la seule vraie question : savoir si le French Wine Coca d'Atlanta constituait une simple imitation du vin de Paris. Par rodomontade et orgueil, en jubilant, Pemberton admit : « J'ai eu le privilège de pouvoir étudier de très près la formule française [4]. Et, à partir de cela, fort de mes

---

1. *Atlanta-Journal*, 10 mars 1885.
2. Pemberton parle ici de la cocaïne. Dans son enthousiasme pour le vin Mariani, il attribue aux Français ce que les Allemands ont fait.
3. *Idem*.
4. Cette phrase reste, cent vingt ans après, un mystère. Pemberton prétendait ouvertement avoir eu accès à la recette de Mariani. Si, au cours de mon enquête, j'ai été confronté à la rumeur de contacts épistolaires entre les deux inventeurs, je n'ai jamais réussi à confirmer la chose. Quoi qu'il en soit, la perspective reste... excitante.

propres expériences et de contacts directs avec mes correspondants sud-américains, j'ai décidé de l'améliorer[1]. » Après un silence, définitif, il ajouta : « Je crois que je produis maintenant une meilleure préparation que celle de Mariani[2]. »

---

1. *Idem.*
2. *Idem.*

12. Miracle

Pemberton n'avait que six mois pour réussir. Les ligues de tempérance avaient gagné et, bientôt, à cause du référendum du 25 novembre, l'alcool serait banni d'Atlanta. Cette décision tombait au pire moment.

Certes, avec le French Coca Wine, détournement du vin Mariani, le Doc tenait enfin un succès, celui qui l'avait incité à quitter le confort paisible de Columbus pour l'effusion d'Atlanta. Mais la cité sudiste se retournait maintenant contre lui. Et ce au moment même où sa société, grâce à de nouveaux partenaires, paraissait promise à un bel avenir. Ainsi, Howard et Doe avaient apporté le capital nécessaire à une production de masse. Robinson et son imprimante bichromique permettaient aux publicités de sortir du lot.

John Pemberton et son vin à la coca et au kola étaient prêts à s'attaquer à l'immense marché américain puis, comme Mariani, au reste de la planète, mais tout menaçait de s'effondrer : le mouvement anti-alcool parti du Sud semblait vouloir assécher le pays en entier !

*

Bien sûr, les raisons d'espérer ne manquaient pas. L'être humain éprouverait toujours le besoin de se retrouver avec ses semblables. La convivialité faisant partie de sa nature, d'une manière ou d'une autre, il irait s'asseoir à une table, et, avec d'autres, un verre à la main, palabrerait pour refaire le monde.

Aussi, les *soda fountains* étant promises à un avenir radieux, il fallait désormais proposer une boisson adulte. Un mélange qui procure aux buveurs en manque d'alcool le fameux coup de fouet qu'ils recherchaient. En somme reproduire le succès du French Coca Wine, tout en se pliant au nouveau décret de la municipalité.

Supprimer le vin ne relevait pas de l'impossible, mais il fallait désormais camoufler l'amertume des deux extraits naturels stimulants. En outre, ôter l'alcool obligeait à supprimer toute référence à l'ancien produit de peur que la rumeur associe les deux boissons. Enfin, le mot French, bien trop évocateur du mélange de Mariani, devait disparaître. Après cette soustraction facile, restaient donc les deux composants principaux : Coca-Kola.

Pemberton, persuadé que la loi contraignait à afficher dans le nom le contenu principal de son nouveau breuvage [1], jugea l'intitulé parfait. Frank Robinson l'apprécia également, mais l'estima plus efficace si on le faisait commencer avec deux « c » [2].

*

Le sucre, ajouté en grande quantité, adoucissait le goût amer du mélange. Restait, désormais, à rendre le produit attrayant. Or, pour y parvenir, le mieux consistait à en faire

---

1. Voir chapitre 8.
2. « J'ai toujours pensé que les deux "C" en lettres majuscules feraient très bien du point de vue publicitaire. » Témoignage de Frank M. Robinson, 1914. *In The Coca-Cola Company v. The Koke Company of America*, 1913-1920.

tester les différentes évolutions par les consommateurs eux-
mêmes.

Tandis que, dans son laboratoire, Pemberton ajoutait
chaque jour de nouveaux arômes à son mélange de coca et
kola, Lewis Turner et John Newman[1] partaient avec la boisson à la *soda fountain* de la pharmacie Jacobs où, sous leurs
regards, la clientèle goûtait l'échantillon.

Chaque matin, le Doc recommençait. L'hiver passa ainsi,
expérimentations après essais et études. Jusqu'à un jour
d'avril 1886, où la Pemberton Chemical & Co. tint enfin sa
formule miracle.

Le pharmacien étant prêt à se lancer dans la production et
Robinson dans la publicité, les beaux jours de mai marquant
le début de la saison des *soda fountains*, le moment paraissait
propice pour commercialiser un nouveau breuvage.

Le Coca-Cola, avec ses extraits de Kola et sa cocaïne,
était né.

---

1. Voir chapitre 9.

13. Embarras

La légende de la Compagnie fait oublier une genèse moins idyllique, plus humaine aussi. John S. Pemberton n'était en rien le doux rêveur décrit mais un inventeur de talent aux accents de charlatan.

Le Coca-Cola n'est pas un élixir sacré adopté spontanément par les habitants d'Atlanta mais, en 1886, un dérivé sans alcool d'une recette qui, à un détail prêt, relève de la contrefaçon. Une ironie de l'histoire piquante lorsqu'on connaît, depuis 1920, l'obsession de la marque sur ce sujet, elle qui a systématiquement attaqué les imitateurs de son soda fétiche.

En outre, l'identité même de la boisson, son célèbre nom, ne constitue pas une ode poétique mais désigne bel et bien les deux ingrédients vedettes de la recette de Pemberton.

En vérité, en reniant le parcours de son créateur, en caricaturant ce dernier en raté ayant eu, en mai 1886, son seul trait de génie, la légende détourne une autre réalité estimée embarrassante. Le fait que, durant près de vingt ans, le Coca-Cola a contenu de la cocaïne. Et que, grâce à cette présence gênante, il est devenu un succès national.

*

John S. Pemberton, lui, n'a jamais tenté de dissimuler la présence de cocaïne dans sa boisson. Au contraire, le pharmacien d'Atlanta a publiquement défendu les qualités « thérapeutiques et tonifiantes » de la plante de Coca. Comme il n'a jamais caché, y compris dans les colonnes de la presse locale, avoir lui même expérimenté intensivement ce produit. D'où vient, dans ce cas, l'acharnement à faire oublier cette vérité-là ? Tout simplement de la fondation de la Compagnie par Asa Candler en 1891. Et ce par calcul mercantile autant que par volonté d'édifier une image de marque la plus nette et pure possible.

À partir de 1885, même si la vente de cocaïne était légale aux États-Unis, cette substance se vit de plus en plus critiquée. L'enthousiasme des premiers promoteurs fut rapidement étouffé par les protestations des médecins constatant les effets d'accoutumance et les répercussions néfastes de la drogue[1]. En août 1886, soit trois mois après la commercialisation du Coca-Cola, The American Druggist reproduisait ainsi une étude allemande décrivant les ravages de la cocaïne. Or Pemberton et Robinson, comme la plupart des pharmaciens d'Atlanta, étaient de fidèles lecteurs de cette publication.

Néanmoins, considérant que les atouts de la feuille de Cola se révélaient supérieurs à ses désagréments, que son attrait correspondait à une société en pleine mutation, les promoteurs de Coca-Cola préférèrent ignorer ces mises en garde et, au contraire, insister sur la qualité tonifiante de leur mélange sucré et gazeux de caféine et cocaïne.

Mais en 1891, alors que Coca-Cola gagnait des parts du marché national, Candler n'affichait pas la même candeur que

---

1. Pemberton lui-même, attribuant les plus extraordinaires vertus au produit, reconnaissait ses possibles effets secondaires : « La cocaïne est un remède capable de guérir presque tout [...]. D'un autre côté, une utilisation inconsidérée rendra un homme bien plus brutal et incontrôlable que n'importe quel alcool ou morphine. Là, réside un nouveau danger. » *In The Atlanta Constitution*, 17 juin 1885.

Pemberton. Et savait pertinemment que la cocaïne du soda représentait une arme à double tranchant. Bien sûr, d'un côté il y avait les multiples adeptes de la boisson ne cachant pas rechercher le coup de fouet salvateur produit par l'élixir de Pemberton, mais, de l'autre, cet homme intelligent comprenait que la présence de cocaïne fragilisait la pérennité même de la boisson. Qu'elle exposait Coca-Cola aux critiques de plus en plus virulentes de la presse, du corps médical, et même, comme ce fut le cas pour l'alcool, des ligues de vertu.

Le 12 juin 1891, le puissant *The Atlanta Constitution* ne titrait-il pas sur la mystérieuse composition du Coca-Cola ? Le quotidien reproduisit des témoignages de consommateurs accros et cita un médecin qualifiant la boisson de première étape vers une dépendance à la drogue. Une source, apparemment avertie de la composition, confirmait, en outre, que « l'ingrédient permettant à Coca-Cola d'être aussi populaire est la cocaïne ». L'article, ouvertement à charge, plaça la Compagnie sur la défensive. Et obligea son président à élaborer une stratégie de communication qui, au fil des années, alimentant la légende, aboutit à un déni total. Ainsi, Candler, en gentleman outragé, répliqua à l'enquête que si « Coca-Cola pouvait avoir des effets négatifs sur quiconque, [il] en arrêterait immédiatement la production ». La parole de Candler suffit et la polémique retomba. Sept ans plus tard, quand la teneur en cocaïne redevint sujet de débats, Candler réutilisa sa tactique. Et persista à se poser en homme responsable accusé à tort d'atteinte à sa bonne foi. Pourtant, cette fois-ci, l'attaque venait d'ailleurs : d'un prétoire ! Celui du révérend Lindsay, persuadé que la consommation de boisson expliquait la violence croissante constatée dans les rues d'Atlanta. Si, une nouvelle fois, Candler affirma qu'il « ne vendrait pas un poison » en connaissance de cause, l'offensive de Lindsay eut plus de répercussions parce qu'elle touchait un point sensible. Le frère du président de la Compagnie était pasteur et Candler se définissait comme un fidèle croyant. Il avait ainsi instauré une tradition dans la société en ouvrant et concluant chaque séminaire de ses forces de vente : en plus de la bénédiction donnée par un pasteur, comme un chef d'orchestre, il dirigeait ses missionnaires dans une interprétation exaltée de chants religieux. Aussi, qu'il soit vilipendé de ce côté-là ébranla-t-il ses certitudes.

En 1898, alors que Coca-Cola constituait l'activité principale d'Asa Candler, un terrible cas de conscience se posa donc au président de la Compagnie. La cocaïne valait-elle qu'on perde son âme pour elle ?

*

L'arrivée d'Asa Candler à la tête de la Compagnie constitue l'un des épisodes les plus réécrits de l'histoire de la marque. L'une de ces étapes majeures auréolées d'une légende miraculeuse forgée de toutes pièces. Selon la vulgate officielle, sollicité à maintes reprises par Robinson pour développer la boisson, Candler, riche pharmacien d'Atlanta, aurait de prime abord refusé. Jusqu'au jour où, par un heureux hasard, il aurait dégusté un Coca-Cola, en aurait instantanément apprécié le goût tout en tombant sous le charme de ses vertus médicinales. Candler souffrant de maux de tête chroniques, l'élixir de Pemberton, vendu à la fois comme une jouvence et un breuvage rafraîchissant, serait devenu le seul produit capable de le soulager. Alors, revenant sur l'offre de Robinson, il aurait créé The Coca-Cola Company.

Mais les chromos trop beaux n'existent pas dans la vie. Et ce récit camoufle, comme nous le verrons, les dessous de la prise de contrôle de Candler ainsi que sa parfaite connaissance des préparations toniques de Pemberton. Lors d'un long procès opposant Coca-Cola à Koke Company s'étalant entre 1913 et 1920, Samuel Candler Dobbs, un neveu d'Asa, témoigna sous serment. Revenant sur les relations commerciales nouées entre son oncle et l'inventeur de la boisson, Dobbs déclara : « Le Docteur Pemberton vendait "Pemberton's French Wine Coca" bien longtemps avant Coca-Cola. Asa. G. Candler avait, lui, l'habitude d'acheter le produit en grandes quanti-tés [1]. » S'il évoquait des acquisitions en gros pour revente dans la pharmacie Candler, Dobbs ne cacha pas que son oncle consommait également l'imitation du vin Mariani.

Cette rencontre providentielle entre le produit et son pre-mier président servit à gommer ce passé plus sulfureux qu'an-noncé. Car reconnaître que Candler n'ignorait rien de la genèse de Coca-Cola, version non alcoolisée d'une liqueur riche en cocaïne, c'était ébranler sa défense. Comment plaider la bonne foi et s'insurger contre des attaques si, par ailleurs, on admet que les vertus de la boisson sont liées à la présence même de la substance controversée ?

Cette ignorance feinte transpire dans la correspondance per-sonnelle de Candler. En avril et juin 1888, il adressa en effet différents courriers à son frère cadet, pasteur méthodiste ins-tallé à Nashville sur lequel il comptait pour promouvoir le soda. Comprenant que la teneur en cocaïne constituait un frein à son expansion, y compris aux yeux de Warren, vraisembla-blement rongé par la mauvaise conscience, il y escamotait le nom même du produit en question. Ligne après ligne, le soda de Pemberton se vit débaptisé et appelé Coco-Cola.

*

Cet embarras empira au tournant du siècle. Le sud des États-Unis étant traversé par une vague de violence raciale, le Ku Klux Klan connut son heure de triste gloire en pratiquant, le plus souvent selon des rumeurs infondées, une « justice » inique faite de lynchages de Noirs ayant osé s'élever contre leur condition misérable. Si la famine, les relents d'esclava-gisme et la ségrégation raciale se révélaient à l'origine des troubles, la cocaïne constituait parfois un élément déclen-cheur. Et ce parce que, en 1900, à Atlanta, la drogue coûtait

---

1. *In The Coca-Cola Company v. The Koke Company of America,* 1913-1920.

moins cher que l'alcool et que son effet sur l'endurance des travailleurs noirs n'avait pas échappé à certains propriétaires terriens blancs. Il arrivait du reste, en période de cueillette du coton, que la cocaïne remplaçât la nourriture. Soit par absorption directe, soit à travers du Coca-Cola[1] ! Sur le côte Est et à Atlanta, cette dérive exacerba les passions et la presse n'hésita pas à lier les soulèvements de la communauté noire à la consommation de la boisson gazeuse.

Robinson et Candler se retrouvèrent dans une impasse. Comme lui aussi pensait que le nom d'un produit devait en traduire le contenu, Candler refusa de voir disparaître la coca de sa composition. En outre, après quatorze ans d'investissements en publicité et coupons de dégustations, alors que Coca-Cola se vendait désormais sur l'ensemble du territoire américain, en modifier radicalement la recette et en changer le patronyme constituaient un risque qu'il refusait de prendre.

Pour parer au plus pressé, les pères fondateurs de la Compagnie choisirent la légende. En 1901, Candler publia un pamphlet consacré à la recette secrète de la boisson. Si la présence de cocaïne y fut officiellement admise, il précisa qu'elle était particulièrement modérée. Et d'ajouter, après avoir persisté et signé en énumérant les bienfaits de la feuille de coca, qu'il « faudrait boire une trentaine de verres pour s'approcher du dosage de la drogue ».

La tactique du contre-feu s'avéra insuffisante. Sous serment, en 1902, Candler fut contraint de reconnaître une quantité de cocaïne plus conséquente. La presse multiplia alors à l'envi les témoignages de médecins ayant rencontré des cas aigus de dépendance à la drogue et au Coca-Cola, y compris chez des enfants. Et souligna à maintes reprises des faits

---

1. « Coca-Cola a des effets similaires à la cocaïne, la morphine et d'autres produits semblables. Les hommes [...] ont du mal à se passer de cette habitude. » *In The New York Daily Tribune*, 21 juin 1903. Cité *in For God, Country and Coca-Cola*, *op. cit.*

divers sanglants impliquant des Noirs prétendument « chargés » en Coca-Cola. De quoi faire une publicité désastreuse à la marque. Pour couronner le tout, émergea à la même époque une rumeur, bientôt fondée, d'interdiction prochaine de vente de cocaïne dans l'État de Georgie. Face à tant d'assauts mettant en péril la firme, Candler se résolut à réagir. Après avoir essayé de modifier la recette en augmentant sa teneur en caféine pour conserver son effet tonique, il opta finalement en faveur de l'utilisation de feuilles de coca... préalablement décocaïnisées. Une façon astucieuse de répondre aux attaques, tout en maintenant un ingrédient original et en protégeant la marque[1].

Le revirement de Candler ne s'accompagna évidemment pas d'un mea culpa public[2]. Bien au contraire, désormais,

----

1. Un processus qui eut quelques ratés. Si, officiellement, Coca-Cola ne contient plus de cocaïne depuis 1903, l'Armée américaine, inquiète des résultats d'analyses effectuées en 1901, interdira la vente de la boisson à ses troupes pendant plusieurs mois. En 1929, une série d'analyses surprises conduites par la US Food, Drug and Insecticide Administration démontra qu'un résidu de drogue restait présent dans le produit. Profitant de son réseau politique à Washington, Robert Woodruff, président d'alors de la Compagnie, empêcha la divulgation de l'information au public. Et, afin d'éviter un problème semblable dans le futur, devint l'unique client de la Maywood Chemical Works, seule compagnie américaine alors capable de lui promettre une décocaïnisation complète. À la même période, Coca-Cola échappa à un autre scandale. Woodruff avait en effet lancé secrètement une installation de décocaïnisation au Pérou. Où un responsable de l'usine avait découvert une autre source de revenus. Au lieu de détruire la cocaïne isolée dans les feuilles, il préféra revendre le produit à des laboratoires pharmaceutiques européens. Ainsi, en 1928, expédia-t-il à Paris dix-neuf kilos de cocaïne pure. Une transaction qui ne manqua pas d'intéresser le Bureau central permanent de l'Opium de la Société des Nations. L'officine considéra un moment la Compagnie comme un possible trafiquant de drogue. *In Traffic in Opium and other dangerous drugs*, 14 août 1933. Cité *in Secret Formula, op. cit.*
2. Une repentance d'autant plus difficile qu'elle aurait impliqué qu'effectivement, par le passé, Coca-Cola contenait de la cocaïne et que son retrait – alors que le produit était encore légal – constituait la preuve des dégâts occasionnés. De plus, comme le remarque Mark Pendergrast,

après avoir plaidé la bonne foi et minoré la teneur en drogue, la Compagnie persista à réviser son histoire. Dorénavant, à plusieurs reprises et y compris sous serment, Candler asséna que le soda n'avait jamais contenu de cocaïne. Un mensonge que le documentaire officiel Coca-Cola, *The History of an American Icon*[1], persiste, en 2005, à promouvoir.

*

Modifier la recette originale de John Pemberton fut décidé dans la plus grande discrétion, au sein même du laboratoire de la Compagnie, mais la publicité maison se fit indirectement l'écho de ce changement majeur. Avec ce revirement, comme il n'était plus question de mettre en avant les effets toniques de Coca-Cola, on trouva une autre solution : évoquer la pureté de sa recette.

Parallèlement, comme pour couper définitivement tout lien avec ce sulfureux passé, Candler déclencha les hostilités contre une habitude populaire bien ancrée. La bataille du nom avait commencé. À en croire la légende, les clients des *soda fountains* avaient pris l'habitude d'affubler le sirop de Pemberton de deux surnoms sans équivoque : Dope et Koke.

Officiellement, Candler estimait ces diminutifs moralement inacceptables et négatifs pour la valeur ajoutée de sa marque. Mais, en vérité, il craignait qu'en s'installant ces mots dévoilent la véritable histoire de création de The Coca-Cola Company. Un chapitre pavé de trahisons, de fausses signatures et d'un décès pour le moins étrange.

---

conscient de l'attrait de la cocaïne sur une partie de ses clients, Candler ne souhaitait pas refroidir l'ardeur de ces derniers.

1. *Coca-Cola, the history of an American Icon*, MPI.

14. Arrangements

« En 1891, Pemberton vendit la compagnie à un homme d'affaires d'Atlanta, Asa Griggs Candler, pour la somme de 2 330 dollars[1]. »

L'histoire officielle de Coca-Cola constitue une suite de petits arrangements avec la vérité. Une litanie d'erreurs, d'oublis et d'approximations permettant de renforcer la légende. Car, contrairement à ce qu'avance le site français de la Compagnie, John S. Pemberton n'a jamais « cédé » sa société à Asa Candler. Et encore moins en 1891 dans la mesure où le père du Coca-Cola avait poussé son dernier soupir... trois ans plus tôt, le 16 août 1888.

Ce décalage avec la réalité se révèle si étonnant que l'on pourrait penser à une coquille typographique ou à un problème d'inattention. Hélas, il n'en est rien : cette information erronée apparaît tout au long d'une histoire que, depuis Asa Candler, la Compagnie s'efforce de réécrire. Une stratégie efficace puisque la soi-disant transaction de 1891 est régulièrement reprise par la presse, donc « authentifiée ». Ainsi, le

---

1. *L'Histoire de Coca-Cola*. Téléchargeable sur http://www.coca-cola-france.fr

21 août 1999, dans un article consacré à l'origine de la boisson, Luc Rosenzweig, du journal *Le Monde*, écrivait : « En 1891, il prit comme une aubaine l'offre d'un collègue pharmacien, Asa Criggs Candler, de lui acheter pour 1 750 dollars les droits d'exploitation de plusieurs spécialités de son invention, dont le Coca-Cola[1]. »

*

La période 1886-1891 est en fait propice à la manipulation historique. Coca-Cola était devenu une boisson emblématique, à succès, sans cocaïne, créée par un pharmacien dont, ironiquement, l'unique talent, à en croire les exégètes de la société, fut d'avoir vendu son entreprise à titre posthume.

Bien entendu, la légende avait besoin de ces épisodes emblématiques pour se développer. Mais, dans ce livre, il n'est pas question d'embellir le récit et de renforcer le mythe. Car si la Compagnie a travesti son passé, c'était aussi parce qu'elle souhaitait que la réalité reste dans l'ombre.

*

En 1914, Frank Robinson témoigna devant une cour de justice et évoqua la première année d'exploitation du Coca-Cola par John S. Pemberton. « De mai 1886 à mai 1887, il a vendu entre quatre-vingt-quinze et cent quinze litres de produit. Ou quelque chose comme cela[2]. » Converti en verres consommés, le chiffre s'avérait modeste puisque n'atteignant même pas les quatre mille !

Une affirmation pour le moins curieuse quand on songe que Coca-Cola remplaçait le vin cocaïnisé de Pemberton au succès avéré. Sans compter qu'entre 1886 et 1887 le soda était

---

1. *In* « L'empire de la soif », *Le Monde*, 21-22 août 1999.
2. *The Coca-Cola Company v. The Koke Company of America*, 1913-1920.

commercialisé dans de nombreuses villes américaines, perçant même sur la côte Est, et que l'été 1886 s'était montré propice aux boissons rafraîchissantes vendues dans les *soda fountains* dont la fréquentation avait crû grâce à la prohibition. Frank Robinson cherchait-il à minimiser les qualités d'entrepreneur de John Pemberton ? Et donc à dissimuler autre chose ?

Contrairement à ces assertions, Coca-Cola connut un succès immédiat. Profitant de la renommée des produits de Pemberton, de son solide réseau de diffuseurs comme de son mélange explosif de cocaïne et de caféine[1], la boisson s'imposa comme la sensation de l'été 1886. La réussite fut telle que, le 1er mai 1887, premier anniversaire du breuvage, *The Atlanta Constitution* consacra une pleine page à Pemberton et à ses créations. Le pharmacien, fier de sa bonne fortune, y annonça le lancement de deux nouveaux breuvages voués à remplacer le champagne et la bière. Il parla aussi de nouveaux associés et d'une augmentation de capital, événements à ses yeux synonymes d'expansion.

Une réussite que l'auteur de l'article lui-même avait constatée, y ajoutant quelques chiffres évocateurs. « Ces dernières semaines, expliqua-t-il ainsi, les ventes de sirop Coca-Cola ont dépassé les deux mille deux cent soixante-dix litres[2]. »

Soit fort loin des quatre mille verres annuels avancés par Robinson ! *The Atlanta Constitution* révélait en fait que, sur une période fort courte, la compagnie de Pemberton avait écoulé un peu plus de soixante-seize mille huit cents consommations. Impressionné, le reporter conclut même : « Le succès de cette compagnie est phénoménal[3]. »

---

1. Les recherches scientifiques prouvent que la caféine augmente les effets de la cocaïne. Si la version de Pemberton contenait presque neuf milligrammes de cocaïne par verre, elle renfermait également plus de 80 milligrammes de caféine. Une dose de cocaïne aujourd'hui contient en moyenne 20 milligrammes de drogue. L'effet du Coca-Cola était donc bien réel, d'autant que les tenanciers avaient pour habitude de mêler deux ou trois doses de sirop avec de l'eau gazeuse.

2. *Atlanta Constitution*, 1er mai 1887.

3. *Op. cit.*

Arrangements

*

En 1914, bien que sous serment, Frank Robinson avait donc sciemment diminué les beaux résultats de 1886. Parce que, en 1887, John S. Pemberton, devenu riche, avait décidé de se passer de son ancien associé sans prendre de gants ?

15. Rupture

Le 6 juin 1887, John S. Pemberton fit inscrire au registre du commerce la marque Coca-Cola[1]. Désormais assuré du succès de sa dernière invention, le chimiste estimait que les coûts de la procédure se justifiaient. Pourtant, un détail surprend : alors que la boisson avait été inventée et commercialisée dans le cadre de la Pemberton Chemical Company, la démarche fut faite en son nom propre ! Et lorsque, le 28 juin, Coca-Cola devint une marque déposée, les associés du pharmacien découvrirent la vérité : John Pemberton était devenu l'unique propriétaire du soda.

*

Les motivations de Pemberton sont obscures. Entre une revendication légitime de l'entière paternité du Coca-Cola et les accusations de malversations lancées par Frank Robinson, la vérité se glisse certainement. À vrai dire, et à la décharge de l'inventeur, les statuts de la Pemberton Chemical Company, société divisée en quatre parts égales se chargeant de la commercialisation des créations du chimiste, ne précisaient

---

1. Voir cahier iconographique.

absolument pas que celui-ci accordait la propriété de ses produits à ses associés[1].

En faveur de l'ancien comptable, le passé de Pemberton. À Atlanta, où seul le succès comptait, le pharmacien n'avait-il pas derrière lui ses multiples contrats, partenaires et aussi dettes ? N'avait-il pas encore, comme le confirmèrent ses précédents associés, de gros besoins de liquidités à cause de son cancer à l'estomac, des frais de sa famille[2] et de sa dépendance grandissante à la morphine, unique baume pour calmer de manière – éphémère – ses douleurs abdominales ?

Une soif de subsides qui allait de pair avec une capacité d'analyse et de prévision étonnante, et pourrait expliquer sa décision.

Pemberton, toujours à la recherche de nouveaux mélanges, fut abasourdi par l'ampleur de l'expansion de Coca-Cola. Très vite, il comprit que, l'Amérique interdisant le commerce de l'alcool, sa boisson pourrait rencontrer un succès national avec un peu de réclame. Quelques jours après l'enregistrement de la marque, il confia d'ailleurs à Lewis Newman une partie de son plan : « Si je pouvais avoir vingt-cinq mille dollars, je dépenserai vingt-quatre mille dollars en publicité et j'utiliserais le reste pour fabriquer du Coca-Cola. Et alors, nous serions tous riches[3]. »

Mais ce genre de développement, axé sur une utilisation massive de la réclame, exigeait un apport d'argent conséquent que ni Pemberton ni ses associés d'alors ne pouvaient fournir. Aussi, après avoir assumé la paternité de la boisson à son seul profit, il franchit une étape supplémentaire en quittant la Pemberton Chemical Company.

---

1. On remarquera que le French Vine, inventé *avant* la constitution de la compagnie, est enregistré ensuite comme propriété commune de la Pemberton Chemical Company.

2. Et plus particulièrement son fils unique Charley. Installé dans le Kentucky, Charley Pemberton était alcoolique et, à plusieurs reprises, son père dut payer des amendes en son nom afin de lui éviter la prison.

3. *In For God, Country and Coca-Cola, op. cit.*

Une rupture d'autant plus aisée à assumer qu'au sein du quatuor de partenaires, depuis quelques mois déjà l'ambiance était à la trahison. Pemberton n'était en effet pas le seul à avoir flairé l'excitant parfum de la réussite. En juin 1887, Alexander, l'un des associés, arrivé en même temps que Robinson, décida de tenter seul l'aventure Coca-Cola. Et, avant d'abandonner les autres, s'était emparé des livres de comptes, des adresses des fournisseurs et d'une copie de la recette pour lancer sa propre boisson. L'épisode Alexander, dont on ignore malheureusement l'origine comme l'issue finale, accéléra la dissolution de la Pemberton Chemical Company. Dans un climat hostile, où se mêlaient rumeurs, soupçons et menaces de poursuites devant les tribunaux, John Pemberton quittait donc le navire à la recherche de nouveaux partenaires.

*

Le départ de Pemberton avec la formule et la propriété de la marque Coca-Cola fut vécue comme une trahison par Frank Robinson. Le nordiste, qui venait de consacrer une année au lancement du soda, qui n'avait économisé ni ses fonds personnels ni son temps, refusa de se laisser abattre et attaqua le chimiste afin d'obtenir réparation. Ironie du sort, il fit appel au conseil que Pemberton avait commis pour le représenter lors du dépôt de plainte contre Alexander. Un choix qui s'avéra déterminant pour l'avenir de la Compagnie.

L'avocat John Candler était le frère d'un des plus puissants hommes d'affaires d'Atlanta, Asa. Un homme dont l'itinéraire semble tout droit sorti d'un roman de Mark Twain, et qui devait sa fortune au rôle central joué par la pharmacie dans les États-Unis de la fin du XIXᵉ siècle. Véritables commerces, les drugstores d'alors drainaient les foules. Or, en 1887, Asa Candler, déjà bien implanté, recherchait un produit ou un concept insufflant de nouvelles perspectives à son officine. Comme Pemberton, il se spécialisa dans la vente de formules improbables, sa rigueur le métamorphosant peu à peu en entrepreneur redouté. À côté des pilules digestives, lui aussi avait noté la notoriété des inventions signées Pemberton. Aussi, avant même le soda, l'établissement de Candler devint-il l'un des points de vente majeurs du French Vine Cola.

*

Juridiquement parlant, l'intervention de John Candler dans ce conflit fut un échec. Réaliste, il expliqua à Robinson que ses chances de succès étaient limitées. Que Pemberton plaide-rait la bonne foi, expliquerait, documents à l'appui, qu'il n'avait jamais cédé les droits de sa recette. L'avocat avait aussi compris que la situation bancaire du pharmacien ne garantissait aucun dédommagement financier.

Et puis, à quoi bon engager une procédure contre un indi-vidu malade ? L'inventeur du Coca-Cola, que John Candler était allé voir, l'avait en effet reçu alité, ravagé par la fièvre et dévoré par le cancer. Le teint blafard du chimiste, sa nervo-sité et ses mains tremblantes avaient confirmé au juriste les rumeurs sur sa dépendance à la drogue.

Candler était donc sorti de l'entretien avec deux certitudes : les jours du pharmacien étaient comptés et la voie judiciaire sans issue.

Dès lors, il ne restait plus qu'une seule option.

16. Alliance

La légende n'est pas seulement une arme commerciale. Un moyen de construire un mythe, donc du rêve. Elle permet aussi de dissimuler la vérité. La prise de contrôle de Coca-Cola par Asa Candler en est la parfaite illustration.

L'histoire officielle, souvenons-nous-en, se résume en quelques mots : malgré les fréquentes visites de Robinson lui vantant les mérites du produit, Candler refusa de s'intéresser à Coca-Cola. Jusqu'à un jour de 1891 où, dégustant le breuvage, le miracle survint : non seulement le goût lui plut, mais le soda eut un effet immédiat sur ses migraines et autres ennuis de santé. Et Candler de revenir vers Robinson pour porter sur les fonts baptismaux, avec lui, The Coca-Cola Company.

Une fois encore, cette histoire met en avant les prétendues vertus de la boisson. Parce qu'à Atlanta, depuis bien longtemps, une règle est gravée dans le marbre : seul le produit est roi. Les qualités entrepreneuriales, les coups de pouce de l'histoire, les réseaux politiques, les milliards de dollars investis en communication et dans la construction d'un réseau de vente ne comptent pas. Si Coca-Cola est devenu la marque la plus connue au monde, la boisson la plus consommée de la planète, cela tient, nous rabâche-t-on, uniquement à la recette mystérieuse et unique du soda.

Asa Candler ne décida pas de s'emparer de Coca-Cola à cause d'une rencontre née du hasard en 1891. Dès 1887, ce pharmacien d'Atlanta avait compris ce que John Pemberton avait lui-même pressenti : à savoir que le mélange gazeux de cocaïne et de caféine disposait d'un potentiel phénoménal. Dès lors, les informations de son frère sur les maigres ressources de Pemberton et la fragilité de sa santé ne pouvaient que le satisfaire. Asa savait en outre par John, devenu homme de confiance de Frank Robinson, que l'ancien comptable voulait coûte que coûte prendre sa revanche sur Pemberton. Or Robinson détenait une carte maîtresse. Profitant de sa position à la Pemberton Chemical Company, il avait soigneusement recopié la recette du Coca-Cola. Du dosage précis à la liste des ingrédients les plus obscurs, la formule n'avait aucun secret pour lui. Il restait à mettre la main sur un entrepreneur suffisamment puissant à Atlanta pour ne pas craindre Pemberton, et suffisamment riche pour assurer une bonne distribution à Coca-Cola.

Quelques jours après la rencontre entre l'avocat et le chimiste affaibli, Frank Robinson rejoignit l'entreprise d'Asa Candler. Quatre ans avant ce qu'affirme la légende, les deux hommes, réunis dans le cadre d'une alliance devenue aujourd'hui gênante, allèrent édifier les premières fondations de l'empire Coca-Cola.

*

Embarrassante en 2006 parce que digne d'un épisode de *Dallas*, la révélation de cet accord entre Robinson et la famille Candler a toujours été considérée comme potentiellement dangereuse par Asa et John. Parce qu'elle montre une collusion et la manipulation d'un homme affaibli par la maladie. Donc une genèse peu reluisante pour une boisson qui se veut vertueuse en tout. Parce qu'elle révèle que les frères Candler, même devant des tribunaux, ont oublié cet épisode. N'ont-ils pas prétendu qu'avant 1891 ils ignoraient tout de l'existence du Coca-Cola, affirmation réitérée par John Candler lui-même en évoquant le service rendu à Robinson en ces termes : « Il souhaitait me consulter sur un problème en rapport avec "Coca-Cola". C'était la première fois que j'entendais parler de Coca-Cola [1] » ?

On sait désormais que Robinson avait choisi John Candler justement parce que, quelques semaines plus tôt, l'avocat avait représenté la Pemberton Chemical Company quand elle voulait empêcher Alexander de vendre son propre Coca-Cola !

*

Derrière ce rideau de fumée soigneusement entretenu se cache une autre réalité. Entre 1887 et 1891, Asa Candler et Frank Robinson s'attachèrent à une unique mission : devenir le seul Coca-Cola disponible sur le marché. Quitte à attaquer frontalement celui mis en vente par John Pemberton lui-même.

---

1. *The Coca-Cola Company v. The Koke Company of America*, 1913-1920.

17. Koke

« Si on se limite au cadre des affaires, j'ai eu le contrôle complet dès 1887[1]. » En 1913, Asa Candler modifia à nouveau sa version de la naissance de la Compagnie. Désormais, dans un document judiciaire, il admettait avoir entamé l'aventure Coca-Cola bien avant sa rencontre « miraculeuse » avec le produit datée de 1891. Pourquoi ce revirement ? Parce que les circonstances avaient changé. Candler devait prouver son antériorité sur cette marque face à un concurrent gênant. Une partie capitale puisque The Koke Company of America affirmait vendre un produit respectant à la lettre la recette élaborée par John Pemberton. Pire encore, cette société assurait posséder ce droit de façon tout à fait légitime.

*

En 1913, Asa Candler était l'un des hommes les plus riches du pays. Grâce au succès de Coca-Cola qui dépassait désormais les frontières du sud des Etats-Unis. Le soda était la boisson préférée des Américains et, timidement, regardait vers

---

1. *The Coca-Cola Company v. The Koke Company of America*, 1913-1920.

le reste de la planète. Face à un tel raz-de-marée, la concurrence n'avait pas manqué. Et, parmi le bataillon des multiples imitateurs, Koke représentait le plus redoutable, et problématique. Phonétiquement déjà, cette marque utilisait l'abréviation employée par les consommateurs pour commander leur Coca-Cola. Si pour contrer Lima-Cola, Vera-Cola ou encore Luck-Ola, la Compagnie n'avait eu qu'à prouver que ces contrefaçons étaient servies au lieu du Coca-Cola demandé, remplacement effectué le plus souvent à l'insu du client, le cas de Koke constituait un autre défi. Essentiellement parce que ses propriétaires affirmaient, de bon droit, utiliser la recette originale de Pemberton. Or Candler savait qu'ils avaient raison.

*

La légende attribue une qualité majeure à Asa Candler. Celle de s'être inlassablement battu pour maintenir l'intégrité du nom de la marque. Il ne supportait pas, par exemple, d'entendre un consommateur commander son Coca-Cola en utilisant les surnoms populaires du produit comme Koke et Dope.

En réalité, l'irritation de Candler tenait essentiellement à deux raisons. La première était évidente : les deux diminutifs ne laissaient guère de place au doute quant à la motivation des clients. Le public achetait le soda pour ses qualités « tonifiantes » et n'ignorait pas que celui-ci provenait de la présence conséquente de cocaïne.

Derrière l'acharnement de Candler à exiger que Coca-Cola reste Coca-Cola se cachait un autre secret. Directement lié à John Pemberton.

*

Lorsque, au printemps 1887, John Pemberton dit adieu à la Pemberton Chemical Company, il se mit en quête de fonds. Certains diront pour alimenter un lancement plus conséquent de Coca-Cola, d'autres pour payer sa consommation de morphine[1]. Quoi qu'il en soit, le 8 juillet de la même année, il céda à Willis Venable et George Lowndes le droit d'exploitation de la marque et d'accès à sa recette. Le pharmacien conservait la propriété de la formule mais, en échange de royalties, vendait deux tiers de la propriété de la marque.

Rapidement, leur collaboration tourna court. Ces deux propriétaires d'une *soda fountain* considérèrent en effet Coca-Cola comme une simple boisson, refusant tout effort commercial particulier. Par ailleurs, les deux hommes étaient excédés par les incessantes demandes d'avances sur droit de Pemberton.

La frustration de ce dernier, accrue par ses dévorants besoins de liquidités, le poussa à chercher un nouvel associé. Mais, cette fois-ci, dans l'incapacité de rembourser les prêts accordés par Lowndes et Venable, il préféra agir dans l'ombre.

En septembre, John Pemberton fit paraître une petite annonce non signée dans l'édition dominicale de *The Atlanta Constitution*. Dans laquelle il offrait à la vente « à un parti acceptable, contre un paiement de deux mille dollars, la moitié des intérêts dans une affaire très profitable, bien installée et sans risque. » Le pharmacien garantissait même « un profit de cinquante pour cent, avec la possibilité de bien plus ». La promesse attira l'attention de James Mayfield et F.P. Randle, deux pharmaciens de l'Alabama.

La rencontre entre l'acheteur et les deux investisseurs a, depuis, été racontée par différentes sources. Et aucune ne

---

1. La deuxième hypothèse est renforcée par les derniers mois de la vie de Pemberton. Au lieu d'utiliser ses ressources et son énergie au succès de Coca-Cola, il s'épuisa dans son laboratoire à la recherche d'une nouvelle boisson. Ainsi, quelques semaines avant son décès, il mit au point un mélange au succès éphémère : Celery-Cola. Un soda mélangeant la noix de kola à du... céleri.

laisse planer le moindre doute quant à la malhonnêteté foncière de John Pemberton.

*

La naissance de la Pemberton Medecine Company se fit donc sur un malentendu volontairement entretenu par le pharmacien aux abois. Les investisseurs furent bientôt rejoints par deux autres personnes ravies de l'aubaine et heureuses de s'associer à un prestigieux créateur. Lequel s'empressa de leur faire visiter ses installations et même de préparer pour eux le fameux sirop.

Le 22 janvier 1888, Pemberton, plus riche de huit mille dollars, devint donc le président d'une nouvelle compagnie. L'ennui, c'est que s'il avait livré les secrets de sa formule à Mayfield, Randle, Bloodworth et Murphy, il avait aussi pris soin de taire les ardoises laissées derrière lui, ainsi que la récente et turbulente histoire de Coca-Cola. Avant de signer le contrat, il n'avait évidemment ni évoqué son état de santé, ni parlé de son addiction à la morphine, ni raconté le départ, la recette dans les bagages, de Robinson chez Asa Candler. Plus grave encore, il avait tu son précédent accord avec Venable et Lowndes, partenariat ne l'autorisant pas à utiliser le nom Coca-Cola.

Ces fantômes dans le placard n'apparurent aux financiers abusés que lorsqu'ils mirent en vente les premiers litres de leur produit sous le label de la nouvelle société. Et ce fut Pemberton lui-même qui, avec un certain aplomb, les en avertit. Pour se justifier, il prétexta que la marque était le seul héritage qu'il laisserait à son fils Charley et qu'il disposait d'une solution de rechange. Connaissant parfaitement son produit et le marché du soda, il suggéra de vendre son Coca-Cola bis sous deux labels : Koke et Dope !

*

L'irritation de Candler n'avait donc pas seulement à voir avec l'identité de la marque. En somme, Koke et Dope désignaient bien Coca-Cola, mais un autre Coca-Cola, préparé par son propre inventeur, dont le défaut majeur aux yeux de Candler était, évidemment, de ne pas lui appartenir.

En 1888, contrairement au témoignage sous serment de Candler vingt-cinq ans plus tard, trois Coca-Cola se disputaient le marché à Atlanta. Il y avait, sous deux noms, celui fabriqué par Pemberton pour ses *nouveaux associés* ; mais également, bien que sa diffusion ait été limitée, celui vendu par Lownes et Venable ; et, enfin, le troisième, commercialisé par Candler et Robinson.

Un homme d'affaires comme Asa Candler devinait que la multiplication des Coca-Cola constituait un frein majeur à sa commercialisation nationale. Si, sur la Géorgie et le reste du Sud, un accord de distribution se signait uniquement sur une réputation, il savait qu'il n'en serait pas de même lorsqu'il faudrait s'imposer à New York, Montréal ou San Francisco. Et que, dans ce cas-là, la prime à l'inventeur risquait d'être déterminante dans la motivation d'achat.

L'urgence s'imposait. Contrôler l'ensemble des pièces du puzzle devenait une question de survie.

18. Puzzle

L'état de santé de John Pemberton s'était fortement dégradé. Désormais il ne quittait plus sa chambre. Dans Atlanta, sa disparition s'annonçait imminente. Évidemment, pour Asa, cette perspective simplifiait le problème. Sans son inventeur, sans le droit d'utiliser la marque, les associés de la Pemberton Medecine Company se transformaient en fabricants de sirop pour soda. Leur nombre n'allait cesser d'augmenter alors que les chances de succès, elles, diminueraient.

Un adversaire affaibli, restait à circonvenir les autres. Donc convaincre Lownes et Venable. La partie s'annonçait aisée pour Candler. Les deux hommes n'avaient jamais cru en Coca-Cola et, en plus, lui devaient de l'argent. Hélas pour lui, son offre d'achat arriva trop tard. Quelques mois plus tôt, Venable avait revendu ses parts à Lownes[1]. Lequel, le

---

1. Pour compliquer le tout, Venable semble avoir vendu ses parts à... deux reprises. En 1887, Joe Jacobs, le propriétaire de la première pharmacie à avoir commercialisé du Coca-Cola, acheta sa participation. Jacobs, peu intéressé par le développement d'une boisson, accepta en 1888 l'offre d'Asa Candler.

13 décembre 1887, avait cédé l'ensemble à Woolfolk Walker et Margaret Dozier[1].

Bien que la situation se compliquât, Candler ne désespéra pas. En février 1888, il approcha Walker et, à défaut de pouvoir racheter ses actions, proposa d'entrer dans son capital. Candler étant un homme d'affaires puissant doté de réseaux efficaces, Walker accepta. Contrôlant l'ancienne part de Lownes et Venable via la création de la Walker, Candler & Company, Asa n'avait plus à décrocher que le tiers gardé initialement par Pemberton.

Mais, mourant, celui-ci rejeta l'idée, obsédé par la nécessité de laisser un capital à son fils unique. Et un tiers de la marque déposée lui paraissait justement un legs avantageux.

Candler dut donc modifier sa stratégie. S'il ne parvenait pas à acheter l'intérêt de la famille Pemberton, pourquoi ne pas essayer de l'impliquer ? Le 24 mars 1888, il suggéra à Charley Pemberton, héritier de l'apothicaire, de s'associer à la Walker, Candler & Company. Et, ensemble, ils créèrent Coca-Cola Company. Il n'y avait aucune philanthropie dans cette opération mais, bien au contraire, une habile manipulation car Coca-Cola Company était une coquille vide, imaginée par Candler dans le but d'approcher celui qui, bientôt, deviendrait l'unique représentant des intérêts de John Pemberton, donc le détenteur officiel de la formule[2].

Ce plan fonctionna à merveille. Vingt-deux jours plus tard, le 14 avril 1888, Charley Pemberton vendit, par avance sur héritage, sa part sur la marque à la Walker, Candler &

---

1. Engagé par Robinson et Pemberton en 1886, Walker est le premier commercial de l'histoire de Coca-Cola. Margaret Dozier, sa sœur, apporta le capital : mille deux cents dollars.

2. Conformément à la loi de l'État de Géorgie, la compagnie fut enregistrée pour une durée de vingt ans. C'est pour cela qu'en 1891, lorsque enfin Candler posséda la grande majorité des intérêts de la boisson, il choisit de baptiser la nouvelle société The Coca-Cola Company. Trois lettres faisant toute la différence et aujourd'hui encore accolées au nom de la société.

Company. Détail étonnant, la signature de John Pemberton, obligatoire pour assurer la légitimité de la transaction, figure sur le document. Puis, le 17 du même mois, pour sept cent cinquante dollars, Candler racheta la moitié de la part de Woolfolk Walker et Margaret Dozier. Désormais actionnaire majoritaire, il laissa à Frank Robinson la tâche de développer la marque gagnée de si haute lutte.

*

Durant l'été 1888, Coca-Cola accrut son expansion. Asa Candler avait donc vu juste. Compte tenu de ces perspectives de fortune, il jugea venu le moment d'écarter ses partenaires. Le 30 août, il acquit les dernières parts de Walker et Dozier[1].

Enfin, le 1ᵉʳ mai 1889, soit neuf mois après le décès de John Pemberton et l'acquisition des dernières parts du puzzle Coca-Cola[2], Candler prenait seul les rênes. Un coup de force qui pourrait s'apparenter à du génie s'il n'était entaché par le doute et... une mort plutôt suspecte.

---

1. Cette fois-ci, la transaction s'éleva à mille dollars. Le total de l'argent versé à Charley Pemberton pour son tiers et celui payé à Woolfolk Walker et Margaret Dozier se monta à... deux mille trois cents dollars. Soit le chiffre avancé aujourd'hui par la compagnie lors de l'imaginaire vente à Candler de Coca-Cola par John Pemberton.
2. Dont les parts de Joe Jacobs. Voir *supra*.

19. Faux

L'histoire se répétait. À soixante-trois ans, Asa Candler avait le sentiment de revivre la délicate genèse de la Compagnie.

Pourtant, en 1914, la réalité avait dépassé les espoirs initiaux de Candler. Sa fortune était colossale et depuis dix ans le soda jouissait du statut de boisson nationale. Et désormais, comme l'affirmaient ses publicités, la soif ne connaissait plus de saison.

*

Margaret Dozier était impressionnée. Pour la première fois, à soixante-cinq ans, elle se retrouvait à la barre d'un tribunal. Parce que, dans le terrible procès qui opposait The Coca-Cola Company à Koke, elle jouait un rôle important.

Depuis un an, la cour essayait de démêler l'écheveau des origines de Coca-Cola. Les pages d'auditions s'accumulaient aussi sûrement que l'exaspération du magistrat s'intensifiait. Les témoignages humains se révélaient en effet confus, fort imprécis, peu utilisables. Ainsi, Asa Candler affirmait contrôler la marque depuis 1887 sans être pourtant vraiment sûr de la posséder à l'époque. Et la formule, il pensait, peut-être,

95

l'avoir achetée à Joe Jacobs ou, peut-être encore, à la veuve de John Pemberton. Des assertions malheureusement impossibles à vérifier. Quant aux principaux acteurs, ils avaient disparu et il ne restait aucune trace écrite des premières années de la Compagnie. Sur ce point, si le juge avait su qu'en 1910 Asa Candler avait donné l'ordre de brûler ces pièces[1], peut-être aurait-il prêté plus d'attention à la voix fluette de Margaret Dozier.

*

Certes, il y avait eu l'étrange silence de son frère Woolfolk. Margaret avait su qu'il avait quitté Atlanta pour Hot Springs, dans l'Arkansas. Elle avait même tenté de lui écrire, mais chacun de ses courriers était resté sans réponse. Sans qu'elle en sache la raison.

Pour tout dire, la défense de Margaret Dozier relevait du cas désespéré. Alors que sa signature figurait sur les actes de vente de sa part de Coca-Cola au bénéfice d'Asa Candler, elle-même refusait d'admettre l'évidence. « Je n'ai jamais signé quelque papier que ce soit cédant un quelconque intérêt à Asa Candler ou quelqu'un d'autre. Et de manière encore plus certaine, je n'ai reçu aucun cent de cette prétendue transaction[2] », affirmait-elle. Interrogée sur la présence de son paraphe, Dozier accusa son frère :

---

1. L'information, dénichée dans les archives de la Compagnie par Mark Pendergrast, provient d'un témoignage écrit de Samuel Dobbs. Dobbs, neveu d'Asa Candler, raconta que « malgré (ses) protestations, Mr Candler ordonna que tous les anciens livres de comptes et l'ensemble des documents officiels soient brûlés ». *In The beginning of bottled Coca-Cola as Told by S.C. Dobbs, Coca-Cola Archives.* Cité *in For God, Country and Coca-Cola, op. cit.*
2. *The Coca-Cola Company v. The Koke Company of America*, 1913-1920.

« Woolfolk était en charge de tout cela. » Et puis, envisageant le pire, elle précisa : « Notre écriture est très semblable, c'est lui qui m'a appris à écrire[1]. »

On tournait autour du pot. Mais jamais l'accusation de faux en écriture ne fut lancée.

Margaret Dozier, intellectuellement limitée, n'avait aucun autre argument à faire valoir que sa prétendue bonne foi, une « qualité » qui ne pesait pas bien lourd. En plus du document, vint s'ajouter contre elle le témoignage sévère porté par Frank Robinson, venu sauver la mise à Candler. Il confirma, lui, que la signature était authentique. L'ancien partenaire trahi par John Pemberton le dit même distinctement à la barre : il était présent lorsque Margaret Dozier avait cédé ses parts à Asa.

L'affaire fut donc, logiquement, entendue.

*

Pourtant, Margaret Dozier ne mentait pas. La signature apposée sur les documents de cessions des parts Walker-Dozier à Asa Candler n'était en rien la sienne. Le 17 avril et le 30 août 1888, Asa Candler avait forcé la main au destin[2].

Mark Pendergrast fut le premier à avoir l'idée de confronter les actes de ventes archivés au tribunal de Fulton County à une expertise graphologique. Un travail accompli par trois experts indépendants dont l'avis fut sans appel. L'un d'entre eux, Charles Hamilton de New York, poussa même son analyse plus loin en déclarant : « L'ensemble des signatures ont été réalisées par la même personne[3]. »

---

1. *The Coca-Cola Company v. The Koke Company of America*, 1913-1920.

2. Dans un courrier adressé quelques jours plus tôt à son frère, Asa Candler écrivait sa certitude du futur succès de Coca-Cola et, invoquant, au-delà de son investissement financier, le recours à une « influence », assurait qu'il en serait bientôt le seul propriétaire.

3. *In For God, Country and Coca-Cola, op. cit.*

Le 31 août 1888, deux semaines après la mort de John Pemberton, Woolfolk Walker quittait donc précipitamment Atlanta. La veille, le frère de Margaret Dozier, avait accepté l'offre et les dollars de Candler. Et, loin de la capitale sudiste, emportait avec lui son secret.

20. Variation

« Si je dévoile ce que je sais sur les premières années de Coca-Cola, cela serait très embarrassant pour la Compagnie. Mais je ne vais pas raconter les manœuvres que nous avons dû engager pour permettre à la Compagnie d'exister au tout début de son histoire[1]. »

Price Gilbert était, selon toute vraisemblance[2], l'un des avocats d'Asa Candler lors des acquisitions successives, et douteuses, des parts Walker-Dozier. Et aujourd'hui, avec la conviction affichée par les experts que les actes fondateurs de la Compagnie contiennent des faux, sa mise en garde prend une autre dimension. Une importance qui ne se limite pas à deux certificats de vente.

*

1. *In Where men were boys : An informal portrait of Dean William Tate*, John English & Rob Williams, Copple House Books, 1984. Cité *in For God, Country and Coca-Cola, op. cit.*

2. Vraisemblablement car, hormis son témoignage, il n'existe aucun document prouvant son travail auprès de Candler. Mais une nouvelle fois, il faut se souvenir que le premier président de The Coca-Cola Company a ordonné, en 1910, la destruction complète des archives liées aux premières années de la société.

Les signatures de Margaret Dozier ne furent pas les seules pièces à interrogations jalonnant la naissance de The Coca-Cola Company.

Surpris par les résultats accablants des expertises graphologiques, Mark Pendergrast décida de mettre à l'épreuve un autre document clé : la signature de l'inventeur du mélange pour que son fils puisse vendre sa part d'héritage à venir.

On le sait, le 14 avril 1888 Charley Pemberton cédait son tiers de propriété de la marque Coca-Cola à la compagnie présidée par Asa Candler. Une vente par anticipation ne pouvant se passer de l'accord du propriétaire au moment de la transaction, à savoir John S. Pemberton.

Or la présence de sa signature étonne. D'abord parce qu'à de nombreuses reprises, il avait toujours refusé de céder sa part. Ensuite, parce que, dans l'hypothèse d'une transaction, le choix de Candler était illogique. Une haine tenace séparait les deux hommes depuis l'arrivée de Candler à Atlanta et le refus de Pemberton de lui offrir un emploi. Enfin, anomalie supplémentaire, le montant de la transaction ne correspondait en rien à la valeur d'un produit qui, depuis deux ans, accumulait les succès et dont le chimiste connaissait le potentiel. Ainsi, pour cinquante dollars à la signature et une promesse de cinq cents autres un mois plus tard, John et Charley Pemberton accordaient-ils à Asa Candler le dernier tiers lui manquant sur le nom Coca-Cola !

Cette succession d'incongruités n'échappa pas à Pendergrast. Et, une nouvelle fois, son intuition se vit confirmée par des experts : « Les variations d'écriture sur la signature sont bien trop prononcées pour être authentiques. L'écriture n'est ni naturelle ni rapide. Au contraire, on y voit des hésitations. Il s'agit d'une signature simulée et l'imitation est plutôt médiocre [1]. »

*

---

1. *In For God, Country and Coca-Cola, op. cit.*

Variation

Si les trois documents majeurs de la prise de pouvoir d'Asa Candler suscitent des doutes, celui portant la signature de John Pemberton est le plus important. Car, après tout, il est le seul texte liant l'inventeur de la boisson au créateur de la Compagnie. En somme, on pourrait déduire, au regard des affirmations de Pendergrast, que l'inventeur de la formule n'a jamais cédé sa part à Asa Candler. Et, dès lors, que les fondations mêmes de The Coca-Cola Company sont en cause.

Une idée loin d'être folle puisque évoquée au cœur même de la Compagnie. En 1950, Charles Candler consacra à son père une biographie largement hagiographique, où il revint sur les origines de Coca-Cola et détailla le parcours complexe ayant amené Asa à contrôler la totalité du capital et des statuts. Dans sa conclusion, refusant d'être catégorique, le fils du créateur de The Coca-Cola laissa poindre un doute : « Voilà les différentes étapes amenant à la propriété de la marque. Elles ont été établies par des avocats et ont été acceptées par des tribunaux. Mais, au-delà de cette suite de faits, il y en a probablement d'autres qu'il serait intéressant de connaître[1]. »

Comme l'étrange histoire de Diva Brown.

---

1. *Asa Griggs Candler*, Charles Candler, Emory University, 1950.

21. Divorce

« Après avoir effectué une analyse chimique du sirop fabriqué par Mrs. Brown et celui fabriqué par Coca-Cola, je conclus que les deux produits sont pratiquement identiques. Il existe une très légère différence de saveur entre les deux sirops qui peut être due soit à la différence d'âge des deux produits soit aux composants des barils dans lesquels les échantillons ont été prélevés[1]. »

L'opportunité existait et Caroline Toliver Mayfield comptait la saisir. Le marché de la boisson non alcoolisée se métamorphosant en nouvel eldorado, nombreux étaient les candidats à la fortune mais rares les élus. Mais, elle le savait, dans cette course à la richesse, elle partait avec un avantage.

Après tout, cela faisait maintenant dix ans que Caroline Mayfield fabriquait du Coca-Cola. Et que sa formation avait été conduite par John S. Pemberton. Un bagage qu'elle était décidée à exploiter.

À Atlanta, Asa Candler pouvait trembler.

*

1. Témoignage légal de J. C. Long, chimiste à Brimingham, Alabama, 1908.

Divorce

Tandis qu'Asa Candler tentait d'acquérir la marque déposée, John Pemberton, lui, avait continué à inventer. Bien sûr, ses nouveaux partenaires de la Pemberton Medecine Company avaient été outrés par son comportement. Alors que Mayfield, Randle, Bloodworth et Murphy pensaient avoir acheté le droit de commercialiser du Coca-Cola, lui leur avait expliqué qu'ils ne pouvaient en utiliser le nom. Pendant un moment, pourtant, ces associés profitèrent de la confusion pour continuer à livrer les *soda fountains* qui, depuis mai 1886, vendaient du Coca-Cola. Après tout, la présence de John Pemberton n'était-elle pas la meilleure garantie que le produit fabriqué, quelque soit son nom, serait le breuvage apprécié des consommateurs ?

De son côté, Pemberton, après avoir songé à la marque Yum-Yum, se mit à produire, sous la houlette de la Pemberton Medecine Company, son fameux Koke. Qui, après un mois de janvier 1888 difficile, vit avec le retour des beaux jours exploser ses ventes. Lesquelles, à Atlanta, dépassèrent même celles de Coca-Cola. Tandis que Candler pariait sur l'attraction du nom, les clients préféraient la renommée du dépositaire de la formule originale. Les nouveaux associés de Pemberton furent dès lors ravis, ne laissant planer aucun doute quant à leur véritable activité : « Nous avions une somme considérable d'argent à la banque, investissant la majeure partie dans le capital de l'entreprise. [...] Nous fabriquions du sirop de Coca-Cola et, après avoir cessé de le vendre comme tel, nous avons commencé à le vendre sous le nom de Koke. [...] La formule de Coca-Cola était la même que la formule de Koke[1]. »

Mais la mort de John Pemberton, le 16 août 1888, modifia la donne. Non que le pharmacien ait été essentiel à l'élaboration de ses recettes mais parce que quelques semaines plus tôt, une nouvelle fois au détriment de ses associés, il avait

---

1. J. C. Mayfield *in The Coca-Cola Company v. The Koke Company of America*, 1913-1920.

modifié l'équilibre de la Pemberton Medecine Company. Soucieux de lui laisser un héritage, le chimiste s'était assuré que Charley, son fils, devienne l'actionnaire principal. Officiellement, en plus d'une part, Charley avait reçu le livre des recettes paternelles et l'ensemble des droits sur ses inventions.

Mais l'aventure avec Mayfield et les autres ne le tentant guère, il se débarrassa de ses titres de propriété et disparut. Un départ qui constitua une rupture dans la chaîne de continuité de la propriété de la recette originale. Les divers témoignages de Mayfield ne permirent pas d'éclaircir le mystère. Jamais, par exemple, les associés de la Pemberton Medecine Company n'affirmèrent être parvenus à conserver les droits sur la formule. Même si, de Wine of Coca à Koke, ils continuèrent de l'exploiter. Pourquoi ? Plus surprenant encore, la commercialisation ! Rien ne fut entrepris pour pousser le produit, comme si les anciens partenaires de Pemberton avaient craint d'assumer publiquement la production d'un clone du Coca-Cola.

Ainsi Mayfield retourna-t-il, à mi-temps, à son activité de pharmacien en Alabama. Plus étrange encore, durant l'hiver, lorsque la majorité des points de vente fermèrent leurs portes, stocka-t-il son matériel chez... Asa Candler.

Un Candler qui, lui non plus, ne proclama pas sa propriété sur la formule. Alors qu'au lendemain de la mort de Pemberton, c'était lui qui avait acquis auprès de sa veuve les droits et recettes d'autres produits comme le Indian Queen Hair Dye...

En fait, du côté d'Atlanta, tout le monde agissait comme si la formule du Coca-Cola avait disparu en même temps que son inventeur. Pire encore, comme s'il était devenu embarrassant de l'assumer.

*

Ces aléas ne préoccupaient guère Caroline Toliver Mayfield.

Divorce

Le 17 septembre 1897, après six mois de procédure, elle venait d'obtenir le divorce. Parce que son mari, l'ancien partenaire de Doc Pemberton, menait de front deux relations adultérines. Dorénavant Caroline était libre... mais sans ressources.

Or cette femme de caractère avait vécu ses dernières années entre son domicile où elle avait élevé quatre enfants, et le laboratoire de la Pemberton Medecine Company, où elle avait découvert les secrets du Coca-Cola. Elle connaissait en effet la liste des ingrédients, mais aussi le dosage et la préparation. Mayfield n'ignorait rien non plus de la commercialisation. Bien souvent, au nom de son ancien époux, elle avait démarché les points de vente et négocié avec les fournisseurs.

En fait, à mieux y penser, Caroline Toliver Mayfield se dit une chose : elle ne savait rien faire d'autre que du Coca-Cola. Et elle comptait bien continuer.

22. Diva

« Une des réussites au féminin les plus éclatantes du Sud est celle de Caroline Mayfield. Installée à Atlanta lorsqu'elle n'est pas sur la route à vendre des sirops de sa propre composition aux propriétaires de *soda fountains*, Mlle Mayfield est devenue une femme riche [1]. »

Caroline Mayfield avait mis la main sur une martingale : les milliers de dollars qu'investissait Asa Candler dans la publicité de son Coca-Cola portaient leurs fruits. Et lui profitaient. Dorénavant l'Amérique avait soif de colas et elle savait comment gagner sur deux tableaux.

Méthode la plus rapide et la moins risquée pour engranger des dollars, vendre sa recette aux entrepreneurs qui, de New York à Los Angeles, comptaient récupérer les dividendes de ce nouveau marché dopé par Coca-Cola [2]. Des transactions d'autant plus aisées que Mayfield, devenue Diva Brown pour

---

1. *National Bottler's Gazette*, 5 novembre 1898.
2. Parmi eux.. son ancien mari. En 1898, J. C. Mayfield réalisa enfin le potentiel de la recette de Pemberton et se lança dans la commercialisation active de Wine Coca. Un nom évoquant le produit de Pemberton et celui de Mariani. Pendant quelques années, les ventes dépassèrent par endroit celles de Coca-Cola.

des raisons commerciales, ne cachait ni l'origine de sa recette ni sa ressemblance totale avec le Coca-Cola. Mieux encore, ses publicités publiées dans les journaux destinés aux débits de boissons, mettaient en avant – avec une bonne dose d'exagération – sa propre collaboration avec John Pemberton. Et, sans être inquiétée par les avocats de la Compagnie, elle avouait sans détour les avantages de son offre : faire du Coca-Cola et le vendre sous sa propre marque [1].

*

Puisque Asa Candler paraissait tolérer son petit commerce, Diva Brown eut envie de pousser son idée – et son avantage – un peu plus loin. Non seulement en continuant à vendre la recette de Pemberton, mais également en produisant son propre cola. Et puisque personne à Atlanta n'osait remettre en cause son discours publicitaire, Diva Brown allait l'utiliser de manière radicale.

*

Si Lima-Cola, puis Dope, avaient rencontré un certain écho en Géorgie et dans les États limitrophes, Diva Brown envisageait mieux. Reste que, pour réussir, elle devait informer les consommateurs que son produit était l'égal de Coca-Cola. Non pas les grossistes, déjà avertis, mais les clients acheteurs du produit final.

En avril 1909, Diva s'installa donc à Birmingham, dans l'Alabama, pour présenter son nouveau soda : My-Coca, un

---

1. Si certains entrepreneurs tentèrent de faire preuve d'ingéniosité au moment de baptiser leur clone de Coca-Cola, d'autres se contentèrent d'accoler leur nom à celui du produit connu. Ainsi, grâce à la recette de Diva Brown, certains débitants vendaient du Murphy's Coca-Cola ou encore du Fletchers Coca-Cola.

concurrent direct du produit phare d'Asa Candler. Un concurrent direct affichant « l'authentique formule du Coca-Cola[1] » et, comme le fera Pepsi-Cola plus tard, proposé aux revendeurs à un prix d'achat bien plus attractif.

Cette fois, Diva alla plus loin. Car chaque bouteille de son My-Coca arborait une étiquette en forme de losange semblable à celle utilisée par Coca-Cola. Avec, au centre, un portrait de Diva Brown souligné d'une formule qui pouvait paraître énigmatique : « Vraie Femme Coca-Cola. » Et puis, afin de ne laisser planer aucun doute, l'inscription de chaque côté du losange d'extraits de phrases qui, mis bout à bout, donnaient : « Fabriqué selon la formule originale Coca-Cola. »

Pour la première fois, un concurrent direct d'Asa Candler osait donc utiliser sa marque dans le but de parasiter son succès.

*

Les avocats qui ralentirent la marche en avant de Caroline Mayfield ne travaillaient pourtant pas pour Atlanta. En 1912, une fois de plus, Diva Brown divorçait. Et dans la séparation elle perdit une partie importante de sa fortune ainsi que le droit d'utiliser le nom de la boisson.

Des embûches qui ne l'empêchèrent pas d'œuvrer à un retour. Depuis Savannah en Floride, elle tenta de rebondir. Mais sans les fonds nécessaires pour s'imposer sur un marché où l'embouteillage prenait le pas sur le *soda fountain*, son nouveau Vera-Cola ne rencontra jamais l'adhésion et disparut avec elle.

Ce qui ne fut pas le cas de My-Coca dont, dans le Kentucky par exemple, les ventes dépassaient celles de Coca-Cola. Pourtant, bien qu'Atlanta, informé par son embouteilleur

---

1. Livret publicitaire *My-Coca Company*, 1914, cité *in The original Coca-Cola woman*, Dennis Smith, 2004.

local, n'ignorait pas cette situation, personne ne sembla chercher à s'opposer à cet essor.

En fait, depuis 1913, la Compagnie amorçait un timide réveil contre les imitateurs. En investissant dans la publicité, pour devenir le premier choix du client et non une boisson de circonstance, mais pas vraiment en allant à la barre des tribunaux. Candler semblait hésiter à défendre les intérêts de la société. Présent lorsque le soda était attaqué sur la cocaïne au départ, actif lorsqu'il affirmait que la caféine ne constituait en rien une menace pour le buveur américain, le président se montrait bien plus vague quand il convenait de s'opposer aux voleurs de formule.

Généralement, même, la société attaquait lorsque le nom d'un concurrent paraissait violer sa marque déposée. Ainsi, en 1920, la Cour Suprême, saisie sur ce point, avait décidé que Koke constituait une violation mais pas Dope. Le plus souvent, elle tentait surtout de prouver à l'échelon local que certains établissements servaient un autre soda aux personnes désirant boire un Coca-Cola. Pour ce faire, Atlanta avait même recruté des détectives de l'agence Pinkerton qui se faisaient passer pour de simples consommateurs.

*

My-Coca persistait à glisser entre les mailles distendues du filet légal tendu par la Compagnie. Et il fallut attendre 1915 pour que les juristes d'Atlanta se penchent sur ce concurrent qui, depuis six ans, affirmait être fabriqué selon la recette originale du Coca-Cola. Là encore étrange attitude, leur contre-offensive fut modeste.

Elle ne porta pas sur l'utilisation abusive de la marque, mais sur une complexe histoire de substitution dans le bar d'un hôtel de Lexington, au Kentucky.

Un an plus tard, cette fois dans le Minnesota, la Compagnie sortit ses griffes pour publicité mensongère en visant l'embouteilleur régional de My-Coca. Une opération qui vira à la débâcle, les avocats de Coca, semble-t-il ignorants de la situation, apprenant de la bouche même de Candler et Robinson que les origines de la formule de My-Coca s'avéraient authentiques. De quoi réduire leurs efforts à néant. My-Coca sortit vainqueur du procès et communiqua sur cette victoire par voie publicitaire [1].

En 1924, après une énième tentative avortée de faire condamner My-Coca comme imitateur [2], Coca-Cola obtint enfin une victoire : il parvint à plaider la proximité entre le nom de la boisson créée par Diva Brown et sa marque légalement déposée.

Ce qui n'empêcha pas My-Coca de perdurer jusqu'à la fin des années 1920. Un peu fragilisée par les restrictions de sucre imposées par le conflit de 1914-1918 mais quand même encore redoutable. Ainsi lorsque The Coca-Cola Company se décida à faire respecter son droit, le soda de Diva Brown se voyait toujours embouteillé en Californie, au Kentucky, en Ohio et dans l'Illinois.

*

Le parcours de Diva Brown n'est pas seulement symbolique d'une Amérique où, après l'or californien et le pétrole texan,

---

1. « My-Coca n'est pas une imitation. Notre boisson est fabriquée d'après la formule originale du Coca-Cola. » Publicité de juin 1916 publiée dans les journaux de la Caroline du Nord. Citée *in The original Coca-Cola woman*, Dennis Smith, 2004.

2. L'arrêt du juge, le 23 septembre 1924, dans le cas *My-Coca Co vs Baltimore Process.Co*, un embouteilleur de The Coca-Cola Company confirma une nouvelle fois que la recette utilisée était bien celle de John Pemberton. Dans une publicité parue dans la revue *Southern Carbonator & Bottler*, My-Coca affirmait généreusement que « dix-sept ans de métier et de l'utilisation d'un slogan soulignant sa préparation d'après la recette originale lui ont permis d'accumuler les consommateurs satisfaits à travers les États-Unis et à l'étranger ».

le marché du cola fut, à un moment donné, une nouvelle ruée vers la gloire et la fortune.

En réalité, l'importance de cette femme, absente il va de soi des pages dorées de la légende, se mesure à une simple vérité : jamais The Coca-Cola Company n'osa s'attaquer à Caroline Toliver Mayfield. Un silence troublant et crucial dans lequel il me parut impossible de voir seulement le fait du hasard.

23. Suicide

Pour le meilleur et pour le pire, Asa Candler incarnait The Coca-Cola Company. Sous sa présidence, la boisson devint le rafraîchissement préféré de toute l'Amérique. Ce visionnaire rusé et prêt à beaucoup avait gagné là où Pemberton semblait d'avance condamné à l'échec. Certes l'inventeur était parvenu à transformer ses créations en événements locaux, mais il n'aurait jamais eu l'audace, le talent, la ténacité, la persévérance pour faire de Coca-Cola un succès national [1].

En 1903, The Coca-Cola Company fêtait ses trois cents millions de boissons vendues. Neuf ans plus tard, à l'aube de la Première Guerre mondiale, le score dépassait quatre milliards ! Un triomphe inaugurant l'émergence des États-Unis comme marché global. Jamais auparavant un produit de consommation n'avait su s'imposer sur l'ensemble d'un territoire de cette manière.

---

1. La famille Pemberton déchirée, avec raison nous le verrons, par le succès de Candler, reconnaissait généralement ce fait. Ainsi, Rob Stephens, neveu de la veuve de Pemberton, évoquant Candler, écrivit : « Si Coca-Cola est devenu un succès c'est parce qu'il fut poussé et poussé par un homme à la volonté énergique. »

En outre, timidement certes, d'autres pays s'ouvraient. Porto Rico, Cuba et le Canada avaient constitué une prolongation quasi naturelle de cette expansion. Montréal attirait l'attention des très riches actionnaires, les ventes y dépassant celles de Miami. Et ce alors que le climat ensoleillé de la Floride aurait pu paraître plus propice à la vente de breuvages rafraîchissants que les températures négatives et les chutes de neige du nord. Mais le staff commercial local avait déjoué le cycle des saisons en multipliant les points de vente. À Montréal se dessinait donc l'avenir de la Compagnie : Coca-Cola devait être présent partout et tout le temps.

Et puis, il y avait la bouteille. L'emblème le plus flagrant de la réussite d'Asa Candler. Officiellement créée pour lutter contre les contrefaçons, elle finit d'installer Coca-Cola dans l'inconscient collectif. Respectant un cahier des charges draconien, les courbes des bouteilles se reconnaissaient rien qu'en les touchant les yeux fermés. Même brisés au bord d'une route ou sur le sol d'un café, des éclats devenaient immédiatement identifiables par leur couleur, leurs formes, leur texture. De fait, dès sa commercialisation, le 1er janvier 1916, ses volumes et contours furent déposés[1].

Asa Candler symbolisait donc The Coca-Cola Company. Pour le meilleur certes, mais pour le pire aussi.

*

Diva Brown put commercialiser durant vingt ans une boisson aussi proche de Coca-Cola parce que Asa Candler n'était pas en mesure de prouver qu'il possédait pleinement les droits de la formule de John Pemberton.

Quand, en 1915, la Compagnie se retourna pour la première fois contre l'autre cola, ce fut à cause de deux événements

---

1. Pour une brève mais précise histoire de la Root Glass Company, le verrier qui créa la fameuse bouteille de Coca-Cola, voir : http://web.indstate.edu/community/vchs/wvp/rootglass.pdf

majeurs récents. D'abord le fait que, le 2 février 1914, Caroline Mayfield était décédée en Floride. Sans Diva Brown pour rappeler l'existence de la Pemberton Medecine Company et la mise sur le marché de Koke par le propre inventeur de Coca-Cola, Atlanta avait enfin les coudées plus franches ! Ensuite le départ, au début de l'année, d'Asa Candler de la présidence. Désormais maire d'Atlanta, il avait laissé les rênes à ses héritiers, lesquels pouvaient afficher moins de scrupules. La garde rapprochée historique sur la voie de garage, les nouveaux dirigeants ne s'embarrassèrent pas de leur prudence.

De fait, l'attaque décisive contre My-Coca, après dix-sept ans d'activité, se déroula en 1929. À un moment où, contre la volonté expresse de son créateur, les descendants de Candler venaient de céder leurs parts à un groupement bancaire mené par Ernest Woodruff[1].

Le procès se transforma en cas de conscience pour Candler. La Compagnie souhaitait son témoignage. Mais lui, condamnant la vente, hésitait à s'exécuter. Finalement, par fidélité à ce qu'il avait édifié, il céda et accepta de recevoir un officier de justice dans le calme de son bureau.

*

La déposition d'Asa Candler fut celle d'un homme de soixante-treize ans[2], usé et aigri. Bien sûr, il profita de l'occasion pour prétendre encore que sa boisson n'avait jamais contenu de cocaïne. Mais ce fut sur le fond que son témoignage prit de la valeur.

Lorsqu'il se trouva confronté à l'histoire de Diva Brown, de J. C. Mayfield et de la Pemberton Medecine Company,

---

1. Ernest Woodruff qui, face aux difficultés de développement du marché du soda, demanda à son fils, Robert, de prendre la tête de la Compagnie. Une présidence qui s'étala sur plusieurs décennies.
2. Asa Candler mourut cinq ans plus tard, le 12 mars 1929.

Candler plaida l'ignorance. Non seulement, argua-t-il, il n'avait jamais entendu parler du My-Coca mais il parut découvrir, en ce 2 septembre 1924, l'existence d'une copie de la formule originale.

Pouvait-il avoir oublié les hivers où Mayfield laissait en garde, dans ses entrepôts, le matériel lui permettant de fabriquer du Koke ?

Pouvait-il avoir oublié, aussi, l'épisode de 1913 où, alerté par son embouteilleur de Lexington, la Compagnie avait une première fois essayé d'enrayer l'avancée de My-Coca ?

Poussé dans ses retranchements, expliquant ne pas comprendre l'utilité de vouloir dénouer les fils embrouillés de la vie de la fameuse formule, il eut cette phrase qui en disait long : « Ils sont tous morts sauf moi. Et pour tout dire, je devrais déjà être mort mais je ne meurs pas. J'ai vécu trop longtemps. Il y a trop de jours qui se sont écoulés entre mon berceau et ma tombe [1]. »

*

Qu'Asa Candler, dans cet ultime témoignage, n'ait pas envisagé de s'étendre sur les péripéties entourant la formule de Pemberton, on le comprend : il redoutait que l'ouverture de la boîte de Pandore mette en péril sa création.

Les actes d'acquisition aux signatures douteuses n'étaient pas les seules pièces compromettantes de sa prise de pouvoir. Ainsi, aussi étonnant que cela puisse paraître, il n'existait aucun papier relatif à l'achat même de la formule. Un temps, Candler avança l'avoir achetée à Joe Jacobs, propriétaire du premier lieu de vente du Coca-Cola, mais, comme nous l'avons vu, cette transaction portait en fait uniquement sur des parts relatives au nom du produit. Et ce alors que Candler produisait la boisson depuis déjà quatre ans !

---

1. *Idem.*

En réalité, la formule exploitée par Candler avait été apportée par Frank Robinson. Une origine que personne ne pouvait officiellement assumer. Comment, en effet, admettre que la source de l'essor de la Coca-Cola Company se fondait sur une transaction critiquable et que ses fondateurs avaient trahi le père de la boisson ?

Alors, une fois de plus, la légende fit tout pour s'arranger avec la vérité. Lorsqu'elle ne ressuscita pas John Pemberton en 1891, elle avança, sans autre précision, que Candler avait acheté la recette auprès de la famille du chimiste. Une hypothèse aucunement documentée [1]. Ni osée par Asa Candler au cours de ses dépositions.

En outre, si Robinson et Candler devinrent immensément riches avec l'expansion de la boisson, il n'en fut rien des héritiers de Pemberton. Parce qu'aucun d'entre eux n'a jamais touché de royalties. Mieux, le seul élément allant dans le sens d'une cession de la famille Pemberton s'avère accablant pour Candler. À en croire certains descendants de John Pemberton, une scène significative aurait eu lieu les jours suivants la mise en terre de l'inventeur [2]. Là, Candler aurait en effet obtenu de sa veuve les droits sur la formule contre la promesse de futurs versements : « Candler lui fit remarquer qu'il prenait un risque mais que, s'il faisait le moindre profit grâce à la formule, il lui donnerait une maison et qu'elle ne serait plus dans le besoin. Il ne lui a jamais versé un cent. Jusqu'à son dernier jour, elle a cru qu'il tiendrait sa promesse [3]. » Une partie de

---

1. Du moins, dans les documents connus. The Coca-Cola Company m'interdisant l'accès à ses archives, il n'a pas été possible de vérifier ce point. Dans tous les cas, si un tel document existe, il paraît peu probable que la Compagnie ne l'ait jamais rendu public.

2. Surprenant les observateurs au fait des relations tendues entre Pemberton et Candler, Asa était ce jour-là l'un des porteurs du cercueil.

3. Correspondance d'Elberta Newman, 12 août 1919, cité *in For God, Country and Coca-Cola*, *op. cit.* Elberta, la sœur de John Pemberton, interdisait la consommation de Coca-Cola aux siens, prétextant son refus d'enrichir Asa Candler.

la famille Pemberton a par la suite défendu l'idée d'une malversation parce qu'à son point de vue il n'existait aucune autre explication logique à l'éviction des héritiers. « Ma tante était une méthodiste assidue et Asa Candler prêchait le dimanche dans la même église. Elle était certaine qu'il respecterait sa parole[1] », affirmait l'un d'eux. De fait, aucun papier n'atteste de la vente et on voit mal, s'il existait, pour quelle raison Candler ne l'aurait jamais présenté et exploité.

Autre remarque : l'hypothèse d'une cession par la veuve du défunt ne correspond à aucune réalité documentable de la Pemberton Medecine Company. En effet, au-delà des témoignages de Mayfield et Bloodworth, les derniers associés du chimiste, il existe un acte attestant que John Pemberton avait transmis sa formule à son fils Charley. Ainsi, le 8 septembre 1888, il devint président et actionnaire à un tiers de la compagnie créée par son père, justement parce qu'il représentait le seul tributaire de la recette. Et lorsque, un an plus tard, il céda sa part aux exploitants de Koke, il partit de la société en prenant soin d'emporter le livre de recettes. Certes, cet héritier fragile aurait alors pu transmettre son secret à The Coca-Cola Company. Mais, alors, pourquoi en plus rédiger l'acte de vente anticipé avec la fausse signature ? Selon toute vraisemblance, Charley Pemberton n'avait pas fait affaire avec Asa Candler sur ce point parce qu'il avait trouvé un autre moyen de gagner sa vie... grâce justement à l'invention de son père.

*

Le 2 septembre 1924, Asa Candler fit sa dernière déposition consacrée aux premières années de l'exploitation du Coca-Cola. Nous l'avons vu, l'ancien président était frappé d'une crise d'amnésie bienvenue lorsqu'il devait évoquer le sort de la recette après 1887, mais, au milieu d'un bel exercice de

---

1. Correspondance de Mary Newman, fille d'Elberta. *Ibid.*

langue de bois, il livra une information passée inaperçue. Celle selon laquelle : « À un moment donné, Charley, le fils de John Pemberton, tentait de vendre la formule pour cinq dollars [1]. »

Cette fois, l'anecdote était authentique. Quelques années avant Diva Brown, le fils Pemberton s'était lancé dans le commerce de la formule de son père. Utilisant des petites annonces dans la presse spécialisée, il promettait de livrer aux futurs acquéreurs la composition complète de la boisson commercialisée par Asa Candler. La manœuvre, qui ne lui garantissait aucun droit sur les ventes des produits élaborés à partir de la recette originale, était peu brillante mais lui garantissait des revenus immédiats. Au départ, le staff de Candler s'en moqua. Puis, à mesure que la Compagnie gagnait du terrain, ce parasitage finit par agacer. Les risques de voir un entrepreneur peu scrupuleux mais malin offrir à Charley d'acquérir la liste des ingrédients mais aussi une association pour exploiter son patronyme, étaient réels. Avec, à la clef, la perspective d'un véritable cauchemar commercial. Comment en effet se sortir d'un schéma aussi compliqué que celui, d'un côté, d'une boisson produite par The Coca-Cola Company dans l'impossibilité de prouver l'origine de sa recette et, de l'autre, d'un cola fabriqué par le fils même de John Pemberton respectant la formule de son créateur ?

Les légendaires maux de tête d'Asa Candler se voyaient, à l'époque, pour le moins justifiés. Du moins jusqu'au 23 juin 1894 où un soupir de soulagement dut traverser tous les bureaux de sa société. Ce jour-là, Charley Pemberton fut retrouvé inconscient dans une chambre d'hôtel d'Atlanta. Avec, à proximité de son lit comme le signala la police, un pain d'opium. Sa douloureuse agonie s'étendit sur dix jours [2].

---

1. Déposition d'Asa Candler, 2 septembre 1924.
2. La presse d'Atlanta évoqua d'« intenses souffrances ». On remarquera que certains articles partageaient un point commun avec Asa Candler. Au moment de nommer la boisson créée par John Pemberton, le lapsus était semblable : le soda devient Coco-Cola. *In The Atlanta Constitution*, 24 juin 1894.

Et, le 3 juillet, Charley Pemberton, fils unique de l'inventeur du Coca-Cola, mourut. Il avait quarante ans.

Son décès fut présenté comme un suicide par overdose d'opium, mais reste aujourd'hui encore sujet à questions. Tout d'abord parce que, contrairement aux mauvaises habitudes de son père, il ne semble pas que Charley Pemberton ait été un consommateur de drogue. Ses penchants alcooliques sont attestés, mais jamais un témoignage évoquant une accoutumance de toxicomane n'est paru. Pour Monroe King, spécialiste américain de la vie de John Pemberton, le mode même de suicide surprend. Interrogé par Mark Pendergrast, King précise : « Il faut se souvenir que Charley Pemberton a travaillé de nombreuses années avec son père. Et que de fait (les utilisant en laboratoire) il connaissait parfaitement les différentes drogues. S'il avait décidé de se suicider, il aurait été en mesure de choisir un produit bien plus efficace. Opter pour de l'opium pur à la place d'une dose massive de morphine n'a aucun sens [1]. »

*

Suicide ou pas, la disparition de Charley Pemberton tomba en tout cas à pic pour Asa Candler. Désormais le fantôme du chimiste ingénieux allait cesser de hanter ses cauchemars et de perturber la vie de la Compagnie. Mais les faits restent tenaces : ce brillant patron avait commercialisé une boisson dont il n'avait jamais, légalement, possédé la recette.

---

1. *In For God, Country and Coca-Cola, op. cit.* À noter aussi que dans un courrier de 1951, Wilson Newman, un enfant d'Elberta, la sœur de John Pemberton, se souvenant des confidences de ses parents, notait : « Il y a quelque chose de mystérieux autour de la mort de Charley. »

Deuxième partie

Global

24. Propriété

Atlanta, 7 mars 2005.

Les chiffres défilent plus vite que le rythme de ma lecture. La rapidité des changements du compteur additionnant en direct les ventes globales de Coca-Cola dépasse largement mes capacités mathématiques. Et sûrement aussi celles de l'ensemble des visiteurs du musée de la Compagnie. Ici, l'unité de base c'est la seconde. Le temps d'en compter dix et la planète vient d'avaler soixante-dix mille bouteilles du soda inventé par John Pemberton.

Les chiffres ont d'ailleurs de quoi faire tourner la tête. Cent vingt ans après sa création, Coca-Cola se vend plus d'un milliard de fois par jour. Désormais, la soif ne connaît pas de saisons. Ni de frontières puisque 94 % de la population mondiale reconnaît instantanément la marque. Et s'il n'est pas fou de se demander où se cache l'infime minorité de personnes qui ignorent encore l'existence du produit le plus célèbre de la planète, il l'est encore moins de penser qu'il s'agit de la prochaine cible des experts marketing du Groupe.

Mais Coke est plus qu'une société mercantile. La notion même de marché s'avère trop restrictive pour résumer et expliquer ce qui s'avère un phénomène international. Toute connotation commerciale est balayée par une information essentielle : Coca-Cola est le deuxième mot le plus connu de la planète [1].

Pas de doute, le monde appartient à la Compagnie. Et la fin de partie a été sifflée voilà bien longtemps.

---

1. Seule l'expression « O.K. », et d'une misérable courte tête, peut se targuer d'un parfum plus... globaliste.

25. Anthropomorphie

Boris Artzybasheff ne fut pas le premier à avoir remarqué la renommée universelle du groupe. Mais, en quelques coups de pinceaux, il fut celui qui a le plus précisément appréhendé l'envergure de la victoire. Ce Russe blanc, réfugié aux États-Unis à l'âge de quatorze ans, est un artiste méconnu alors que son travail s'est vu diffusé à des millions d'exemplaires. Pendant vingt-quatre ans, sur plus de deux cents couvertures, ce spécialiste de l'anthropomorphie a en effet illustré la une du magazine *Time*. Or, le 15 mai 1950, le magazine fit sa *cover* sur le phénomène Coca-Cola. Une première. Jamais auparavant *Time* n'avait offert un tel espace à un produit de consommation. Certes l'amitié entre les présidents du journal et de la Compagnie a peut-être pesé[1], mais au bout du compte c'est bien l'épopée incroyable d'une boisson inventée dans le sud des États-Unis et métamorphosée en star planétaire qui a fasciné la rédaction.

---

1. C'est en tout cas la thèse développée par Pepsi-Cola. La compagnie distribua à l'ensemble de ces embouteilleurs et employés, un pamphlet détaillant cette expansion mondiale et remettant en cause les informations du *Time*. Signe d'une époque, Pepsi n'opta pas pour un affrontement public et frontal avec le prestigieux magazine.

Le dossier publié fut riche en photographies. Qui prouvaient que, de New York à Rio en passant par Paris et Casablanca, Coca-Cola devenait le pionnier d'un nouveau modèle économique. Celui où la prospérité d'une entreprise américaine passait obligatoirement par un développement appuyé sur les différents marchés locaux.

Impérialisme pour les uns, défense des vertus du capitalisme pour les autres, peu importe : *Time* venait d'endosser le rôle de précurseur. En choisissant de sublimer la suprématie « globale » de The Coca-Cola Company, le magazine avait décrit, sans encore les nommer, les balbutiements de la mondialisation.

Boris Artzybasheff, lui, avait immédiatement saisi la portée de l'enjeu. Et vu l'occasion de recourir à son exercice de style préféré. Depuis toujours, cet artiste aimait en effet donner vie à des objets. Pendant la Seconde Guerre mondiale, conseiller à la guerre psychologique auprès du Département d'État, il s'était du reste spécialisé dans l'illustration de la puissance de frappe américaine. Sous son pinceau, avions, camions et chars d'assauts avaient pris des traits humains qui leur procuraient, auprès de la population, des statuts de héros. Aussi, alors que son travail à *Time* le cantonnait dans les classiques portraits de personnalités, le sujet consacré au géant d'Atlanta excita son imagination.

*

Depuis les années 1900, la Compagnie misait sur la publicité. Parmi les affiches, ramasse-monnaie, buvards et peignes offerts par la marque, un objet symbolisait plus que d'autres le soda. D'un diamètre variable et d'un rouge éclatant, ce cercle émaillé arborant le nom de la boisson était incontournable dans l'Amérique de l'après-guerre. Donc un raccourci et un symbole parfaits pour Artzybasheff.

Anthropomorphie

Le 15 mai 1950, *Time* arriva dans les kiosques. Et il fut impossible à ses lecteurs de rater le trait de génie du dessinateur couvrant presque toute la une. Seuls le nom du magazine et un titre [1] flirtant avec la rigueur de l'haïku pouvaient perturber l'attention. Mais sinon, l'ensemble du croquis, sur fond blanc, frôlait la perfection. Jusqu'au rouge du traditionnel cadre de la couverture de *Time* qui se mêlait à celui du cercle Coca-Cola.

En l'observant, cinquante ans plus tard, le regard est d'abord attiré par les teintes bleutées du globe terrestre [2]. Qui prouvent qu'Artzybasheff a réussi la gageure d'offrir un visage humain à la planète. Et quelle bouille : le monde a le sourire aux lèvres, le nez qui frémit et l'œil gourmand. Mais ce n'est rien en comparaison des reflets du regard du cercle Coca-Cola. Calé en retrait, il pétille de fierté. Et il a de quoi. Après tout, l'illustration est sans ambiguïté : la soucoupe émaillée offre son épaule protectrice à une planète qui s'y abandonne dans un soupir que l'on devine de réconfort. Un sentiment sublimé par une goutte de sueur plantée au milieu même de l'Atlantique !

La fierté de l'un, l'abandon de l'autre, l'échelle du cercle doublant la taille de la planète... et aussi une bouteille collée sur les lèvres réunies d'un globe assoiffé.

La parabole est totale. Coca-Cola n'est plus une boisson mais un phénomène. En réalité, ce n'est même plus une couverture pour *Time*, mais un lien vital unissant une mère à son enfant.

Et, au delà, une implacable confirmation : la Terre est un immense marché. Et Coca-Cola son maître.

---

1. *World & Friend*, qui se traduit littéralement par Monde et Ami.
2. Voir cahier iconographique.

26. Absence

Atlanta, 7 mars 2005.

Le monde est rouge et Karl Marx s'est trompé de couleur. Aujourd'hui, à défaut d'une idéologie commune, c'est Coca-Cola qui est partout. De Bagdad à Pékin en passant par Washington et Berlin. Le sirop de Pemberton a triomphé du temps, des guerres, des religions et des blocs. Soixante ans après sa création, l'Organisation des Nations unies compte cent quatre-vingt-onze membres alors que la Compagnie est présente dans deux cents pays[1].

Et, tout en prenant soin de ne pas sombrer dans un triomphalisme trop arrogant, Coca-Cola cultive la victoire totale. En commençant, au cœur d'Atlanta, par les vitrines de son panthéon.

*

L'ambiguïté est revendiquée jusque dans le patronyme du mausolée. Car tout est question de sémantique. Ici, le musée

_____

1. Aux Jeux olympiques d'Athènes, en 2004, le comité international olympique rassemblait deux cent un comités nationaux. C'est aujourd'hui la seule organisation dépassant The Coca-Cola Company.

se nomme The World of Coca-Cola. Le Monde de Coca-Cola donc.

Cela signifie-t-il que le monde appartient à la Compagnie ? Ou encore qu'au-delà de la terrible réalité du nôtre, il en existerait un parallèle ? Un où le temps s'écoulerait au rythme de bouteilles décapsulées ? Où le père Noël, avec son embonpoint sympathique, ses joues rougissantes, existerait ? Où les sourires seraient plus blancs, les filles plus belles et les sentiments bien meilleurs ?

Un monde où Coca-Cola serait le nouvel opium des peuples ?

Bien que la réponse ne figure évidemment pas au programme de la visite, les indices sont probants. D'abord, avant même de pénétrer dans les lieux, il y a le globe. Massif et suspendu au-dessus de la tête des curieux, il affiche clairement la couleur. Du rouge de la Compagnie, il alterne, sur une double face, le nom de son plus célèbre produit et celui de son officiel diminutif[1].

Une fois adoubé par ce sas obligatoire, le visiteur découvre l'atrium où le message de l'entreprise devient limpide. Impeccablement alignés, une bonne centaine de drapeaux rappellent l'implantation mondiale de la marque. Dans les premiers rangs, on reconnaît celui de l'Espagne, de la Grande-Bretagne, de l'Allemagne, de la Grèce, de l'Algérie, de l'Afrique du Sud et du Mexique.

Certes, Coca-Cola n'a pas décidé de gommer son histoire américaine, mais la « légende » apparaît plus désormais comme un prétexte à la nostalgie. Ici, un montage vidéo démontre combien les messages publicitaires de la Compagnie sont le décodeur idéal des tendances sociologiques du XXe siècle. Là, une *soda fountain* reconstituée évoque une époque que les moins de quatre-vingts ans ne peuvent pas connaître. Et toutes les quinze minutes, dans la salle de

---

1. En 1945, Coke est devenue une marque déposée de The Coca-Cola Company.

cinéma du musée, est projetée sur grand écran une copie digitale de sa nouvelle démarche mercantile. Baptisé *Every Day, Every Where*[1], ce film illustre la vérité actuelle de la firme : désormais, le soleil ne se couche jamais sur Coca-Cola.

*

Dernière étape du parcours de la soif. Bientôt, juste avant la boutique de souvenirs, je pourrai me désaltérer à la source, m'abreuver directement à une des fontaines proposant, à volonté et en permanence, les différentes boissons de la maison[2]. Boire un Coca-Cola, à Atlanta, dans le saint des saints. Avec en bouche, un goût certain de nirvana.

Ultime arrêt, pour en prendre plein la vue. Tout de suite, le regard est attiré par une farandole de boîtes et de bouteilles installées dans une vitrine longue peut-être de quatre mètres. Impeccablement alignés par ordre alphabétique, ces objets de consommation basiques constituent la preuve concrète de l'implantation internationale de la marque. L'œil navigue entre le Brésil, l'Arabie saoudite, l'Islande, la Thaïlande et la Nouvelle-Zélande.

*

Jeenaha s'est approchée de notre groupe. La silhouette de ce guide confirme que la consommation excessive des produits de la Compagnie, mariée à la cuisine trop grasse du sud des États-Unis, ne manque pas d'effets néfastes.

— Pour l'inauguration du musée, chaque embouteilleur a envoyé une boîte ou une bouteille de son pays. Toutes

---

1. Littéralement : « Chaque jour, de partout. »
2. Dont Fanta, Sprite, Dasani, Tab, Fresca, Mello Yello, Minute Maid, Surge, Full Throttle, Fruitopia, Barq's, Crush, Mr Pibb, Odwalla, Powerade, Qoo, Bimbo, Lift, Kuat, Kinley, Wink et Yumi. Pour la liste complète des quatre cents produits de The Coca-Cola Company voir : http://www2.coca-cola.com/brands/brandlist.html

ensembles, elles forment la chaîne Coca-Cola. Qui fait le **tour** du monde et ne s'arrête jamais.

Jeenaha est satisfaite. Son sourire est franc et son envie de nous faire partager la grandeur de son employeur sincère.

L'explication paraît convaincante et il est temps de passer à autre chose. Sauf que...

— S'agit-il de tous les pays où Coca-Cola est commercialisé ?

Jeenaha s'est arrêtée. Son sourire reste étincelant. Et sa réponse ne varie guère :

— Chaque embouteilleur a envoyé un témoignage de son pays. Une sorte de cadeau.

À nouveau, elle me tourne le dos et s'avance vers la statue d'un ours polaire géant dont les cuisses, toboggan improvisé, font le bonheur des enfants.

— Mais alors, pourquoi il en manque une ?

Notre guide se fige. Elle plante ses yeux dans les miens. Cette fois, j'ai du mal à voir la trace de ses dents blanches :

— Ce sont les boîtes et bouteilles que les embouteilleurs du monde entier ont bien voulu nous envoyer. Merci.

Le ton est agacé, froid, définitif. Sans nous attendre, elle file vers un autre groupe qu'elle doit, secrètement, espérer plus coopératif.

Je regarde à nouveau la rangée rouge et blanche des offrandes des embouteilleurs et il n'y a pas de doute. Là, entre la Finlande et le Gabon, une absence me saute aux yeux.

Dans la ronde des nations formée par The Coca-Cola Company, la France n'apparaît nulle part.

Et cette absence dépasse, à mon sens, le cadre du hasard ou de l'oubli.

27. Révélateur

En tâtonnant au fil de cette enquête dans les dédales de la Compagnie, la France me servit de révélateur. De trait de lumière éclairant chaque zone d'ombre, liant chaque pan de mon travail et guidant irrémédiablement mes pas vers le dernier secret de Coca-Cola.

Apparemment, je n'étais pas le seul à avoir compris l'importance de l'Hexagone dans l'histoire de la plus américaine des marques internationales.

Au cœur de la Compagnie, trois dossiers rouges témoignaient de sa valeur.

28. Ouragan

À Atlanta, il existe un certain nombre de règles. Qui, souvent orales, cimentent les murs de Coca-Cola et bétonnent autant son image que son discours. L'une d'entre elles concerne l'exigence de discrétion.

Le secret, ici, est une arme commerciale. Pratique, il offre une aura magique à la légendaire formule de Pemberton[1]. Obligatoire, il permet de contrôler le marché des produits indispensables à la fabrication du sirop. Sans le secret, Coca-Cola serait tributaire des aléas politiques et économiques du monde, donc fragilisé. Si, par exemple, la compagnie annonçait officiellement demain que, sans huile de Néroli, elle serait dans l'incapacité d'élaborer son 7X, il va de soi que le prix de cet extrait de fleur d'oranges amères augmenterait dans des proportions embarrassantes et mettrait ses marges en péril. De même, si Atlanta reconnaissait sa dépendance à la cannelle

---

1. Une formule qui, au-delà de ses changements liés à la présence de cocaïne, a été modifiée discrètement à plusieurs reprises afin de correspondre aux goûts du public et afin de contrôler ses coûts de production. Seul Roberto Goizueta tenta de transformer cette évolution en arme marketing en introduisant le New Coke. Voir chapitre 45.

chinoise, elle courrait le risque de devenir un enjeu au cas où les relations entre les États-Unis et la Chine se refroidiraient.

Le secret est également une conséquence directe du succès de la Compagnie. Non seulement Coca-Cola est présent sur deux cents marchés mais en plus il truste la première place de celui des sodas et boissons dans un contexte de concurrence suraiguë. Stratégies commerciales, budgets publicitaires, accords de distribution, lancements de nouveaux produits... constituent autant de thèmes particulièrement sensibles. En outre, au fil des années, Coca-Cola a appris l'art de la communication minimale en environnement contrôlé. Autrement dit, l'obligation de tout maîtriser. Un apprentissage parfois chaotique, comme en témoigne l'affaire des distributeurs sensibles à la météo.

*

En septembre 1999, Douglas Ivester, le président de la Compagnie, accepta de répondre aux questions d'un journaliste de *Veja*, hebdomadaire réputé au Brésil, pays typique des nouvelles difficultés rencontrées par la marque. Souffrant de la récession économique mondiale, Coca-Cola se retrouvait à l'époque mal en point sur de nombreux marchés, sa croissance se voyant concurrencée par l'émergence de sodas locaux à bas prix. Au Brésil, comme dans l'ensemble des pays émergents, Coke devait en effet affronter les *tubainas*, des boissons peu coûteuses fabriquées et embouteillées sur place. Une situation d'autant plus préoccupante que, pour arriver à des tarifs minima, les fabricants de *tubainas* avaient fait l'impasse sur la qualité et la pureté du produit, ainsi que sur l'hygiène entourant la mise en bouteille. Des standards dévalués sur lesquels une entreprise internationale de sa renommée ne pouvait s'aligner sous peine d'y perdre son âme. Des conditions qu'elle avait en revanche les moyens de dénoncer pour inciter le consommateur à dépenser plus afin d'avaler une boisson digne de confiance.

Une démarche de communication qu'Ivester avait envie de mettre en pratique lorsqu'il reçut Euripides Alcantra. L'entretien, à le lire aujourd'hui, relève d'ailleurs du modèle du genre. Il correspond en effet trait pour trait, mot pour mot, au discours défini par les responsables de la communication de The Coca-Cola Company. En élève appliqué, Ivester recycle certaines des réponses déjà utilisées quelques mois plus tôt dans un portrait du *New York Times*.

Alors que le rendez-vous touchait à sa fin, Alcantra glissa une dernière question. Il souhaitait, expliqua-t-il, en savoir plus sur une évolution technologique que la Compagnie aurait mise au point pour augmenter ses ventes via des distributeurs automatiques.

*

La division du « cold-drink equipment » joue un rôle essentiel dans la santé économique de la Compagnie. Elle réalise en effet 11 % de ses ventes totales et une part bien plus conséquente de ses profits. Pourquoi ? Parce que les distributeurs sont, notamment, le dernier territoire de ventes relativement épargné par la guerre des prix, donc des appareils qui permettent à Coca-Cola des marges confortables.

Depuis son arrivée à la tête du Groupe en octobre 1997, Douglas Ivester désirait rassurer ses actionnaires. Après avoir atteint des sommets, la valeur boursière de la société ne cessait de chuter. Plus que jamais, à cause du marché américain saturé, la Compagnie dépendait de ses résultats internationaux. Or, pour accroître les profits, Ivester avait misé sur le développement de la division des distributeurs de boissons. Aussi, lorsque Euripides Alcantra l'interrogea sur ce point, Ivester saisit la balle au bond pour vanter son nouveau projet.

D'abord, expliqua-t-il, Coca-Cola souhaite étendre son implantation en multipliant les lieux de ventes automatiques. Une politique guère nouvelle puisque, en 1994, accompagné d'un cameraman, Ivester avait réalisé un film démontrant que résidait là l'avenir de la Compagnie. À quelques kilomètres d'Atlanta, Ivester s'était rendu à Rome, en plein cœur de la Géorgie. Une ville où les ventes de Coca-Cola par habitant étaient les plus fortes des États-Unis et où, depuis quelques années, la consommation de Coke avait dépassé celle de l'eau minérale. Rome constituait donc le modèle vers lequel aspiraient tous les gestionnaires de la maison. Et Ivester avait décidé de prouver que la force de cet exemple résidait dans ses faiblesses. Il n'était pas allé dans cette cité pour témoigner de la présence massive de Coca-Cola mais, au contraire, pour désigner les emplacements où la boisson n'était pas à la disposition des amateurs. Du couloir d'un gymnase à la salle d'attente d'un médecin, il voulait asséner un message simple : Coca-Cola devait se trouver dans tous les espaces où transitait un consommateur potentiel. Poussant l'exemple de Montréal en 1930 à son paroxysme, Ivester envisageait d'occuper le terrain avec des distributeurs.

Pour y parvenir – et ce fut la deuxième partie du plan qu'il dévoila au journaliste de *Veja* – la Compagnie comptait installer des distributeurs d'une nouvelle génération. Des machines qui utiliseraient la technologie sans fil pour communiquer avec l'embouteilleur en charge de leur maintenance. Dans un premier temps la technique permettrait à la société de gérer plus efficacement ses stocks, grâce à la connaissance en temps réel des ventes de chaque appareil, mais lui voyait bien plus loin. Demain, raconta-t-il, les progrès de la communication allaient donner l'opportunité d'agir sur les tarifs du soda selon les caprices du temps.

« C'est une situation classique d'offre et de demande, argua-t-il. Si la demande augmente, le prix a tendance à augmenter. Coca-Cola est un produit dont le besoin varie d'un moment à l'autre. Lors d'une finale sportive, en plein milieu de l'été, lorsque le public va au stade pour s'amuser, la demande pour un Coca-Cola glacé est forte. Aussi, il est tout à fait normal qu'il soit plus cher. La machine permettra simplement de rendre cette variation automatique [1]. »

Au Japon, la Compagnie testait déjà ce système en toute discrétion. Et l'ensemble des fabricants de produits vendus par distribution automatique attendait cette nouvelle étape comme un « moyen de libérer leur créativité [2] » tarifaire.

L'ennui, c'est que dans cette implacable démonstration de capitalisme appliqué, Douglas Ivester avait oublié un facteur de taille : il était le patron de la Compagnie. Et, à ce titre, venait de déclencher un ouragan.

---

1. In « The World is thirsty », *Veja*, octobre 1999 cité *in New York Times*, 28 octobre 1999.
2. Bill Hurley, porte-parole de la National Automatic Merchandising Association, Washington D.C. : « You are only limited by your creativity, since electronic components are becoming more and more versatile. »

29. Prix

Si *The Vendo Company*, fabriquant d'Univendor, le distributeur le plus populaire du marché, avait été à l'origine de cette révélation, sans doute la presse aurait-elle salué la prouesse technologique.

Peut-être même, à force de conviction et de communication, certains observateurs auraient-ils évoqué la justesse d'un système où le prix de vente baisserait en fonction de la température ambiante.

Mais que la seule société au monde distribuant un produit consommé dans deux cents pays à plus d'un milliard d'unités journalières ose avancer une telle idée suscita un véritable tollé.

*

Le *Financial Times* fut le premier quotidien de langue anglaise à s'emparer de l'entretien publié par *Veja*. Puis ce fut au tour du *New York Times* et de CNN de monter au créneau. Et bientôt, grâce au réseau internet, l'ensemble de la planète n'ignora rien de l'affront. Oubliés les propos calibrés sur la pureté hygiénique de Coca-Cola au Brésil. Seule la réponse à la question posée par Euripides Alcantra retint l'attention. Et la réaction s'avéra à la hauteur du blasphème osé par la Compagnie.

Après tout, comme le remarquèrent certains éditorialistes, Ivester avait froidement joué avec un tabou : le prix d'un produit non saisonnier variant selon les saisons. Autrement dit, ses distributeurs-thermomètres, conçus comme des armes de destruction massive dans la bataille de la soif, furent perçus comme des moyens de se faire de l'argent sur un besoin humain fondamental. Comme la preuve du cynisme purement financier de grands patrons étanchant leur désir de profits faramineux sur la faim des plus pauvres.

*

Les propos d'Ivester correspondaient-ils pour autant à la politique de la Compagnie ?

Certes, le développement de distributeurs automatiques de boissons aux tarifs évoluant selon la température ne fait aucun doute. Le projet était même étudié depuis 1995 et, malgré les démentis d'un porte-parole, il semble que plusieurs prototypes aient été construits. Néanmoins, tester de nouvelles idées en laboratoires, face à des panels de consommateurs ou même sur certains marchés, ne signifie pas qu'elles vont être approuvées. En fait, le distributeur décrit par Ivester existait mais le directoire de Coca-Cola n'avait pas envisagé sa mise sur le marché. Par crainte, justement, d'une remise en cause de ses valeurs et de la mauvaise publicité qui en découlerait.

D'après Constance Hays, une journaliste du *New York Times*, Doug Ivester connaissait la position des autres dirigeants sur ce point[1] et, renseignée par un cadre de la société, elle affirma qu'Ivester avait voulu leur forcer la main et démontrer la prééminence technologique de Coca-Cola.

---

1. *In The Real Thing*, Constance Hays, Random House, 2004.

Si tel était le calcul du président de la Compagnie, son erreur de jugement se révéla grossière.

Reste une ultime hypothèse, celle du ballon d'essai. En se servant des colonnes d'un média étranger, en limitant l'effet d'annonce au cadre presque informel d'un entretien, Ivester avait peut-être essayé de tester l'impact de son idée. Pour apprécier avec précision les réactions du public.

Face à certains cadres choqués, Ivester choisit d'abord d'assumer la teneur de l'interview, arguant, comme si tout cela était prévisible, que la polémique ne durerait pas plus de quarante-huit heures. En réalité, le scandale s'étala sur plusieurs jours, alimentant les journaux d'informations, les plateaux de télévision, et les chroniques humoristiques. Plus tard, Coca-Cola estima à plus de mille les dessins satiriques publiés par la presse américaine en cette occasion.

*

Le 1ᵉʳ décembre 1999, trente-deux jours après la publication de l'article du *Financial Times* reprenant l'entretien de *Veja*, Doug Ivester se trouvait à Chicago.

Pas dans le salon confortable d'un grand hôtel mais dans un hangar de l'aéroport. Sa limousine l'y avait déposé après une réunion avec la direction de McDonald's, l'un des plus importants clients de Coca-Cola.

En attente près du jet de la société, il reconnut deux autres avions. Le premier appartenait à Warren Buffet, l'un des hommes les plus riches des États-Unis, un financier à la tête du fonds d'investissement Berkeshire Hattaway contrôlant plus de deux cents millions d'actions Coca-Cola. Certes, en un an, affaibli par les difficultés internationales, la valeur de son portefeuille avait diminué de quatre milliards de dollars, mais il restait quand même l'un des dinosaures de la Compagnie.

Le second jet privé était celui d'un autre membre du conseil d'administration, réputé pour la solidité de ses réseaux à

Atlanta. Herbert Allen, dont le portefeuille approchait les dix millions de titres, avait lui aussi souffert de la baisse du titre né du scandale. Et, quelques jours plus tôt, avait pris l'initiative d'organiser la rencontre de Chicago.

Allen ne s'était pas étendu quant aux motifs du rendez-vous, mais Ivester s'était exécuté. Sachant pertinemment que le PDG de The Coca-Cola Company était en fait un employé du Conseil d'administration. À ce titre, il ne pouvait donc ignorer l'appel de ses deux membres les plus influents.

*

D'après Allen[1], l'entretien ne dura pas plus de dix minutes. Au milieu de la crise déclenchée par la reprise de l'entretien de *Veja*, Buffet et lui avaient abouti à la même conclusion.

Dans un hangar glacial de Chicago, Doug Ivester, cinquante-six ans, apprit qu'il était temps de prendre sa retraite.

La Compagnie aimant le secret, Ivester paya ce jour-là le prix de l'oubli.

---

1. *In The Real Thing*, Constance Hays, Random House, 2004.

30. Palette

Le départ à la retraite forcé[1] de Douglas Ivester illustre la violence des relations de pouvoir à la tête de la Compagnie. Et explique pourquoi les cadres de Coca-Cola refusent la moindre confidence. Un silence qui, et c'est plus étonnant, persiste chez ceux qui ont quitté l'entreprise. Bien sûr les retraités maison sont souvent actionnaires, mais leur refus récurrent de revenir sur leurs parcours est pour le moins étonnant.

Heureusement, parfois, certains se laissent aller à... divulguer des secrets qui n'en sont pas. La plupart du temps, l'information péniblement obtenue n'a rien en effet de vraiment compromettant. Il s'agit même souvent d'anecdotes que pourrait partager n'importe quel employé d'une société banale.

Dès lors, le témoignage faisant progresser sur le chemin de l'enquête, lorsqu'il survient, apparaît comme une pépite rare. Même s'il se fait sous couvert de l'anonymat.

*

1. Rendu public le 6 décembre et officialisé en avril 2000.

Dan[1] était un de ces cadres suffisamment haut placés dans la hiérarchie interne pour apprendre de la bouche de ses frères d'armes les règles d'or de la société.

Dès son arrivée, puis à plusieurs reprises ensuite, on lui avait signifié l'importance du fameux secret. Accompagné de mises en garde récurrentes. Au cas où il serait sollicité par un journaliste, Dan avait appris sur le bout des doigts la gamme restreinte des réponses à fournir. Systématiquement, elles consistaient à orienter le curieux vers le bureau chargé des relations publiques.

Dan n'ignorait rien du poids de ses responsabilités : chez lui, en vacances, hors des heures de bureau, il représentait la firme. Une philosophie insufflée à l'ensemble des employés agrémentée d'un message limpide : tous étaient Coca-Cola.

Donc, de ses vacances en famille à Disney World à la messe dominicale, Dan continuait à porter les couleurs de l'entreprise. Conscient que le moindre de ses gestes pouvait interférer dans la réputation de la Compagnie et embarrasser ses collègues, il vivait Coca-Cola. Il refusait par exemple de consommer des produits Frito-Lay, branche agro-alimentaire de Pepsi-Cola, et il lui était arrivé de quitter un restaurant qui ne servait pas Coke.

A ses yeux, il s'agissait de loyauté, d'une fidélité que Dan appréciait parce qu'il savait qu'en retour il pouvait compter sur la Compagnie.

S'il respectait les règles, la société, pensait-il, saurait toujours prendre soin de lui. Son salaire évoluerait régulièrement, son stock d'actions progresserait et, à moins d'une grosse faute, il n'aurait jamais besoin de chercher un autre poste.

Dan avait donc accepté librement cette omerta tacite. D'autant que, venant déjà d'un monde *corporate*, rien dans les lois internes de Coca-Cola ne l'avait vraiment choqué. Comme il l'avouait lui-même, il s'était « glissé avec aisance dans le moule ».

---

1. À la demande du témoin, le prénom a été modifié.

*

Pourtant, Dan avait été OK pour me parler. Sa décision ne tenait en rien à la persévérance dont j'avais fait preuve pour le convaincre : Dan me rencontrait parce qu'après avoir pesé le pour et le contre, cet ex-cadre avait estimé que ses propos ne menaceraient en rien la marche de Coca-Cola. Et aussi – et voilà plus étonnant – parce que je n'étais pas américain !

Certes, l'ex-cadre avançait que sa palette de souvenirs serait sans doute « aussi passionnante que le gris de (son) costume », mais il était suffisamment brillant pour savoir qu'à mes yeux, l'un d'entre eux avait les reflets du plus précieux des métaux.

31. Local

Dan souhaitait me parler de la France. Pas de ses musées, de ses restaurants ou de ses vins, non, mais de Coca-Cola. Il avait consacré sa vie à la Compagnie et l'activité économique de Coca-Cola continuait à meubler sa retraite. Au revers du veston, il arborait encore les couleurs de la marque.

Dès lors, avancer sur un autre terrain ne lui serait même pas venu à l'idée.

— Vous et moi, nous avons une relation particulière, n'est-ce pas ? me demanda-t-il.

Sans que je sois candidat à ce mandat, Dan venait de m'élire unique représentant des 62,4 millions de Français.

Lui, bien évidemment, incarnait The Coca-Cola Company. Et la relation particulière qu'il évoquait ne nous impliquait pas directement mais concernait les rapports entre la France et la firme. Notamment parce que l'Europe avait été au cœur de sa carrière.

— Vous savez, ajouta-t-il, il y a un peu de sang français dans nos veines. Mais le temps et les changements de formules l'ont bien dilué.

L'ombre du vin Mariani continuait, semble-t-il, à hanter les couloirs d'Atlanta.

145

Dan, songeur, cherchait les mots justes qui ne trahiraient ni ses idées ni Coca-Cola.

— J'ai toujours eu du mal à comprendre la fixation de certains pontes de chez nous envers la France. N'y voyez pas de mal mais, après tout, vous êtes un petit marché pour nous.

La France était effectivement à la traîne. La présence de Coca-Cola remontait suffisamment à loin pour espérer mieux qu'une moyenne par habitant de dix-sept litres annuels. Alors qu'aux États-Unis on frôle les quatre-vingt-cinq litres, en Allemagne quarante-six litres et en Norvège une moyenne dépassant les soixante litres.

Dan avait raison : la France est un nain au pays des sodas.

— Bien sûr, chacun y allait de son analyse. Le vin, les eaux... même Orangina. Mais je n'y crois pas. Chaque pays a son obstacle... Ou, devrais-je dire, sa particularité locale.

Dan avait opté pour un ton professoral. Et, comptant sur ses doigts, se mit à pointer une à une les difficultés rencontrées par la Compagnie lors de son essor international.

— Dans le nord de l'Europe, on luttait contre le froid. Et Coke restait, au départ, une boisson associée au beau temps. En Allemagne, le marché appartenait aux marchands de bières. En Italie, il y avait l'eau minérale et le Parti communiste. La Roumanie n'avait pas assez de pouvoir d'achat et je ne parle même pas de l'Afrique... mais, pourtant, à chaque fois, nous avons gagné. Alors qu'en France...

Dan avait raison : The Coca-Cola Company, pur-sang assoiffé de victoires, contrôlait plus de la moitié des boissons rafraîchissantes consommées dans le monde entier. Avec une marge de progression considérable puisque la population mondiale absorbe cinquante milliards de boissons quotidiennes, chiffre incluant l'eau, le café, le thé et le lait, la Compagnie comptant « seulement » pour 1,3 milliard de ce total.

*

À écouter Dan, les recettes de ce succès étaient relativement simples.

Pour commencer, un matraquage massif de publicité. De fait, le budget annuel de marketing du Groupe dépasse les quatre milliards de dollars. Avec vingt-cinq millions d'objets publicitaires distribués chaque année, une armée d'un million d'employés[1] considérés comme ses premiers ambassadeurs, sa force de frappe se montra donc considérable.

— Augmenter la consommation dans un pays développé comme la France devrait être aisé. Les réseaux de distribution sont en place, le marché publicitaire existe et le consommateur dispose du pouvoir d'achat nécessaire. Mais il y a tout le reste...

*

Le reste ?

L'animosité.

En France, Coca-Cola applique à la lettre une stratégie élaborée à Atlanta et fonctionnant dans le monde entier. Ainsi, en plus des ressources et des « troupes » évoquées par Dan, la firme insiste en permanence sur son caractère local. En mettant en avant le nombre d'emplois directs et indirects créés dans un pays, sa participation à l'économie nationale par le biais des impôts qu'elle paie, la Compagnie cherche à se débarrasser de sa réputation de représentant en chef d'une sorte d'impérialisme à l'américaine.

Outil de communication, cet argumentaire se métamorphose en ligne de défense lorsque ses intérêts sont menacés.

---

1. Ce chiffre inclut les employés des embouteilleurs et généralement le processus de distribution. The Coca-Cola Company, dont l'activité principale est de fabriquer du sirop pour ensuite le revendre à ses embouteilleurs, emploie cinquante mille personnes dont neuf mille six cents rien qu'aux États-Unis. *In The Coca-Cola Company Annual Report 2004*, United States Securities and Exchange Commission.

En novembre 1992, suite aux accords du GATT[1], les agriculteurs français se mirent en colère. Estimant que le modèle libéral défendu au sein du GATT par les États-Unis menaçait l'avenir de leur métier, ils firent savoir leur désapprobation en attaquant le « plus grand symbole d'une Amérique qui se veut de plus en plus hégémonique[2] ».

Pendant quatre heures, l'usine de conditionnement de bouteilles et boîtes située à Grigny, en région parisienne, fut occupée. À Besançon, des agriculteurs incendièrent des distributeurs de la marque. Le lendemain, *France-Soir* titrait sur « la Coca colère[3] »

Formatée à Atlanta, la réponse de la Compagnie prit forme dans les colonnes du *Monde*. Cyriac de Salaberry, directeur de la communication, martela le message : « Coca-Cola est aujourd'hui un produit 100 % français qui représente en France deux mille emplois directs et plus de six mille emplois indirects[4]. Ses usines traitent plus de cent mille tonnes de sucre représentant la production de neuf mille hectares de betteraves. Elles utilisent plus de deux cent quatre-vingt millions de bouteilles de verre fabriquées par BSN et Saint-Gobain et plus de deux cent soixante millions de bouteilles en plastique PET (fabrication locale). Plus de 2,2 milliards de boîtes (fournisseur métal SOLLAC) sont vendues dans plus de quatre cent mille points de vente. La société compte sept centres de production pour le seul marché français (Grigny, Clamart,

---

1. General Agreement of Tariffs and Trade ; en français : Accord général sur les tarifs douaniers et le commerce. Voir : http://fr.wikipedia.org/wiki/GATT

2. Propos tenus par un responsable du Centre national des jeunes agriculteurs (CNJA) *in Le Monde*, 25 novembre 1992. Au-delà des opérations contre Coca-Cola, les agriculteurs s'en prirent également à McDonald's. Le géant du fast-food opta pour une stratégie identique à celle de Coca-Cola : affirmer son implantation française.

3. « Paysans, la Coca Colère », *France Soir*, 24 novembre 1992.

4. En France, en 2005, la Compagnie revendique quatorze mille emplois directs et indirects.

Lunéville, Marseille, Cagnes-sur-Mer, Toulouse et Bastia) auxquels s'ajoutent deux unités importantes de production à vocation européenne, près de Dunkerque et dans le Var. Elle a créé plus de sept cents emplois entre 1988 et 1991 et investi plus de six cents millions de francs. C'est ce qui s'appelle contribuer largement à l'économie française, non[1] ? »

*

Face à ce genre de crise, Coca-Cola était donc devenu, en 1992, « un produit 100 % français ». Comme aujourd'hui, par exemple, la boisson est « un produit 100 % palestinien » !

C'est préoccupée par les effets de la politique internationale conduite par George W. Bush que la Compagnie avait pris cette initiative. Dans un document communiqué à la presse et publié sur son site internet, Atlanta avait contesté l'idée qu'un « boy-cott de Coca-Cola illustrait une opposition à l'Amérique[2] », puis développé son argumentaire désormais classique : « The Coca-Cola Company et nos produits sont souvent considérés comme américains. Mais, en fait, The Coca-Cola Company est une compagnie internationale [...]. Une des organisations les plus diversifiées au monde, opérant dans un très large spectre d'environnements économique, politique et religieux[3]. »

Par la suite, la Compagnie ajouta : « The National Beverage Company, l'embouteilleur des produits de la société, est une entreprise indépendante et privée, gérée localement par des hommes d'affaires palestiniens. Elle possède un centre d'embouteillage Coca-Cola à Ramallah et des centres de distributions à Gaza, Hebron et Nablus[4]. »

---

1. *In* « Un symbole américain "cent pour cent français" », *Le Monde*, 25 novembre 1992.
2. http://www2.coca-cola.com/contactus/myths_rumors/middle_east_boycotting.html
3. *Idem.*
4. *Idem.*

Enfin, parce qu'en communication comme en politique le message doit être répété jusqu'à saturation, Coca-Cola conclut : « Sur l'ensemble du Moyen-Orient, notre activité économique est locale. Elle est gérée localement et emploie, localement, plus de vingt mille personnes. Ses actionnaires sont locaux. Comme tout le monde, nous sommes profondément touchés par l'aspect humain de la crise au Moyen-Orient. Mais étant donné la nature locale de notre compagnie, nous croyons que tout appel au boycott de nos produits n'est pas le moyen approprié de défendre une cause, tant il toucherait principalement l'économie locale, des sociétés locales et des citoyens locaux [1]. »

L'hymne au « tout local » est donc devenu la « balle magique [2] », le leitmotiv préféré du Groupe. En 2000, Doug Ivester affichait d'ailleurs ouvertement les avantages de ce positionnement : « Je souhaite que Coca-Cola devienne une entreprise locale partout où elle se trouve dans le monde. *Think global, act local.* Coca-Cola ne veut plus être une *World Company*. Quel que soit l'endroit du monde où nous nous trouvons, nous sommes une entreprise locale [3]. »

*

La dialectique du tout local est l'instrument de communication inventé pour contourner la véritable identité du groupe.

---

1. Si cette dernière phrase n'est pas d'un français parfait, elle respecte l'esprit du texte original de Coca-Cola et démontre la répétition à l'extrême du message : « Everybody else, we are deeply touched by the human side of the situation in the Middle East. Given the local nature of our business, we believe that calls for boycotts of our products are not the appropriate way to further any causes, as they primarily hurt the local economy, local businesses and local citizens », *idem.*
2. Référence à la « balle magique » de l'assassinat de John F. Kenndy.
3. *In L'Histoire de Coca-Cola en France*, 1918-2005, Guy Reymond. Manuscrit non publié.

En insistant sur son enracinement dans les économies des différents pays, Atlanta se présente comme la capitale de la mondialisation. Mieux, en expliquant que toute action contre la marque entraînerait des répercussions dans les États partenaires, et principalement sur l'emploi, la Compagnie n'exerce-t-elle pas une forme indirecte de chantage, que certains dénoncent déjà ?

D'autant que cette mise en garde, cette menace même, omet une autre vérité, conséquence de sa globalisation : la richesse de The Coca-Cola Company et de ses actionnaires tient aux performances du groupe à l'international.

On l'a vu d'ailleurs ces dix dernières années, quand l'action Coca-Cola a été malmenée à mesure que s'accumulaient les crises internationales et les fluctuations du yen et du dollar. Le marché américain a beau rester celui de la plus forte consommation par habitant [1], les marges de progression y sont limitées. Dorénavant le chiffre d'affaires de Coca-Cola et son expansion restent surtout liés à ses succès en Inde, en Chine et en Asie. Ainsi que dans le monde arabe, les pays à religion musulmane dominante constituant de nouvelles cibles. Des territoires à fort potentiel, où se conjuguent idéalement un climat météorologique favorable, un important bassin de population, et une prohibition de la consommation d'alcool.

---

1. Une première place talonnée par le Mexique, l'Australie, le Chili, Israël et la Norvège.

32. Complexe

Dan s'avoua perplexe.

— Je crois, qu'au fond, vous, les Français, vous n'avez pas compris les vertus du capitalisme. Vous êtes encore dans une logique de lutte des classes. Or ce n'est pas celle de Coke pour qui l'équation est simple : si nous gagnons, vous gagnez...

Sa démonstration ne me surprit guère. À l'entendre, le business se composait d'une succession d'étapes où le succès permettait l'enrichissement de tous. En somme, si les Français consommaient plus de Coca-Cola, la Compagnie serait en mesure de créer plus d'emplois, d'utiliser plus de produits français, de payer plus d'impôts, et deviendrait génératrice de richesses.

— Cela marche ailleurs. Partout ailleurs. Mais pas en France. Comme s'il y avait un mur invisible qui nous séparait.

*

Après la publicité massive et le développement des synergies locales, la Compagnie avait mis en pratique une autre recette américaine : la philanthropie bien comprise.

Historiquement, l'embouteilleur de Coca-Cola a toujours été un acteur essentiel du succès de la marque. En charge de son territoire, certain de jamais être exposé à la concurrence interne, celui-ci achète du sirop et participe à l'achat des campagnes marketing. Un découpage par zones, initié sous la présidence d'Asa Candler, qui avait permis à certains entrepreneurs de s'enrichir à mesure que la consommation du soda augmentait. De fait, dans l'Amérique des années 1920 à 1960, l'embouteilleur Coca-Cola était considéré comme l'un des personnages essentiels de la vie locale, un notable qui prenait soin de participer aux activités sportives et sociales de sa région. Avec comme consigne de s'impliquer surtout dans ces dernières, cette sorte de sponsoring[1] servant d'outil de conquête à la Compagnie.

En France, le Groupe s'était donc intéressé à divers programmes dans le cadre des activités recommandées par Atlanta sous le générique C.C.CI., Coca-Cola Community Involvement[2]. Ainsi, depuis plus de trente ans, la firme est l'un des partenaires privilégiés de l'opération « Vacances propres[3] ». Plus récemment, les représentants français de Coca-Cola ont signé un accord avec le Secours populaire français[4].

Le caractère utile et généreux de telles opérations ne peut ni ne doit être négligé ou moqué. Toutefois il convient de garder à l'esprit qu'au-delà d'élans sincères, la firme utilise ces moyens pour mieux ancrer ses intérêts.

---

1. En France, depuis 1996, Coca-Cola oriente l'essentiel de son sponsoring vers la Fédération française de football et les Bleus. Dans ce contexte, il faut signaler l'opération Collectif Foot avec la distribution de kits d'entraînement à de nombreux clubs amateurs ainsi qu'un partenariat avec le footballeur Thierry Henry.
2. « Community Involvement » peut se traduire par « Implication à la vie communautaire ».
3. Distribution de sacs-poubelle dans plus de mille destinations de vacances. Le programme a permis le recyclage de plus de deux millions de tonnes de déchets.
4. L'accord de trois ans passé entre le SPF et Coca-Cola prévoit le don, par la Compagnie, de cent cinquante mille livres d'enfants reversés dans le millier de centres d'accueil du Secours Populaire.

*

— La France est notre loi de Murphy[1] à nous. Notre Waterloo. D'ailleurs savez-vous ce qui se dit à Atlanta ? Qu'un cadre qui réussit chez vous excellera ailleurs.

Dan avait accepté de me parler pour laisser libre cours à sa frustration. Celle d'un croisé d'une société à l'irrésistible succès à la peine de l'autre côté de l'Atlantique.

Apparemment, ma réaction ne fut pas à la hauteur de ses attentes. Aussi décida-t-il d'aller plus loin.

— Je ne radote pas et ne croyez pas que je sois aigri. La France est la valeur étalon de la Compagnie. Les problèmes qui y sont rencontrés nous servent pour progresser et les anticiper ailleurs. Nous avons même des dossiers...

*

Sa phrase resta en suspens. Apparemment quelque chose dans mon attitude l'avait troublé. Le silence de Dan me parut étrange. L'expérience m'ayant appris à me taire, à laisser à mon témoin le soin de reprendre la conversation, je n'ouvris pas la bouche. Dan réfléchissait. Les doutes se bousculaient dans son esprit. Par vanité je crois, il venait de s'engager dans une direction qu'il n'avait pas prévu de suivre. Et, à la limite de l'affolement, il cherchait péniblement une sortie de secours. Sa confession devenait enfin savoureuse.

---

1. Connue aussi sous le nom de loi de l'emmerdement maximal. À ce sujet, le magazine *L'Entreprise* écrivait : « La loi de Murphy, ou "loi de l'emmerdement maximal", est peut-être la plus grande découverte du XXe siècle dans le champ des sciences humaines. Qu'on en juge : tous les automobilistes voient bien que la file d'à côté avance plus vite. Tous les grands voyageurs ont remarqué que l'hôtesse sert toujours le café juste avant que l'avion n'entre dans une zone de turbulences. Et tous les responsables de communication savent bien que ce qui est susceptible d'être compris de travers est toujours compris de travers. » *In* « La tartine tombe toujours du côté du beurre », n° 210, mars 2003.

— Je ne sais pas... Enfin, je ne crois pas trahir un grand secret...

L'ancien cadre de la Compagnie pataugeait pour prononcer les mots justes. Ceux qui lui permettraient de me convaincre tout en respectant son code de fidélité à Coca-Cola.

— Cela remonte aux années 1950. Peut-être plus tôt, peut-être plus tard. Nous avions des grosses difficultés en France. Et l'enjeu dépassait votre pays. Je ne sais pas tous les détails mais en haut lieu on redoutait de voir Coca-Cola interdit chez vous. Et si cela arrivait, le reste du marché européen risquait d'être menacé.

Dan faisait référence aux lendemains de la Seconde Guerre mondiale quand, coincée entre les réseaux du parti communiste français et les puissants producteurs de vins, la Compagnie avait dû recourir à tous ses contacts pour survivre[1].

— Oehlert, à Washington, a commencé alors à tout réunir dans un dossier. Puis un deuxième. Et enfin un dernier.

Ben Oehlert, avocat brillant, ancien du département d'État, avait été recruté par Robert Woodruff à la veille du second conflit mondial. Avec comme idée d'utiliser son pouvoir à Washington pour obtenir que la Compagnie échappe plus que d'autres aux restrictions liées à la guerre. Entre juriste de talent et as de l'influence, il s'était transformé en homme clé du système Coca-Cola[2].

Apparemment Dan se sentait plus à l'aise. Sa première réticence passée, il parla sans retenue.

— The French Problem... Oui, c'est ça : The French Problem[3], c'était le titre des dossiers d'Oehlert. Qui, peu à

---

1. Voir chapitre 51 *sqq.*

2. En 1965, vice-président de la Compagnie, Ben Oehlert ne cachait pas son intention d'arriver au sommet de la société. Pour sauver sa place, Paul Austin, alors patron de Coke, fit appel au... Président des États-Unis. Lyndon B. Johnson, bénéficiaire des dollars de Coca-Cola, nomma alors l'ancien avocat ambassadeur au Pakistan.

3. Littéralement « le problème français ».

peu, sont devenus notre bible. Ils avaient réponse à tout, expliquaient comme faire face à un boycott, comment effacer notre image américaine, quand utiliser nos réseaux politiques, qui approcher pour tenter d'acquérir de l'influence, comment communiquer vers les consommateurs...

À en croire mon confident, les dossiers élaborés par Ben Oehlert avaient donc servi de modèle pour affronter et résoudre n'importe quelle crise internationale. Le cas français était devenu, par l'absurde, celui à suivre en cas d'ennui majeur. Et selon lui, aujourd'hui, de la Palestine à l'Inde, Coca-Cola recourait encore aux règles que son homme installé à Washington avait définies cinquante ans auparavant.

*

Les confidences de l'ancien cadre d'Atlanta s'achevaient. Alors que sa source à souvenirs semblait se tarir, soudain le visage de Dan s'illumina.

— Nous étions quelques-uns à avoir trouvé le nom idéal pour évoquer la situation française. Je ne suis pas certain de m'en rappeler parfaitement, mais vous devez pouvoir m'aider...

Je n'avais aucune idée d'où il voulait m'amener.

— Comment s'appelle ce petit personnage qui tient tête à César ?

La réponse était, pour moi, enfantine.

— Astérix...

Dan fut ravi.

— Oui ! Astérix... Voilà, Coca-Cola est victime du complexe d'Astérix. Un bon titre pour vous, non ?

33. Ethnocentrisme

La référence gauloise avait effectivement de quoi séduire. Inhabituelle aux États-Unis, où le guerrier de Goscinny et Uderzo est inconnu, elle ne m'étonnait guère en songeant au parcours de Dan. L'Europe, et la France en particulier, avaient longtemps été au cœur de ses responsabilités.

Au-delà de la formule, cette conversation m'avait aussi conforté. Mieux, elle avait singulièrement validé une réalité que je me refusais encore à croire.

*

En toute honnêteté, la crainte d'une poussée d'éthnocentrisme, autrement dit cette dérive qui consiste à tout ramener ou observer à travers le prisme de sa terre d'origine, m'avait jusque-là empêché d'accorder à la France un rôle central dans les préoccupations de la Compagnie. Mais à l'aune des remarques de Dan, la mise en parallèle du parcours mondial de Coca-Cola et de ses tribulations hexagonales ne me parut plus aussi insensée.

Dan était allé loin. À l'en croire, le Groupe considérait notre pays comme un concentré de ses difficultés, un laboratoire de ses épreuves. Et ce savoir accumulé à travers tant

157

d'adversité lui servait depuis de munitions pour mieux combattre ailleurs.

Plus révélateur encore, et élément crucial des confidences de ma « gorge profonde », depuis les années 1950, la firme accumulait les informations sur ses déboires sous un label sans équivoque : *The French Problem*.

*

En toute logique, c'était donc à l'aide de cette grille de lecture-là qu'il me fallait décrypter deux affaires françaises. Et, comme la Compagnie, les utiliser afin de dévoiler les autres secrets de Coca-Cola.

33. Dindons

Pepsi-Cola avait triomphé. Et personne ne semblait s'en être rendu compte.

Dans les colonnes du quotidien *L'Humanité*, sans forcément avoir tort mais sans être complètement dans le vrai non plus, Charles Sylvestre s'était fendu d'un éditorial sur le « coup de semonce » qui venait d'être entendu en cet automne 1999.

« Il n'échappera à personne, écrivait-il, que la rebuffade du gouvernement français à l'égard d'une firme, symbole de l'expansionnisme américain, se situe à la veille du sommet de Seattle. [...] Le géant d'Atlanta a fait beaucoup d'efforts pour parvenir à ses fins et le revers qu'il subit s'apparente à un coup de semonce adressé à Washington, au moment où les négociations de Genève précédant Seattle ont du mal à déboucher du fait des prétentions américaines. Ce qui confirme que l'enjeu de l'OMC est loin de se limiter à l'agriculture et aux services.

Il y a vraisemblablement plus dans cette affaire qui va au-delà d'un choc de petites bouteilles. La guerre que se livrent à coup d'OPA "amicales" ou "inamicales", de fusions – acquisitions, les multinationales se révèle pour ce qu'elle est : le déchaînement des appétits financiers. [...] Comme quoi, si

Orangina a été "sauvé", il y a du pain sur la planche pour qui veut résister à la bête [1]... »

De son côté, maître Lyon-Caen, l'avocat de Coca-Cola, n'avait pas complètement tort sans avoir forcément raison lorsqu'il rétorquait : « Coca-Cola a le défaut d'être américain, alors qu'Orangina est le symbole de la réussite familiale française. Lors de la prise de décision politique, certains ont vu d'un mauvais œil que le méchant soda noirâtre de l'oncle Sam mette la main sur la petite bouteille blonde et ronde qui fait notre fierté nationale [2]. »

En réalité, de Lionel Jospin à Dominique Strauss-Kahn en passant par les élus du Var, les syndicalistes, les défenseurs de l'exception française, les promoteurs de la concurrence à l'européenne, les représentants de l'altermondialisme et les grandes plumes des médias tricolores, tous, sans s'en rendre compte ou vouloir l'admettre, n'avaient rien été d'autres, dans cette histoire politico-économico-financière, que les dindons de la farce.

Les pathétiques victimes d'une guerre vieille de presque cent ans.

---

1. *L'Humanité*, 25 novembre 1999.
2. Observations de MM. Lyon-Caen et Thiriez pour la société Coca-Cola, *in* Conclusions du Commissaire du gouvernement, Arrêt du Conseil d'État, 6 avril 1999.

35. Challenge

Houston, été 2000.

Lorsque, le 12 septembre 1962, le président John F. Kennedy avait confirmé l'ambition américaine de mettre le pied sur la Lune[1], des centaines d'Américains ambitieux eurent la même idée : écrire à la Compagnie pour obtenir l'exclusivité de la future concession Coca-Cola sur place[2].

---

1. « We choose to go to the moon in this decade and do the other things, not because they are easy, but because they are hard, because that goal will serve to organize and measure the best of our energies and skills, because that challenge is one that we are willing to accept, one we are unwilling to postpone, and one which we intend to win, and the others, too. » Le brillant discours de JFK à la Rice University, Houston, Texas, est disponible sur http://vesuvius.jsc.nasa.gov/er/seh/ricetalk.htm

2. La présence de Coca-Cola sur la Lune sera un terme récurrent des années 1960. Il sera d'ailleurs évoqué comme un épouvantail par la presse communiste européenne. Sans que cela soit établi, la légende prête un bon mot à JFK, consommateur régulier de Coca-Cola. Un jour, Kennedy reçoit à la Maison-Blanche l'état-major de la NASA. Les militaires et les ingénieurs viennent plaider l'urgence d'agir face aux progrès soviétiques en matière de conquête spatiale. Un des conseillers, plus pressant que les autres, se lance :

— Nous devons être les premiers. Que ferions-nous si les Communistes nous battent et peignent la lune en rouge ?

Sans rien perdre de son flegme hérité de ses ancêtres irlandais, JFK lui répond :

Coca-Cola, l'enquête interdite

Si Coke n'est – pas encore – disponible sur ce satellite de la Terre, la firme n'a pas raté ses premiers pas dans l'espace. Ainsi, le 31 juillet 1985, Coca-Cola fut la première boisson gazeuse sans alcool consommée hors de notre atmosphère[1]. Pourtant, incroyable paradoxe et revers cinglant, aujourd'hui ce n'est pas le rouge qui domine les couloirs du Space Center[2] de Houston mais bel et bien le bleu. Celui de l'adversaire, de l'ennemi héréditaire. Ces dernières années, le centre texan de la NASA a en effet signé un contrat de partenariat avec Pepsi-Cola. Une incongruité dans un État où « l'autre cola » ne se place même pas sur le podium des meilleures ventes, ces places se voyant trustées par Coca-Cola, Diet Coke et Dr Pepper.

Et pourtant il ne s'agit en rien d'une illusion, c'est bien Pepsi qui se retrouve au cœur de la conquête spatiale américaine. Une présence qui dépasse le cadre habituel du sponsoring puisque les produits Pepsi-Cola sont les seuls vendus dans l'espace public des locaux. Un partenariat visible sur tous les distributeurs et panneaux d'affichage.

Mais à Houston, apparaît une nouveauté majeure : entre l'immense salle de projection, où un film retrace les grandes étapes de la course vers l'espace, et la zone interactive réservée aux enfants, Pepsi-Cola a installé un stand. Une attraction populaire à en juger par le nombre de familles qui s'y agglutinent. Pourtant, ici, il n'est question ni d'étoiles ni de planètes ou de fusées. Le programme proposé s'avère bien plus réjouissant dans la mesure où le concurrent de Coke propose à la foule de participer au Pepsi Challenge.

— Facile, nous n'aurions plus qu'à y peindre en plein milieu le logo Coca-Cola.

1. Pour pouvoir embarquer à bord de la navette Challenger, les ingénieurs de la Compagnie développèrent une boîte spéciale répondant aux critères d'un voyage dans l'espace.

2. http://www.spacecenter.org

Challenge

*

Le concept publicitaire du test à l'aveugle – c'est de cela qu'il s'agit – a été inventé à Dallas à la fin des années 1970 et constituait, à l'époque, la dernière cartouche de l'embouteilleur local de Pepsi-Cola. Menacé de disparition par l'hégémonie texane de Coca-Cola, ce dirigeant avait choisi de prendre à contre-pied la loi sur la publicité comparative avec une idée simple : filmer des consommateurs goûtant à l'aveugle du Pepsi et du Coke puis en diffuser les images.

Lesquelles furent concluantes pour lui puisque bien souvent le goût du Pepsi était préféré à celui de son rival. La campagne connut un grand succès. Les spots publicitaires retinrent l'attention des spectateurs, devinrent un sujet de conversation et, débordant du cadre du marketing pur, atterrirent dans la rubrique de l'info. Non seulement Pepsi vit ses ventes augmenter mais obtint une visibilité et un taux de reconnaissance que des années de communication classique ne lui avaient jamais accordés.

L'exploit de Dallas ne passa évidemment pas inaperçu à Purchase, dans l'État de New York. Au siège de PepsiCo, on décida d'étendre le challenge à d'autres marchés. Et l'Amérique, habituée aux coups de griffes entre les deux fabricants de sodas, constata enfin l'ampleur et la vigueur de la guerre des colas.

*

Au cours des années 1980, l'acteur Bill Cosby avait incarné la figure populaire de la Compagnie. En signant avec le comédien un accord dépassant celui d'un contrat classique [1], Coca-Cola avait fait preuve de flair. Non seulement, Cosby servit de porte-parole apprécié de la communauté noire, grande

---

1. Au-delà d'une rémunération, Bill Cosby était devenu actionnaire de deux compagnies d'embouteillage de Coca-Cola.

consommatrice de sodas, mais en plus devint le héros récurrent d'une série télévisée à succès : le Cosby Show. C'est donc tout naturellement que la Compagnie fit appel à ses services pour répondre au challenge de Pepsi-Cola.

Car Atlanta n'avait évidemment pas l'intention de rester inactif. Son nouveau président, Roberto Gozueita, se réjouit même de l'initiative de Pepsi. Cet ancien réfugié cubain, adepte de l'offensive, guerrier considérant la lutte des deux colas comme son champ de bataille et ayant bien compris que si l'institution Coca-Cola « agressait » son adversaire la première on le lui reprocherait, pouvait enfin avoir les mains libres.

En attaquant aussi directement, Pepsi-Cola avait commis une erreur monumentale.

*

Roger Enrico, lui, était heureux. Avec cette guerre des colas, jamais on n'avait autant parlé de l'entreprise qu'il présidait. Du jour au lendemain, en montant au filet sur le terrain du goût, Pepsi avait attiré les regards et plu aux médias. Les ventes frémissaient d'ailleurs. Pour la première fois, Pepsi-Cola talonnait son concurrent dans les supermarchés.

Enrico pensait tenir une chance unique de dépasser enfin le géant d'Atlanta. Certes, la Compagnie paraissait indétrônable à l'international mais une victoire sur le marché américain ne suffirait-elle pas à son bonheur ? Aussi Enrico jugea-t-il temps d'appuyer sur l'accélérateur.

Sa firme multiplia les tests comparatifs, augmenta son budget publicitaire et signa des stars en pagaille. En mettant en scène avec humour et brio son combat contre Coke, Pepsi devint même le chouchou des festivals de publicité et des téléspectateurs du Super Bowl[1]. Afin d'asseoir son nouveau

---

1. Finale du championnat de football américain. C'est le rendez-vous télévisuel le plus suivi des États-Unis. L'événement est l'occasion pour les grandes marques de présenter des spots spectaculaires. Ces publicités, aux coûts de diffusion très élevés, sont aussi populaires que le match.

statut de produit à la mode, Purchase réussit quelques gros coups comme de mettre en avant Madonna et Michael Jackson tandis que Coca-Cola restait fidèle à Cosby et Julio Iglesias. À l'aube du centenaire de la création de Coke, Enrico était donc parvenu à fragiliser son ennemi, présenté comme croulant sous le poids de son âge.

Enfin, si l'on se contentait des apparences. Car en réalité, dans les coulisses, la guerre des colas tournait à la boucherie.

*

La réplique de la Compagnie aux tests à l'aveugle ne s'était pas fait attendre. Interrogeant avec humour, dans des spots, les consommateurs recalés par Pepsi pour avoir préféré le goût du Coca-Cola, Bill Cosby montra du doigt les limites du challenge. Et, sans accuser PepsiCo de tricherie, souligna avec persuasion le caractère peu fiable de l'expérience concurrente. Enrico fit le dos rond, refusant de commenter les contre-publicités de son rival et poursuivant sa propre campagne.

Cette réserve ravit Goizueta. La modération de Coca-Cola relevait en fait du leurre : la firme d'Atlanta souhaitait que Pepsi poursuive ses agressions, car elles lui profitaient. Si Pepsi-Cola progressait en parts de marché... Coca-Cola faisait de même. Quelles que soient la virulence et l'intelligence des attaques, quel que soit le nombre de dollars investis en communication par « l'autre », Coca-Cola tirait toujours bénéfice de la publicité.

Une règle avérée et vérifiée sur l'ensemble de la planète. Lorsqu'un concurrent lance une campagne de marketing, il constate une progression de ses ventes certes mais inférieure à la croissance du secteur lui-même parce qu'au moment de choisir le consommateur opte pour la boisson numéro un, à

Disséquées, commentées, elles sont ensuite classées selon l'appréciation des téléspectateurs. Si Apple détient la première place avec son spot « 1984 », Pepsi figure dans le top 5.

savoir le Coca-Cola. En clair chaque spot chèrement produit par Pepsi ouvrait plus le marché de la vente des colas, accroissait ses scores mais profitait surtout à l'ennemi. Qui plus est... gratuitement.

Autre donnée importante, Goizueta connaissait les résultats des tests à l'aveugle. Et ce depuis des années, sa Compagnie conduisant en secret ses propres études. Non des expériences à la va-vite, sous un chapiteau en sortie de stade, mais menées avec une rigueur scientifique réelle. Or, à une courte majorité, le public américain préférait le goût plus sucré, plus rond, de Pepsi-Cola. Certes la proportion n'était pas aussi massive que les spots du Pepsi-Challenge l'avançaient, mais Coca-Cola se retrouvait bel et bien second au petit jeu du goût.

Un handicap qui n'en constituait pas un parce que, une fois les noms des boissons dévoilés, une fois l'identité des breuvages visible, les mêmes consommateurs déclaraient à une large majorité préférer... Coca-Cola.

Une prime à l'habitude, à la réputation, à la tradition et au leadership qui faisait toute la différence pour Roberto Goizueta. Car à bien y réfléchir, qui achetait une boisson dans les conditions mises en avant par les publicités de Pepsi-Cola ? Un tel acte ne se fait jamais à l'aveugle mais marque contre marque, là même où l'avantage pour Coca-Cola était massif.

Enfin, le Pepsi Challenge eut d'autres effets secondaires redoutables. Film après film, inconsciemment mais sûrement, il installa l'idée que le cola de Purchase était et resterait à jamais un challenger [1].

---

1. À la fin des années 1990, Pepsi prit conscience des effets négatifs du Challenge. Et, à l'exception de quelques initiatives locales, décida de ne plus utiliser ce test.

36. Poubelle

Space Center, NASA, Houston, été 2000.

À mon tour, j'ai franchi le pas. Et décidé d'oublier les merveilles de l'espace pour participer au test.

Je ne me fais guère de doute sur l'issue du match. Au-delà de mon intérêt pour Coca-Cola, je n'aime pas le Pepsi. La boisson manque selon moi du piquant et du caractère qui donnent à Coke son identité si particulière. Et puis, il y a l'arrière-goût tenace, presque pâteux, que le soda laisse en bouche.

*

— Êtes-vous prêt à découvrir pourquoi l'Amérique préfère le goût de Pepsi-Cola ?

L'entrée en matière est toujours la même. Pour l'étudiant servant les deux échantillons non identifiés, il s'agit d'un travail saisonnier. En chemisette bleue, le sourire aux lèvres, il incarne « le choix de la nouvelle génération, le choix Pepsi ».

Moi, j'affiche mon air narquois, celui de l'homme à qui on ne la fait pas. Mes deux minuscules gobelets sont prêts. Ils doivent contenir chacun une dizaine de centilitres d'un liquide noir aux apparences jumelles.

Le premier, agréable, pétille en bouche et ses bulles viennent me chatouiller le nez. Le second paraît bien plus fade, bien plus plat. Je n'ai aucun doute.

— Alors, quel goût avez-vous préféré ?

Mon étudiant affiche toujours son large sourire. Pour faire bonne mesure, je l'imite.

— Le premier.

Mon ton traduit ma certitude. J'ai même failli ajouter un « bien sûr ». Voire un « Coke ». Mais les boulots d'été étant suffisamment ingrats, inutile d'en rajouter.

— Bravo ! Comme des millions d'Américains vous préférez le goût de Pepsi-Cola !

Mon expérience américaine débutant, broyé par l'accent texan, j'ai du mal à comprendre. Tandis que la file de cobayes s'impatiente derrière moi, je reste planté là, attendant le véritable verdict.

Mon bourreau m'observe, intrigué. Le silence se fait pesant. Et puis soudain, son regard s'illumine. Il a enfin compris la méprise.

— Désolé, j'ai oublié...

Et il me tend du bout des doigts un porte-clés Pepsi.

Machinalement, j'empoche l'objet et me glisse vers la gauche. L'autre en profite pour relancer la machine :

— Êtes-vous prêt à découvrir pourquoi l'Améri...

La fin de sa phrase vient de se perdre dans le Space Center de Houston. Mon fils, bien plus intéressé par la jeep lunaire que par le cadeau publicitaire de Pepsi, me tire par le bras. Mes yeux, eux, restent fixés sur le gobelet de la discorde. À côté, une canette bleue me nargue.

Il n'y a pas de doute : à l'aveugle, je viens de choisir l'ennemi héréditaire.

*

Le Pepsi Challenge avait eu raison de mes convictions. Et je ne savais ce qu'il me fallait admirer le plus : le génie publicitaire de la Compagnie parvenue à me convaincre depuis toujours que Coca-Cola était fait pour moi ? Ou le talent de PepsiCo pour les redoutables simplicité et efficacité de ses tests à l'aveugle ?

Dans l'impossibilité de choisir, je décidai d'en avoir le cœur net. Certes, je ne souhaitais pas repasser l'épreuve tant je craignais d'être à nouveau trahi par mes sens et, au final, ne plus savoir que répondre, mais profitant de la pause déjeuner, je m'installai à bonne distance pour observer et disséquer l'expérience.

D'emblée, le taux de conversion me parut déroutant. Dans la lourde chaleur de l'été texan, la perspective d'une boisson gratuite attirait la foule. Et à entendre celle-ci, une grosse majorité des badauds étaient des consommateurs de Coca-Cola. Qui, un par un, avouaient leur préférence pour Pepsi[1].

Fatalement, je songeais aux pub de Bill Cosby et aux chiffres de Roberto Goizueta : si la supériorité du soda de Purchase constituait une réalité, pourquoi un tel taux de succès à Houston ? Forcément, il devait y avoir un truc. Un moyen efficace faussant les résultats en faveur de Pepsi.

*

Je suivis encore plus attentivement la manœuvre. Le déroulement ne variait pas d'un pouce. Tandis qu'il accueillait son cobaye, l'employé de Pepsi remplissait deux gobelets à l'abri du regard du futur converti. Sur ce point il n'y avait aucun doute, le préparateur utilisait bien les deux colas.

---

1. À noter, autre limitation du test, que la révélation est rarement suivie d'une décision de conversion. La plupart des consommateurs avec qui j'ai discuté ce jour-là étaient amusés par le résultat mais par pour autant prêts à changer leurs habitudes.

Mais c'est en jetant un œil vers les poubelles que j'ai commencé à comprendre.

Celle de droite débordait de boîtes de Pepsi tandis que l'autre, dévouée à Coke, était aux deux tiers vide.

Pour chaque nouvel arrivant, l'étudiant prenait dans un frigo un Pepsi frais, l'ouvrait, versait dix centilitres[1] et jetait le reste. Le Coke n'avait, lui, pas droit au même traitement. Les boîtes n'étaient pas réfrigérées et, une fois ouvertes, servaient à quatre tests. Le cobaye devait donc choisir entre une boisson servie dans des conditions optimales et une autre éventée, quasi tiède.

Le challenge n'était donc, ici, rien d'autre qu'une sorte de direct sous la ceinture. Un sale coup de plus dans une guerre qui en accumulait depuis longtemps.

---

1. Au-delà de l'incident que je venais de voir, et qui pouvait n'être qu'isolé et relever d'un concours de circonstances spécifiques à cet endroit et ce jour-là, il faut savoir que la quantité est un élément clé de la réussite des tests de Pepsi. En effet, il a été prouvé scientifiquement que lorsqu'il est confronté à une petite quantité, le cerveau humain préfère le doux. Une préférence qui diminue largement après la première gorgée. *In Blink, the power of thinking without thinking*, Malcolm Gladwell, Little, Brown, 2005.

37. Dyspepsie

Pierre Dac aurait sûrement apprécié l'aspect drolatique de la chose : sans les pharmaciens il n'y aurait jamais eu de guerre des colas[1].

Le Coca-Cola ne fut en effet pas la seule boisson inventée par un apothicaire dans son arrière-boutique. À Waco, au cœur du Texas, en 1885, Charles Alderton, pharmacien également, avait créé le Dr Pepper[2]. Le docteur Trigo, père espagnol de l'Orangina, était lui aussi un apothicaire en mal d'expérimentation. Pepsi-Cola ne pouvait donc échapper à la règle.

*

Caleb Bradham est né en 1867, à Chinquapin, en Caroline du Nord. Et connut un parcours ressemblant beaucoup à celui de Pemberton, sudiste comme lui. Étudiant en médecine sans jamais atteindre le diplôme, il s'installa comme pharmacien.

---

1. « Si Christophe Colomb n'avait rien découvert, Kennedy serait toujours vivant », Francis Blanche et Pierre Dac, Pensée du 19 juillet 1980, *Almanach de l'os à moëlle*.

2. http://inventors.about.com/library/inventors/bldrpepper.htm

Là, conscient des perspectives offertes par la multiplication des *soda fountains*, il utilisa son savoir pour préparer quelques mélanges. En 1894, il élabora un breuvage qu'il commercialisa dans sa boutique de New Bern. Le *Brad's Drink*, réussite locale, conduisit son inventeur à le commercialiser plus largement. Cherchant un nom efficace, il opta pour la simplicité. Si Coke était censé guérir les migraines, son élixir à lui ferait des miracles pour contrer les douleurs d'estomac. Dès lors, son remède contre la dyspepsie [1], épousant l'air du temps, se transforma en Pepsi-Cola.

Sa marque déposée en 1902, Bradham parvint à percer dans les États limitrophes. Certes le succès était minime par rapport à celui de la Compagnie [2], mais il l'enrichit et lui fit songer à embrasser une carrière politique. Mais cette expansion connut une sérieuse crise en 1920, lorsque Pepsi-Cola fut atteint par les fluctuations du prix du sucre [3]. Un an après l'achat à un cours plafond, les stocks de sucre – cet ingrédient majeur – de la société se trouvaient fortement dévalués. Endetté, dans l'incapacité d'augmenter ses tarifs pour couvrir sa perte, l'ancien pharmacien contacta Atlanta pour vendre Pepsi. Coca-Cola refusant, Bradham dut céder son œuvre à un investisseur de Wall Street.

R.C. Megargel, passionné, batailla durant huit ans pour tenter d'imposer à son tour le soda. En vain. L'Amérique ne semblait pas encore apprécier le goût du Pepsi. Avant que son produit perde toute valeur marchande, Megargel approcha à

---

1. http://www.cdhf.ca/french/disease_disorder_french/la_dyspepsie.htm
2. En 1903, Bradham écoule un peu plus de trente mille litres de Pepsi-Cola. Dans le même temps, la production de sirop de Coca-Cola dépasse les 3,3 millions de litres. Dans le même esprit, l'investissement publicitaire de la Compagnie est de deux cent mille dollars lorsque celui de Pepsi est d'un modeste 1 888,75 dollars.
3. À une moindre échelle, Coca-Cola a vécu la même mésaventure. Il s'agit d'ailleurs du motif majeur qui poussa le fils d'Asa Candler à vendre la Compagnie à un groupement bancaire mené par Woodruff.

nouveau Coca-Cola. Et, pour la seconde fois, la Compagnie ne donna pas suite.

*

Bien sûr, ce double refus interpelle aujourd'hui quand on connaît l'importance de Pepsi-Cola. Mais à l'époque, il semblait justifié. Depuis l'âge d'or de Pemberton, le U.S. Patent Office[1] avait enregistré plus de mille cent marques de boissons gazeuses. Et lorsque Bradham puis Mergagel essayaient de tirer profit de leur breuvage, seul le Canada Dry avait survécu à la croissance de l'ogre Coca-Cola[2].

*

Les vies des deux colas venaient de se croiser. Et le fil les liant n'allait plus jamais se défaire. Car comme si l'un ne pouvait exister sans l'autre, les destins de Coke et de Pepsi sont intimement liés.

---

1. Il s'agit de l'équivalent américain de l'INPI.
2. La santé économique de Pepsi-Cola est à l'époque si précaire que la boisson n'apparaît même pas dans le recensement des sodas américains effectué par la New York University en 1920.

38. Rabais

En rejetant la main tendue et en passant son tour, Atlanta avait laissé sceller une partie son destin. Mais c'est surtout en refusant une banale ristourne à Charles Guth que Coca-Cola s'offrit, sans le savoir, l'un de ses plus virulents opposants.

Charles G. Guth, lui, ne venait pas du Sud. À cinquante-cinq ans, ce tyrannique entrepreneur new-yorkais multipliait les opérations financières. En 1929, il avait rejoint la chaîne des cent quinze magasins Loft, tous situés sur la Côte Est et spécialisés dans les confiseries, glaces et boissons gazeuses, avant d'en prendre rapidement le contrôle. Évidemment, le Coca-Cola en représentait l'un des produits vedettes [1].

À ce titre, Guth estimait devoir obtenir un rabais supérieur à ce qu'on lui accordait pour ses achats de sirop en gros. Coca-Cola, qui octroyait déjà un tarif spécifique à Loft, rejeta la requête [2]. C'était le prétexte que Guth attendait – et recherchait – pour rompre son contrat. Malin, il avait déjà conclu

---

1. Un tribunal du Delaware estima que Loft vendait l'équivalent de 1 % de la production totale de la compagnie, soit cent vingt mille litres. *In* Delaware Chancery Court, 1938.

2. Loft payait 1,48 dollar pour quatre litres de sirop. D'habitude Coke facturait 1,60 dollars aux grossistes et 2 dollars pour les plus faibles quantités.

de se tourner vers Pepsi-Cola, certes au bord de la faillite mais contrôlé par un ami et contraint de pratiquer la vente à perte afin de survivre[1]. Le refus d'Atlanta étant tombé à point nommé, puisque Pepsi était encore à vendre à un prix ridicule, Guth profita de l'occasion.

Sa première mesure, revoir la formule du soda. Après avoir testé le produit, Guth avait compris les racines du fiasco : son goût se révélait « loin d'être satisfaisant[2] ». Aussi, durant trois semaines, le chimiste Richard Ritchie fut-il en charge de l'améliorer pour en faire une copie proche de Coca-Cola.

Dès la fin 1931, les cent quinze boutiques Loft proposaient donc uniquement Pepsi-Cola, souvent en abusant le consommateur qui croyait boire un Coke. Un succès modeste mais qui, grâce à l'implantation new-yorkaise de la chaîne – le plus gros marché des Etats-Unis –, allait procurer à Pepsi les moyens de survivre.

*

Deux ans plus tard, Guth butait sur un dilemme : Loft ne pouvait supporter seul plus de 50 % des achats de sirop. Il devait élargir son marché ou se séparer de Pepsi. Soucieux d'un retour rapide sur investissement, il opta pour la seconde solution. Alors il prit langue avec Atlanta et, contre cinquante mille dollars, suggéra la cession de Pepsi-Cola. Pour la troisième, et dernière fois, la Compagnie dit non[3].

---

1. Ainsi, en 1931, dans un mémorandum à son responsable des achats, Guth écrivait : « Pourquoi payons-nous le prix fort pour Coca-Cola ? Pourriez-vous vous en occuper ou alors acheter Pebsaco (*sic*) qui propose un dollar pour quatre litres », *idem*.

2. *In* Delaware Chancery Court, 1938.

3. Le refus s'explique cette fois par une procédure judiciaire opposant la Compagnie à Loft. Coca-Cola, persuadé d'être en mesure de prouver que la chaîne servait du Pepsi par substitution, fit le pari que les frais de procès et l'amende à venir suffiraient à couler Pepsi-Cola.

Sans alternative, Guth se chargea d'étendre son périmètre commercial. En suivant le modèle édicté par Candler puis perfectionné par Woodruff[1]. Pepsi-Cola quitta donc le monde clos des *soda fountains* et opta pour la mise en bouteille. Mais comme une telle décision nécessitait des fonds conséquents dont la société ne disposait pas, Guth brada ses droits de franchise. La boisson, luttant pour survivre, ne put s'offrir le luxe de s'associer à des partenaires irréprochables. De fait, la qualité du soda laissa régulièrement à désirer et ses conditionnements devinrent aussi disparates qu'aléatoires. Le Pepsi ne disposant pas de sa bouteille propre fut vendu dans des contenants hétéroclites. Le trait de génie de Guth fut d'en tirer profit. Disposant d'un gros stock de bouteilles de bières, il ordonna leur utilisation. Or ces bouteilles contenaient le double de celles utilisées par Coca-Cola. En les mettant sur le marché au même prix que son concurrent, il créa sa niche. Dans l'Amérique de la récession, le marché d'un soda à bas prix constituait une réalité que personne avant lui n'avait pensé à conquérir.

Le 30 juin 1934, Pepsi-Cola respirait donc enfin. Et, trois ans plus tard, Guth pouvait déclarer un bénéfice de 3,2 millions de dollars après impôts, avec un réseau de trois cent treize franchisés.

Mais l'économie de crise ne dure qu'un temps. À mesure que l'Amérique se remit en marche, les ventes de Pepsi déclinèrent. Et son image de boisson du pauvre devint un sérieux handicap à l'heure de la société de consommation. Guth, endetté, poursuivi par ses associés, se vit à ce moment-là contraint de laisser Pepsi-Cola à Walter Mack.

*

---

1. Un système dont le succès fait de Coca-Cola une des entreprises les plus profitables du pays. En dix ans, et malgré la grande crise de 1929, l'action de The Coca-Cola Company a progressé de 225 %.

Rabais

Entrepreneur assez désespéré et fou pour s'opposer au quasi-monopole de la Compagnie en ressuscitant Pepsi-Cola, Charles Guth avait renoué avec une version moderne du combat de David contre Goliath. Et en lui procurant les moyens de frapper au cœur même de l'empire adverse, Walter Mack allait, lui, lancer la véritable bataille.

39. Imitateur

Le *New Yorker* fut le premier à utiliser l'expression « guerre des colas ». C'était en 1950 à l'occasion d'un portrait de Walter Mack, brillant patron de Pepsi[1] qui, en onze ans, avait brisé le monopole de son concurrent et édifié un adversaire à sa mesure. Une conquête, proche de la contre-offensive, menée tambour battant et avec toutes les armes à sa disposition.

*

En 1982, Walter Mack publia son autobiographie. Un ouvrage surprenant par sa franchise. Un livre direct, percutant, où l'auteur revenait, évidemment, sur ses affrontements avec le géant d'Atlanta.

Et le portrait, forcément à charge, ne manquait pas de verdeur. « Coca-Cola a utilisé tous les moyens imaginables, écrivait-il. [...] Ils ont lancé des rumeurs sur nos produits, expliquant qu'ils n'étaient pas bons et remplis de produits chimiques. Tout cela bien entendu était faux. Mais le pire,

---

1. *In New and Improved*, Richard Tedlow, Butterworth-Heinemann, 1990.

c'est qu'ils ont été jusqu'à se montrer physiquement violents. Une de leurs tactiques était de suivre nos livreurs en charge des chaînes de grands magasins. [...] Une fois, notre matériel publicitaire installé, une fois nos bouteilles mises en place, le camion de Coca-Cola arrivait. Les livreurs arrachaient nos publicités et entouraient nos produits de caisers de Coca-Cola afin que Pepsi devienne invisible.[1] »

Une descente en flamme qui, curieux oubli, omettait toutefois d'énumérer les répliques de ses propres troupes.

*

Walter Mack avait eu une idée de génie : « Aller où Coca-Cola n'était pas.[2] » Le premier, il avait ainsi massivement utilisé la publicité chantée à la radio. Au-delà du message conventionnel, il avait saisi l'avenir du jingle, ritournelle économique à produire dont la répétition assurait la reconnaissance de la marque. En outre, doté d'un budget trente fois inférieur à celui de la Compagnie, il avait su jouer la carte de la créativité, trouvant les moyens de faire exister sa boisson[3].

Mack n'avait pas hésité non plus à contester les pratiques coercitives de Coca-Cola[4]. En se considérant l'égal de Robert Woodruff, il avait d'emblée intronisé Pepsi-Cola comme le seul vrai concurrent du soda d'Atlanta.

---

1. *In No Time Lost*, Walter Mack et Peter Buckley, Atheneum, 1982.

2. « Pick the hole in the cheese ». *In No Time Lost*, Walter Mack et Peter Buckley, Atheneum, 1982.

3. En 1939, par exemple, il fit appel à Sid Pike, l'inventeur du « skywriting ». Ce pilote utilisait la fumée de son avion pour écrire des messages publicitaires au-dessus des plages américaines. Lorsque la marque restait visible trois minutes, Pike recevait cinquante dollars. « Le résultat était énorme. Non seulement personne n'avait vu du skywriting avant mais la plupart n'avait jamais entendu parler de Pepsi-Cola. Cela faisait une très belle combinaison. » *Idem.*

4. Voir chapitre 67 sur l'épisode des restrictions de sucre au début de la Seconde Guerre mondiale.

Un positionnement mal encaissé à Atlanta. Officiellement, la Compagnie ne parlait pas de Pepsi – ni des autres sodas du reste –, se considérant comme une marque à part, une réussite unique. Un leadership de roi confortablement installé sur son trône se refusant à considérer l'existence du petit peuple. De fait, en interne, le mot Pepsi était rayé du vocabulaire ; au mieux, le breuvage de Mack était brocardé sous le terme dédaigneux d'« imitateur [1] ». Un déni significatif qui traduisait la colère rentrée des dirigeants. Car, à la direction, on était obsédé par ce concurrent audacieux autant qu'agressif.

*

Fidèle à ses habitudes, Robert Woodruff avait essayé de débaucher Mack. Mieux valait un talent à sa botte qu'aux mains de l'ennemi. Les deux hommes se connaissaient depuis une rencontre fortuite à bord d'un paquebot naviguant vers l'Europe. En 1939, le patron de la Compagnie avait en effet proposé à son concurrent la présidence de White Motors, constructeur automobile que Woodruff contrôlait. Avec un salaire cinq fois supérieur à celui qu'il touchait chez Pepsi-Cola. Mack repoussa pourtant le poste.

La Compagnie étudia d'autres méthodes pour limiter l'essor de son concurrent. Et, contrairement à la légende faisant de Coke un leader peu préoccupé par Pepsi, Woodruff instaura une cellule spéciale chargée d'anticiper les prochains coups. « L'imitateur » faisait peur.

*

1. En 2004, en introduction de son rapport annuel d'activités, la Compagnie reconnaissait que « PepsiCo, Inc est un de nos principaux concurrents ». *In The Coca-Cola Company Annual Report 2004* ; United States Securities and Exchange Commission.

Imitateur

Les archives personnelles de Robert Woodruff, aujourd'hui déposées à l'université d'Emory, dans le nord d'Atlanta, contiennent dans l'ensemble peu d'éléments intéressants, les courriers de remerciements se suivant en une litanie fastidieuse. C'est pourtant au milieu de ces pièces anodines que j'ai découvert deux documents clés éclairant la stratégie de Coca-Cola contre Pepsi.

Le premier est un mémorandum du 6 août 1953 adressé à Orville May, gardien de la formule et chimiste en chef de The Coca-Cola Company. Un texte qui, sur deux pages, démontre l'attention des instances dirigeantes sur ce sujet sensible. Parce que cette année-là « l'imitateur » avait lancé une campagne vantant une nouvelle formule moins riche en calories, May souhaitait connaître le taux de sucre de la recette allégée. Il avait donc ordonné à ses laboratoires de tester des bouteilles de Pepsi achetées sur l'ensemble du territoire américain. Certes, les examens prouvèrent « qu'il n'y a pas eu de réduction appréciable de la présence de sucre [1] mais attestèrent surtout que Coca-Cola plaçait son concurrent sous microscope de manière systématique depuis plusieurs années [2] ».

Le deuxième rapport, lui, va plus loin. Il ne sert pas seulement à démontrer l'intérêt de la Compagnie pour Pepsi, il prouve que la guerre des colas passait aussi par la pratique du renseignement industriel.

*

1. L'étude démontra également que Coca-Cola contenait moins de sucre que Pepsi. Mémorandum de A.L. Chason à Dr. O.E. May, 6 août 1953. Special Collections and Archives, Robert W. Woodruff Library, Emory University, Atlanta.

2. Ainsi, Chason écrit : « En 1950-51, nous avons étudié un nombre important de bouteilles de Pepsi-Cola afin de vérifier leur contenance en sucre. Nous l'avons fait en rapport à la campagne publicitaire "More bounce per ounce" », *idem.*

Coca-Cola, l'enquête interdite

Le 8 octobre 1947, Edgard Forio, l'un des responsables des opérations de lobbying, adressa une note aux membres de l'exécutif de Coca-Cola. Un document qui contenait la transcription d'une lettre envoyée le 17 septembre précédent, adressée à « l'ensemble des membres de la famille Pepsi-Cola[1] ». Signée par Walter S. Mack, elle détaillait en cinq points la stratégie de la société pour l'année à venir. Il était question de « nouvelles méthodes de fabrication et d'envoi de sirop concentré », des détails d'une campagne publicitaire en gestation, de recherches en vue de créer un distributeur automatique et même du développement de la marque hors des États-Unis. En somme, tous les secrets du plus actif adversaire de Coca.

Forio n'évoquait évidemment pas la manière dont il avait obtenu cette correspondance. Mais puisqu'on imagine mal le président de Pepsi-Cola transmettant un document sensible à son plus farouche concurrent, il semble évident que, au moins pendant un temps, Coca-Cola pratiqua des méthodes de renseignement économique.

Mais, à la décharge de la Compagnie, si la guerre des colas en était arrivée là, c'était peut-être parce que Walter Mack avait emprunté cette voie le premier.

---

1. Mémorandum de E.J. Forio à W.J. Hobbs, 8 octobre 1947. *In* Special Collections and Archives, Robert W. Woodruff Library, Emory University, Atlanta.

40. Veuve

Le raz-de-marée des bouteilles économiques de Guth et le talent managérial de Mack agaçaient tellement les instances supérieures de la Compagnie qu'elles décidèrent de tout mettre en œuvre pour se débarrasser de Pepsi. Une bonne fois pour toutes et coûte que coûte. Par une blitzkrieg menée en justice.

La pression économique exercée sur les gérants de points de vente ne suffisant pas, Coca-Cola porta l'affaire devant les tribunaux. Le verdict de la Cour Suprême dans le dossier Koke ayant conforté la valeur légale de leur marque déposée, John Sibley, manager en charge du juridique, estima que toute utilisation du mot cola constituait une violation de la propriété de la Compagnie, le parasitage d'une part du nom de la boisson. Et, fin 1938, débutant cette contre-offensive par le Canada puis la poursuivant dans vingt-quatre pays, Coca-Cola déposa plainte contre Pepsi. Aux États-Unis, le procès commença en 1941 à New York... à quelques mètres du quartier général de Pepsi-Cola.

Si la jurisprudence sur ce type d'affaire était à la fois contradictoire et ambiguë, l'aréopage d'experts rémunérés par la Compagnie affichait sa certitude de remporter la bataille, laissant peu d'espoirs à la société de Walter Mack [1].

*

La providence prit l'apparence d'un appel téléphonique. La veuve du propriétaire de Cleo-Cola souhaitait parler au président de Pepsi. Une conversation mariant compassion et pessimisme, puisque l'époux de cette femme meurtrie avait lui aussi affronté les avocats de la Compagnie et tout perdu. Sans ambages, elle assura Mack que sa société aurait bien du mal à s'en sortir :

— Coca-Cola va vous forcer à mettre la clé sous la porte. Comme vous, mon mari pensait être dans son bon droit. Et pourtant, ils ont réussi...

Le président de Pepsi ne souhaitait pas en entendre plus et allait saluer la veuve avant de raccrocher lorsqu'une phrase capta son attention.

— Et j'ai toujours la photographie du chèque qu'ils lui ont donné [2].

Ce détail en apparence anodin fit l'effet d'un électrochoc. C'était en fait une révélation majeure : Coca-Cola avait payé le propriétaire de Cleo-Cola pour assurer sa victoire devant les tribunaux. Et cette femme éplorée tenait à disposition la copie de l'acte de paiement.

Décidément, la chance semblait vouloir enfin tourner.

*

Robert Woodruff saisit immédiatement l'enjeu de cette découverte. Mack ayant averti les avocats de Coca-Cola, la

---

1. « Chaque matin, un camion Coca-Cola s'arrêtait devant le tribunal et des employés de la Compagnie en déchargeaient des dizaines de dossiers documentant la totalité des affaires qu'ils avaient gagnées », *in No Time Lost*, Walter Mack et Peter Buckley, Atheneum, 1982.
2. *Idem.*

nouvelle était évidemment remontée jusqu'au président de la Compagnie. Que le patron de Pepsi rende publique la photographie du chèque et Coke risquait de tout perdre. Et de voir remise en cause la stratégie élaborée par John Sibley contre les imitateurs et la position de force devant la justice ni plus ni moins réduite à néant.

L'éviction juridique des « contrefacteurs » ne tenait donc plus qu'à un fil. Celui séparant son téléphone de celui de Walter Mack.

*

La rencontre – discrète, forcément – entre les deux capitaines d'industrie eut lieu dans l'appartement new-yorkais de Woodruff. De la conversation rien ne filtra et seul un document capital atteste aujourd'hui de la réalité de ce rendez-vous : une lettre de quelques lignes rédigée sur le papier à entête personnel de Robert Woodruff. Dont le texte est écrit de la main de Walter Mack tandis que la signature est celle du président de la Compagnie. En l'apposant, le patron de Coca-Cola s'engageait à cesser les poursuites et, au nom de sa société, reconnaissait formellement la légitimité de la marque déposée Pepsi-Cola[1].

Dans la première grande bataille de la guerre des colas, Goliath avait mis un genou à terre.

---

1. *In Secret Formula, op. cit.*

41. Armistice

La paix des braves dura quarante ans. A peine émaillée de soubresauts nés du départ de Walter Mack et de son remplacement par Alfred Steele en 1950.

Pendant dix ans, cet ex-journaliste et ancien publicitaire avait constitué une énigme pour Robert Woodruff. Instinctivement, le patron sentait un potentiel chez ce manager actif mais aucun des deux hommes n'avait réussi à trouver comment l'exprimer. Jusqu'au jour où Pepsi vint le débaucher pour succéder à Walter Mack. Un départ que Woodruff vit plutôt d'un bon œil. Comme, une nouvelle fois, « l'imitateur » était mal en point et vivait difficilement les lendemains de l'après-guerre, le boss de Coca pensait que Steele ne pourrait sauver « l'autre » soda.

Mais Woodruff se trompa. Non seulement Steele fut l'homme de la situation mais son départ porta un vrai coup à Coca-Cola. Parce qu'il appliqua les techniques consciencieusement apprises dans la Compagnie, et surtout parce qu'il puisa allégrement dans le vivier de cadres de Coke. En offrant de meilleurs salaires et une participation aux bénéfices sous forme d'actions, Steele attira nombre de forces vives de son adversaire. Et avec eux, impliquant les embouteilleurs, mettant l'accent sur l'importance de la qualité[1] comme sur le sens de l'innovation, recentrant le message non plus sur la seule boisson mais aussi sur son consommateur, il donna à Pepsi un solide rôle de second.

*

Bien sûr, dans la trêve globale, il y avait eu des coups d'éclat. Les Beatles, Elvis et Marilyn avaient posé en se désaltérant à la source Coca-Cola. Et, grâce à Richard Nixon, son homme à la Maison-Blanche, Pepsi-Cola avait été le premier à conquérir le marché soviétique.

Certes, des campagnes publicitaires s'étaient affrontées, les unes vantant la « Génération Pepsi » quand les autres affirmaient vouloir offrir un Coke au monde entier. Certes, il y avait eu quelques coups de griffes, regards en biais et haussements de ton, mais, durant ces quarante ans, les deux colas s'étaient partagé le marché des consommateurs des désaltérantes sensations gazeuses.

Jusqu'au moment où Pepsi brisa l'équilibre. Une offensive qu'à Atlanta Roberto Goizueta espérait en secret.

---

1. Le premier discours d'Alfred Steele à ses troupes dressait un portrait honnête de la situation de Pepsi : « Les gens nous écrivent pour nous dire que leur Pepsi-Cola était trop doux, avait trop le goût de l'eau, qu'il était trop pétillant ou qu'il ne l'était pas assez. Certains même se plaignaient qu'il n'avait guère de goût. Et bien, le problème est que, le plus souvent, tout cela est vrai. » Cité *in New and Improved*, Richard Tedlow, Butterworth-Heinemann, 1990.

42. Chevauchée

Coca-Cola pouvait bien paraître une boisson ringarde, un soda centenaire dont le rouge, peu à peu, virait au sépia. Pepsi pouvait bien se moquer et Enrico poser avec Michael Jackson ou Madonna. La véritable bataille ne se jouait ni sous les flashes des photographes ni sur les tapis rouges des soirées branchées. De Wall-Street à Wal-Mart[1], la guerre avait repris. Et, bientôt, la chevauchée des Walkyries allait étouffer les accords rythmiques de Thriller.

*

Après l'extension du Pepsi Challenge, Goizueta s'amusait de la course aux célébrités que le patron de Pepsi venait de lancer. Dans les années 1970, Coke avait aussi eu ses stars mais, à ses yeux, l'époque n'en voulait plus. La télévision commençait à banaliser le glamour et l'effet microscope rendait le pari dangereux. Les célébrités coûtaient une fortune, se montraient souvent capricieuses et difficiles à gérer[2]. Si une

---

1. Première chaîne mondiale de grande distribution.
2. Ainsi des clichés de Michael Jackson, Don Johnson ou encore Britney Spears en train de boire du Coca-Cola alors qu'ils étaient en contrat exclusif avec PepsiCo.

star pouvait servir de vitrine à un produit, le risque de la voir lui faire de l'ombre s'avérait bien plus grand.

Michael Jackson incarnait à merveille ce paradoxe. Certes il avait placé Pepsi sur orbite, permettant notamment au soda de conquérir la communauté noire bien souvent fidèle à Coke, mais le « reste » parasitait son message. Les excentricités du chanteur finirent par brouiller l'image de la marque. Et quand les premières rumeurs de pédophilie firent surface, Pepsi se retrouva englué dans un cauchemar médiatique. À tel point qu'il fut dans l'obligation de rompre son contrat avec Jackson[1]. Le revers de la médaille de stars payées des fortunes, c'est que lorsqu'elles trébuchent elles entraînent tout avec elle et que leurs « sponsors » s'y brûlent.

La Compagnie, elle, respectait une règle d'or : la seule véritable vedette doit être Coca-Cola. Un principe auquel Goizueta greffa un concept marketing directement inspiré des recettes d'Alfred Steele : les publicités de Coke avaient comme mission de rendre hommage à son consommateur[2]

*

Et puis, pour être honnête, ces guerres de position, ces marquages à la culotte ne comptaient pas. Comme me le dit Dan, l'ancien cadre de la Compagnie, « ces histoires amusaient le public et les journalistes mais faisaient à peine frissonner les parts de marché. Ce n'était pas sur ce terrain que la partie se jouait. Ce n'était même pas là que se trouvait l'argent. »

Or Dan évoquait des milliards de dollars.

---

1. L'aventure avec Madonna fut encore plus courte. Son clip vidéo pour le titre *Papa don't Preach* fit scandale dans l'Amérique puritaine, obligeant Pepsi à retirer sa campagne publicitaire avec la chanteuse.

2. Le changement est flagrant pour les Jeux olympiques de 1996 à Atlanta. Au lieu de mettre en avant les athlètes, Coke rendit hommage aux fans. Le même principe fut utilisé en France en 1998 pour la Coupe du Monde. La majorité des spots publicitaires de la marque mettaient en scène des supporters.

43. Unité

« Il n'existe pas une autre compagnie au monde comme Coca-Cola. Pas une. Je ne dis pas que nous sommes meilleurs. Je ne dis pas que nous sommes pires. Je dis seulement qu'il n'y en aucune autre[1]. »

Libéré du carcan du *statu quo*, Roberto Goizueta ne revendiquait qu'un challenge : faire de Coca-Cola la plus grande marque de la planète. Dans son esprit, finie la guerre des colas, ce missionnaire du business visait plus haut et plus large.

Deux chiffres rythmaient ses journées. Le premier, celui de l'action maison. Depuis son arrivée à la tête de la Compagnie, Coca-Cola était devenu le titre vedette de Wall Street. Une domination aisée à comprendre quand on note que mille dollars investis en 1981, année de la nomination de Goizueta, en valaient soixante et onze mille au milieu des années 1990[2]. Jamais auparavant un dirigeant d'entreprise n'avait permis à ses actionnaires de s'enrichir dans de telles proportions. La Bourse était tellement présente au siège qu'une pièce avait été

---

1. Roberto Goizueta *in Beverage Digest*, mai 1988.
2. Soit une augmentation de 7 100 % sur une décennie.

destinée à la seule réception, en continu et en direct, des cotations du titre !

Comme l'ancien réfugié cubain adorait les records, il devint par ailleurs le premier président du Groupe et milliardaire en dollars [1]. Une fortune composée de titres Coca-Cola versés chaque année avec applaudissements et encouragements par un conseil d'administration et des actionnaires ravis.

*

La direction de la Compagnie mesurait aussi sa réussite à travers d'autres indices : le volume des ventes et les parts de marché face à Pepsi. De bons indicateurs que Goizueta estimait néanmoins restrictifs. Son objectif n'était pas de se comparer à Pepsi ou à un autre soda. Lui visait une autre hégémonie, la victoire sur un deuxième chiffre bien plus fascinant car plus large : celui de la consommation planétaire de liquides.

Et il y était en partie parvenu : depuis 1988, en effet, les Américains buvaient plus de Coke que d'eau. Mais Goizueta visait la même performance sur l'ensemble du globe. En moins de vingt ans, Coca-Cola avait doublé son score. Désormais le sirop inventé à Atlanta représentait 2 % d'un marché où s'opposaient l'eau, les jus de fruits, les boissons sucrées, les alcools, le café, le thé et le lait. 2 %... Un score à la fois énorme et... ridicule aux yeux des stratèges de la Compagnie. Mais pour Goizueta, cela signifiait avant tout que les marges de progression étaient illimitées.

Mais avant de jeter toutes ses ressources dans la conquête de ce segment-là, il devait en finir avec Pepsi-Cola.

*

1. Au moment de son décès, le 18 octobre 1997, Roberto Goizueta possédait seize millions d'actions Coca-Cola pour une valeur dépassant le milliard de dollars.

Roberto Goizueta, pour arriver à ses fins, ressuscita une des unités les plus mystérieuses de la Compagnie, le très discret *Trade Research Department (TRD)*, cellule mise en place depuis que la firme avait entamé sa chasse aux imitateurs. Une pratique constante puisque dans ses multiples procès contre Koke, Atlanta avait recouru à des inspecteurs du cabinet de détectives Pinkerton pour prouver que sa boisson était remplacée par d'autres sans que le consommateur en soit averti. Les mêmes méthodes avaient servi contre Charles Guth, quand des espions furent diligentés dans les magasins Loft pour accumuler les preuves que Pepsi était versé à la place d'un Coca-Cola. Et puis cette division avait pris une forme plus structurée sous la présidence de Woodruff avant de s'assoupir au début des années 1960.

Dans la réactivation de la guerre des colas, le TRD allait constituer le bras armé de Goizueta. Mais au lieu de s'opposer frontalement à Pepsi, la Compagnie avait choisi de rendre la vie très difficile à tous ceux qui travaillaient avec « l'autre ». Harcelés par ces coups de boutoir, les récalcitrants finissaient à terme par rompre leur union avec Pepsi pour lui préférer Coke.

Dans la bataille contre « l'imitateur », Coca-Cola disposait d'un atout de poids. Éternelle numéro un, sa boisson avait désormais valeur de terme générique. Le consommateur commandait un « Coca », que le soda vienne de Purchase ou d'Atlanta lui important guère. Le TRD joua donc sur du velours, en envoyant ses troupes en civil se fondre dans le public des restaurants, cafés, stades et autres cinémas servant du Pepsi. Là, ils commandaient un Coca-Cola et écoutaient. Si le serveur expliquait disposer seulement de Pepsi, l'inspecteur reviendrait tenter sa chance. Car tôt ou tard, et c'était la force d'Atlanta, le serveur oublierait la commande et servirait un Pepsi pour un Coke. Et là, le piège se refermerait sur lui.

Entre 1978 et 1981, une unité du TRD concentra ses efforts sur le *Topaz Lodge and Casino*, populaire centre de loisirs et de jeux installé depuis 1952 à la frontière de la Californie et du Nevada ayant opté pour Pepsi au début des années 1970. Et la pêche fut miraculeuse : « En vingt-trois occasions sur vingt-neuf essais, compris dans une période de trois ans, les employés de Topaz Lodge and Casino ont substitué sans en faire état du Pepsi-Cola en réponse à des commandes précises de Coca-Cola ou de Coke[1]. »

Forte de ces éléments, la Compagnie déposa une plainte au Nevada, pratique inhabituelle puisque d'ordinaire les incidents enregistrés par le TRD se réglaient à l'amiable. Prévenu par les avocats de Coca-Cola, le commerce incriminé s'engageait au minimum à mieux former son personnel pour éviter la répétition de l'incident, ou, solution idéale, soucieux de ne pas prendre le risque de voir cet écart se reproduire, quittait Pepsi pour Coke.

Les pièces juridiques de 1982 sont les seuls documents publics disponibles attestant de l'existence du Trade Research Department, et expliquant son mode opératoire. « Si la boisson est servie sans précision, expliquait un document officiel, l'employé du TRD prend un échantillon de la boisson et l'envoie au laboratoire de Coca-Cola pour effectuer une analyse chimique afin d'établir qu'il ne s'agit pas d'un produit de The Coca-Cola Company. De son côté, l'employé du TRD documente précisément tous les éléments en rapport avec la commande[2]. »

Une précision assurant un succès aisé devant les tribunaux. Et capable de refroidir les plus fervents revendeurs de Pepsi. Qui oserait affronter sans peur le rouleau compresseur juridique du mastodonte d'Atlanta ?

*

---

1. *In Coca-Cola Co. v. Overland, Inc., 692 F.2d 1250, 9 th Circuit,* Nevada, 1982.
2. *In Coca-Cola Co. v. Overland, Inc., 692 F.2d 1250, 9 th Circuit,* Nevada, 1982.

Le « hors domicile » n'était qu'un des champs de bataille où Coca-Cola livra sa guerre. Son art de la pression permanente fut également appliqué à la grande distribution.

De Wal-Mart à Target, en passant par Albertson's et Tom Thumb[1], Coke jouit d'un statut à part. Aux États-Unis, cette boisson fait partie de la liste très réduite des produits essentiels. De base même. De ces incontournables comme le lait, les œufs, le pain ou le papier hygiénique que tout commerce doit offrir afin d'attirer sa clientèle. Et, à ce titre, bénéficie d'un considérable privilège : les hypermarchés acceptent de rogner leurs marges au maximum, voire de renoncer au moindre profit, pour posséder du Coca-Cola dans leurs rayons. Coke a toujours surfé sur cette particularité lui garantissant un bon placement en tête de gondoles ou les premières pages des publicités des magasins.

Mais, depuis quelques années, Pepsi gagnait du terrain et menaçait Coca-Cola sur ce segment grâce à ses nouveaux formats. En lançant le premier la bouteille plastique de trois litres, le cola de Purchase avait découvert une martingale. Ce contenant ne prenait guère plus de place en rayonnage et, populaire dans les familles de classe moyenne, permettait d'augmenter facilement les volumes de ventes.

En représailles, Atlanta mit en avant son statut d'incontournable. Pendant des années Coke avait accepté – ou plutôt toléré – le partage des allées des supermarchés avec Pepsi, mais ce temps était révolu. Si une chaîne souhaitait continuer à proposer du Coca-Cola à ses clients, elle devait en payer le prix. Une addition élevée puisque la Compagnie exigeait quasiment l'exclusivité. En échange du maintien de ses gammes, la firme d'Atlanta réclamait tout l'espace dévolu à son adversaire. Et si, respectant les lois sur le monopole, Coke tolérait un peu de concurrence, c'était une présence minime, sans publicité et assez loin du regard des consommateurs.

---

1. Hypermarchés américains.

La méthode pouvait choquer, voire scandaliser, mais la Compagnie n'eut guère de difficultés à imposer son diktat, le risque étant trop gros pour les hypermarchés : Coke était une boisson générique, le reste des produits de la gamme populaire, jusqu'au Diet Coke, version sans sucre qui talonnait Pepsi-Cola pour la deuxième place sur le podium. Le risque de perdre cette manne n'était même pas envisageable pour les grandes surfaces.

*

Les hommes de Goizueta affichaient une autre exigence. Leurs études démontraient qu'un Américain passait en moyenne une demi-heure à faire ses achats. Trente minutes où il se transformait en individu captif demandant à être désaltéré. Pour la Compagnie, l'hypermarché devint donc un espace de vente stratégique mariant domicile et hors domicile. Coca-Cola obtint le droit de vendre ses cannettes hors du rayon des boissons. À commencer par le parc à chariots. Pour mettre en œuvre cette idée, celui-ci s'était vu amélioré. À présent, les chariots étaient équipés d'un porte-bouteilles au format de la nouvelle contenance individuelle de 50 cl. Retenant la leçon de Pepsi-Cola et ses bouteilles de trois litres, Coke avait en effet augmenté le volume de son contenant de 40 %. Le public américain, confirmant la thèse du glouton[1] inventée par McDonalds, fut ravi de l'aubaine.

Une fois armé de son chariot et d'un Coca-Cola bien frais, le consommateur n'était pas pour autant laissé en repos par les hommes du marketing : il devait subir, sans s'en rendre compte bien sûr, une géniale leçon de placement de produits. Primo, Coke trônait systématiquement aux espaces incontournables du magasin. Il était ainsi impossible d'acheter un litre

---

1. Moralement, et à cause des regards des autres, un individu a du mal à commander deux ou trois cheeseburgers. En proposant le Big Mac, la chaîne de fast-food avait supprimé ce sentiment de honte et de culpabilité.

de lait sans se retrouver devant un frigo où la bouteille de Coca-Cola se trouvait en libre-service. Secundo, Atlanta avait joué la carte de la complémentarité. Au milieu des snacks et des chips apéritifs, on pouvait succomber à du Coca-Cola, du Sprite et du Diet Coke. Au rayon des vidéos, était disposé du pop-corn à cuire offert pour tout achat de Coke. Entre les tentes de camping, les vélos et les gants de base-ball, c'étaient des packs de douze boîtes de Coke et une glacière portable en cadeau pour l'achat de trois qui attiraient l'œil et la convoitise.

Et si, au terme de ce parcours, la volonté du client n'avait pas encore flanché, il restait l'attente aux caisses pour le faire vaciller. Un emplacement efficace puisqu'en moyenne le Coca-Cola y coûtait entre 25 et 50 % plus cher !

*

Pepsi-Cola pouvait donc continuer à amuser la galerie avec ses piquantes publicités, l'essentiel était ailleurs aux yeux de Goizueta. Mois après mois, la presse financière saluait les exploits d'Atlanta. La Compagnie s'était métamorphosée en machine à profits colossaux et Coca-Cola en nouvel or noir.

Et encore s'agissait-il seulement d'un début. Robert Goizueta, l'ancien chimiste devenu titan, ne comptait pas se satisfaire de son premier milliard.

44. Tabou

Le problème se trouvait ailleurs. Bien sûr les méthodes de Goizueta avaient brisé l'élan de Pepsi-Cola. Et, à moyen terme, allaient permettre à Atlanta de creuser l'écart[1]. Mais si les parts de marché étaient importantes, elles ne signifiaient pas grand-chose à l'heure des bilans. Les profits, eux, résidaient dans les volumes.

Or le marché américain ne semblait pas extensible à l'infini. Avec quatre-vingts litres par an et par habitant, la consommation de Coca-Cola atteignait son plafond. Pour que l'action monte encore plus haut, pour que ses dividendes soient plus conséquents, Goizueta devait inventer autre chose.

*

Première orientation, bénéficier du formidable taux de reconnaissance de Coke. Après tout, alors que Coca-Cola était la marque la plus connue du monde, la Compagnie n'avait

---

1. En 2005, après avoir été au coude à coude aux USA, la part de marché de Pepsi retomba à 31,7 %, celle de Coke étant ancrée à 43,5 %. En 1986, un analyste financier révélait que 1 % de part de marché des colas équivalait à deux cent cinquante millions de dollars.

jamais vraiment capitalisé sur ce pouvoir d'attraction. De fait, Atlanta vivait encore sous le poids d'une règle orale dont personne ne se souvenait si elle constituait un héritage de Candler ou un legs de Woodruff. Un des présidents historiques ayant décrété que la marque était sacrée et Coca-Cola unique, aucun des *nouveaux produits maison* n'en déclinait le label.

Le Projet Alpha[1] datant de 1958 en était l'exemple frappant. Atlanta avait noté l'attrait du public pour les boissons allégées en sucre. À terme, ses analyses assuraient même que cette tendance pourrait représenter au moins 10 % du marché total des colas à la fin de la décennie 1970. Aussi Coca-Cola devait-il agir. D'autant que Pepsi-Cola tentait également de développer sa version composée d'édulcorants. Si l'élaboration de la formule fut l'étape la moins compliquée, les difficultés naquirent d'une version capitaliste du combat entre les modernes et les anciens. Alors qu'une partie de la direction milita pour baptiser le produit Diet Coke, Woodruff trancha en faveur de la tradition et le soda se vit affubler du nom Tab[2].

Profitant de la force de frappe de la Compagnie, Tab s'empara néanmoins de la première place des produits sans sucre, devant Diet Pepsi. Mais au début des années 1980, Goizueta eut le sentiment que Coca-Cola pouvait faire mieux. Jane Fonda menait la danse et la mode de l'allégé gagnait du terrain. Les produits sans sucre n'occupaient-ils pas déjà 20 % du marché, avec une tendance à la hausse ? Le patron en était convaincu, le temps venait d'utiliser à plein la puissance du nom Coca-Cola. En juillet 1982, la Compagnie lança donc le Diet Coke, avec un budget publicitaire atteignant le chiffre record de cent dix millions de dollars.

---

1. Pour les coulisses du Projet Alpha voir
http://www.ilovetab.com/meet/projectalpha_article.html
2. Tab est sorti en 1963, Diet Pepsi en 1964.

En quelques semaines, alors que le soda light était disponible sur seulement un tiers du territoire, Diet Coke atteignit la troisième place de toutes les boissons, détrônant 7-UP. Dans certaines villes comme New York ou Los Angeles, le Coca sans sucre menaça même Pepsi. Et, trois ans plus tard, le Diet Coke trustait la première marche du podium des boissons allégées dans plus de cinquante pays. Une position qu'il n'a jamais quittée depuis [1].

Le marché ne mentait pas : le risque était payant. La Compagnie allait pouvoir changer. Roberto Goizueta avait brisé un tabou interne et ce n'était qu'un début. Lorsqu'il avait pris la présidence de la Compagnie, n'avait-il pas annoncé qu'il « n'y aurait pas de vache sacrée » chez Coke ?

---

1. L'intuition de Roberto Goizueta est devenue la politique générale de la Compagnie. Après la version light sont apparus le mélange sans caféine puis celui à la cerise. Depuis 2002, la tendance s'est même accélérée, l'avenir étant au morcellement du marché. À côté de Coca-Cola, il y a donc Diet Coke, Coke Lemon, Cherry Coke Lime, Vanilla Coke, Coke C2, Coke Zero et, à partir de la mi-2006, Black Cherry Vanilla Coke et Coca-Cola Blak au parfum café. Une sorte de retour au temps des *soda fountains* où le consommateur agrémentait son cola de différents sirops.

45. Blasphème

La journée avait vraiment mal commencé. L'information avait filtré jusque dans les étages de Purchase et Pepsi-Cola triomphait. D'ailleurs Roger Enrico enchaîna les apparitions télévisées, répétant jusqu'à plus soif que, dans le face-à-face opposant les deux géants, « l'autre gars venait de cligner des yeux ».

L'occasion étant trop belle, les employés de PepsiCo avaient même eu droit à un jour férié pour célébrer la victoire.

Son anniversaire approchait et Coca-Cola n'aurait jamais cent ans.

*

C'était le 23 avril 1985 et Roberto Goizueta s'apprêtait à rentrer dans l'histoire. S'il réussissait, on se souviendrait de lui comme du plus audacieux et génial capitaine d'industrie. S'il échouait, le Cubain devrait assumer pour l'éternité l'infamie du ratage. Car, après tout, l'avenir de la Compagnie se trouvait réellement en jeu.

*

200

Blasphème

Le sol était mouvant. L'atmosphère pesante.

L'écran géant égrenait les symboles d'une certaine Amérique. JFK succédait à Bruce Springsteen qui précédait la statue de la Liberté. Évidemment ce catalogue des figures emblématiques se concluait par une bouteille de Coca-Cola.

— Le meilleur le devient plus encore [1].

Le sourire de circonstance, le teint halé, Roberto Goizueta positivait en paraphrasant en boucle son nouveau message publicitaire.

— Son goût est... Comment dire... ? Plus... Plus rond...

Les imposantes montures de lunettes du boss dissimulaient mal son embarras grandissant. S'il n'avait pas grand-chose à expliquer, c'est parce que la vérité était simple : la Compagnie avait décidé de changer la formule de Coca-Cola. Pour une nouvelle recette « meilleure » faisant disparaître l'ancienne immédiatement. Que dire d'autre ? Goizueta ne possédait aucun diplôme d'œnologie et il ne fallait pas compter sur lui pour décrire son dernier produit avec poésie et allégresse.

L'aréopage de journalistes, lui, ne se montrait pas convaincu. Certes, Atlanta avait osé. Mais, au-delà d'une invitation au baptême du New Coke, la presse retenait, à la veille du centenaire de la firme, l'acte de décès du Coca-Cola. Donc que Roger Enrico avait raison.

Goizueta pouvait botter en touche, la presse jugeait avec une soudaine crédibilité le message du patron de PepsiCo. À savoir que si le nouveau Coke devenait plus doux en bouche, c'était pour approcher le goût du soda de Purchase. C'était comme si Goizueta lui-même avait publiquement échoué au Pepsi-Challenge et décidait de copier l'imitateur.

— Et si vous alliez à votre tour découvrir notre New Coke ?

---

1. « The best just got better », slogan pour le lancement du New Coke en 1985. La formule fait écho à un des plus célèbres slogans de la marque : « Things go better with Coke » qui, en français, devint « Tout va bien mieux avec Coca-Cola ».

À court d'arguments, le Cubain proposa à son auditoire de rejoindre le grand salon du Lincoln Center de New York. Sur des tables aux couleurs de Coca-Cola et dans des verres en cristal, attendait le breuvage porteur de tous les espoirs de la Compagnie.

*

Inutile de compter sur la compassion des journalistes. Par ce revirement de stratégie, le géant était perçu comme assis sur des pieds d'argile et aucun des deux cents envoyés spéciaux n'avait l'intention de lui tendre la main. De fait, sous le regard gêné de la direction de Coke, les médias, sabre au clair, sonnèrent la charge. Face aux caméras, les premiers avis tombèrent avec une rare crudité et cruauté. Pour eux, New Coke ressemblait à « un liquide visqueux » que l'on aurait « laissé s'éventer toute une nuit[1] ».

La sentence alarma les hôtes. Comment se pouvait-il, alors que quatre millions de dollars avaient été investis pour mener à bien cent quatre-vingt-dix mille tests auprès des consommateurs, record toutes catégories pour le lancement d'un produit, que le New Coke suscite une telle réaction de rejet ? À mesure que la journée avançait, l'inquiétude gagnait tous les membres de la Compagnie.

Et ce ne furent pas les unes du lendemain qui les rassurèrent. La presse se déchaîna. Non contre les qualités ou les défauts du New Coke, mais contre le retrait définitif du Coca-Cola que l'Amérique connaissait depuis toujours.

En fait, Goizueta avait anticipé ces réticences. Les fameuses et coûteuses enquêtes qualitatives avaient en effet démontré qu'au-delà des 55 % des consommateurs préférant le New

---

1. À la décharge de la nouvelle formule, il faut savoir que les hôtesses du Lincoln Center avaient servi le New Coke alors que la conférence n'était pas encore achevée. Et, durant quinze minutes, le cola avait attendu que l'on vienne le déguster.

Coke, la majorité des autres déplorait la disparition de Coca-Cola. Tout en déclarant qu'ils s'habitueraient à la nouvelle formule. Seul un petit noyau affirmait carrément détester le goût de la formule revisitée. Aussi le patron de la Compagnie avait-il estimé que, *in fine*, ces irréductibles rentreraient dans les rangs et que ceux qui partaient seraient remplacés par l'émergence de nouveaux consommateurs.

Tout était prévu donc. Il suffisait de faire le dos rond quelque temps encore, de laisser la presse crier puis passer à autre chose. Le cycle des informations tournerait et, bientôt, les États-Unis oublieraient qu'un jour son Coca-Cola avait eu une autre saveur.

*

Au rythme de huit mille appels quotidiens, l'Amérique fit savoir à la Compagnie qu'elle avait bonne mémoire. À Atlanta, Coca-Cola dut même multiplier le nombre de lignes téléphoniques du service consommateurs. Et les hôtesses s'avouèrent vite au bord de la dépression. Le pays détestait le New Coke et ne se gênait pas pour le faire savoir. La violence de certaines plaintes était même insensée et le recours à l'insulte fréquent.

Le service courrier ne se portait pas mieux. En moins d'un mois, quarante mille lettres arrivèrent de tous les coins du pays. Et là encore, au-delà de la haine revendiquée pour la nouvelle formule, c'est le choc de la disparition de l'ancien Coca-Cola qui suscitait les plus virulentes réactions.

Les employés en uniformes, principalement les livreurs, furent de leur côté harcelés voire agressés par des consommateurs en colère. Certains d'entre eux s'emparèrent même de bouteilles de New Coke pour les vider dans les caniveaux.

De tout le pays, la vague de protestations véhémentes monta, se métamorphosant en raz-de-marée hostile et vindicatif.

À Seattle, Gay Mullins décida de fédérer cette colère en créant la *Old Cola Drinkers of America*, une association de buveurs de Coca-Cola. Au-delà de la pression médiatique, ce groupe prétendait, devant les tribunaux, obliger la Compagnie à céder la recette de l'ancien Coke pour qu'une autre société continue à le fabriquer.

À Beverly Hills, un marchand de vins proposa du « vrai » Coca-Cola à trois fois sa valeur.

À New York, nuit après nuit, les émissions de télévision humoristiques moquèrent la décision d'Atlanta.

À Dallas, l'embouteilleur local vendit la totalité de son stock à un client déterminé à se constituer une réserve.

À Washington, certains membres du Congrès se demandèrent s'il n'y avait pas un moyen de contraindre la Compagnie à faire machine arrière.

Ailleurs, il fut question de voyages organisés en Europe pour faire des provisions dans les pays où le New Coke n'arriverait pas avant un ou deux ans.

À Mexico, le père de Roberto Goizueta en eut vite assez de devoir s'excuser au nom de son fils.

À Cuba, sur Radio Havana, Fidel Castro se gaussa, voyant dans la disparition de Coca-Cola l'annonce de la chute prochaine du système capitaliste américain.

À Purchase, Roger Enrico caressa l'idée de lancer un autre Pepsi dont la recette reprendrait celle du Coke disparu.

Roberto Goizueta, ses cadres et leurs enquêtes qualitatives venaient de commettre un blasphème. En jouant aux apprentis-sorciers, ils avaient détruit une part de l'Amérique.

*

Le journaliste Peter Jennings venait de briser le rythme lancinant de *General Hospital*. La chaîne ABC et son présentateur vedette interrompirent la diffusion du feuilleton du début d'après-midi pour un flash spécial.

204

Blasphème

C'était le 10 juin 1985 et, le matin même, Ronald Reagan avait été hospitalisé pour un cancer.

Presque au même moment, au Sénat, à Washington, l'élu de l'Arkansas, David Pryor, interrompit les débats sur la situation sud-africaine afin de faire une annonce solennelle.

L'heure était grave et l'Amérique craignait d'être visitée par les fantômes du 22 novembre 1963.

Alors que Jennings dévoilait la nouvelle aux téléspectateurs, Pryor s'éclaircit la voix :

— Nous vivons un vrai moment de l'histoire des États-Unis. Coca-Cola est de retour.

46. Stéroïdes

Trois mois à peine après la conférence de presse du Lincoln Center de New York, la Compagnie occupait une fois de plus la une de l'actualité. Roberto Goizueta avait changé son fusil d'épaule pour se transformer en défenseur de la tradition Coca-Cola. Et, cette fois, la nouvelle serait annoncée depuis Atlanta.

Quelques jours plus tôt, la direction de Coke avait dû se rendre à l'évidence. Non seulement l'hostilité au New Coke ne s'était pas apaisée mais, à mesure que le thermomètre montait, elle s'accentuait. L'été étant une période cruciale pour la vente des colas, mieux valait cesser d'offrir de la publicité gratuite à Pepsi.

Et puis, en y réfléchissant bien, il existait sûrement un moyen de retourner l'opinion et de gérer habilement la crise pour qu'elle bénéficie, au final, à la Compagnie.

*

Roberto Goizueta se montra bien plus détendu que durant l'introduction du New Coke. Il parut même présider la cérémonie du mea-culpa public avec soulagement.

— Nous vous avons entendu..., tonna-t-il.

206

Le Cubain ne s'adressait pas cette fois à la presse mais directement à la nation. Il reconnut avoir sous-estimé l'histoire d'amour unissant Coca-Cola à ses consommateurs et, tout en insistant sur sa préférence personnelle pour le New Coke, il confirma le retour en grâce de la version originale dorénavant baptisée Classic Coke.

Don Keough, dauphin de Goizueta et numéro deux de la Compagnie, prit à son tour la parole :

— La vérité, c'est que le temps, le talent et l'argent investis dans les enquêtes de consommateurs pour le New-Coke ne pouvaient pas mesurer, ou révéler, la profondeur et la puissance de l'attachement émotionnel au Coca-Cola original.

Le ton de Keough semblait sincère.

— La passion pour le Coca-Cola original – car c'est bien de passion qu'il s'agit – nous a pris par surprise... C'est un merveilleux mystère américain, une adorable énigme américaine. Quelque chose d'impossible à mesurer tout comme l'est l'amour, la fierté ou le patriotisme [1].

Par ces quelques paroles, la Compagnie était parvenue à user des mots justes. Et la réaction du public fut à la hauteur. Les téléphones se remirent à sonner, les lettres à affluer, les employés à sourire. À en croire certains, la firme « venait même d'inventer un remède contre le cancer [2] ». Coke de retour, l'Amérique respirait.

Ou presque. Car, à Purchase, un vent mauvais s'était levé. Enrico s'interrogeait sur la tactique à suivre pour endiguer cette vague. Et surtout, il se demandait comment Goizueta avait remporté aussi magistralement une partie pourtant mal engagée.

*

1. Conférence de presse du 11 juillet 1985, Atlanta.
2. Ike Herbert, un responsable marketing de Coca-Cola, résuma ainsi l'incroyable réaction d'une partie du public. *In The real Coke, the real story*, Thomas Oliver, Random House, 1986.

Don Keough, lui, avait déjà anticipé ce type d'interrogation. Avant de quitter la presse, le numéro deux d'Atlanta avait précisé :

— Certains critiques diront que Coca-Cola a commis une erreur de marketing. Certains cyniques diront que nous avons tout orchestré. La vérité, c'est que nous ne sommes ni suffisamment bêtes ni suffisamment intelligents pour tout cela [1].

L'absence durant trois mois du Coca-Cola original et la peur de le voir disparaître totalement agirent comme une cure de jouvence sur ce produit vedette de la Compagnie. Mieux, il sembla que, d'un coup, chaque Américain songeait à son histoire d'amour avec la petite bouteille et, après bien des années d'infidélité, avait envie de renouer avec ses racines et cette valeur sûre de sa culture comme de son patrimoine. Six mois après le lancement raté de New Coke, l'original redevenait champion des ventes, creusant même un large fossé avec Pepsi-Cola. Et lors du centenaire, en mai 1986, Classic Coke avait dépassé son plafond précédent. Comme l'avait prévu Don Keough, des cyniques en vinrent à se demander si le plus gros échec marketing de l'histoire n'était pas, en réalité, un coup de génie conduit de main de maître par la Compagnie.

*

L'hypothèse de Roger Enrico ne tenait guère la route : il paraissait impensable qu'Atlanta ait décidé de remplacer son Coca-Cola à cause de l'impact du Pepsi-Challenge, les effets de cette campagne étant limités. L'idée que la Compagnie ait pu prévoir un tel soulèvement de l'Amérique se révélait également farfelue, le risque d'échec étant bien trop colossal pour abattre cette carte-là. Peut-être les têtes pensantes d'Atlanta s'étaient-elles tout bonnement trompées ?

Mais si l'erreur magistrale de jugement ne faisait aucun doute, restait la prise de décision elle-même. Quel élément

---

1. Conférence de presse du 11 juillet 1985, Atlanta.

suffisamment important avait poussé la firme à commerciali-ser New Coke et, surtout, à éradiquer l'ancien, dans la mesure où rien n'empêchait la cohabitation des sodas sur le marché ?

Forcément, il devait donc exister une autre raison. Une motivation suffisamment importante pour avoir convaincu Goizueta de risquer l'avenir de la Compagnie.

*

Le Coca-Cola n'était plus en vente depuis un mois que Roger Enrico jugea le moment venu. L'Amérique réclamait son vieux Coke et PepsiCo allait le lui offrir. En lançant une opération baptisée Projet Suprême, l'un des secrets aujour-d'hui encore les mieux gardés de l'histoire de Purchase. En 1984, les chimistes d'Enrico avaient abouti à l'élaboration d'un nouveau soda. Un cola moins doux et plus adulte, un cola au goût identique à celui du Coca-Cola.

D'abord réticent, Enrico avait fini par trouver l'idée savou-reuse. Puisque de tout temps Pepsi déclinait sa gamme, le Pepsi Suprême apparaîtrait simplement comme une nouvelle création de la société. Mais l'intronisation du New Coke avait chamboulé ce plan. Avant de lui redonner une seconde vie. Une entreprise devait être à l'écoute des consommateurs, et ces derniers réclamaient Coke. À l'approche de l'été, Enrico allait donc frapper un énorme coup en présentant Suprême, désormais appelé Georgia[1] par référence directe au sirop d'Atlanta. Grâce à lui, PepsiCo pourrait enfin définitivement remporter la guerre des colas.

*

---

1. Selon certaines sources, le nom American Cola avait également été testé, mais abandonné parce qu'il donnait à Pepsi une image trop péjorative.

Le retour de Coke scella évidemment la fin des espoirs d'Enrico. Mais l'anecdote reste intéressante puisque, d'après certains analystes financiers et divers spécialistes de l'univers des boissons sans alcool, elle explique le revirement de Goizueta. À les en croire, Coca-Cola aurait choisi de couper l'herbe sous le pied de Pepsi. Avertie de l'avancement du Projet Suprême, la Compagnie aurait voulu tirer la première. En présentant le New Coke, elle tuait dans l'œuf le projet de Purchase, prenait une longueur d'avance, se débarrassait de son image un peu vieillotte et donnait le sentiment d'être la première à innover. Ce qui, une énième fois, laissait croire que Pepsi se contentait du rôle d'imitateur peu créatif.

Une théorie séduisante mais pas vraiment crédible. D'abord parce que Goizueta n'avait jamais placé la stratégie de son groupe sous le signe de la réaction. Et surtout pas par rapport à Pepsi.

Ensuite, parce que cette version n'apporte qu'une moitié de réponse. Pire, elle élude la donnée majeure : pourquoi la Compagnie avait-elle opté pour la suppression radicale du Coca-Cola ?

*

Une autre rumeur assura que l'isoglucose avait décidé du sort de Coca-Cola. En 1956, les chercheurs de la *Clinton Corp Products* découvrirent un enzyme autorisant l'hydrolise du glucose en fructose. Le sirop de maïs à haute concentration en fructose (HFCS) était né. Et, grâce à la biotechnologie, le maïs devint un concurrent potentiel des sucres de canne et de betterave.

Quinze ans plus tard, au début des années 1970, alors que le brevet de l'isoglucose tombait dans le domaine public, l'agriculture américaine connaissait une grave crise. Et pour beaucoup l'HFCS apparut comme la solution idéale. À la fois en tant que débouché pour les importants stocks de maïs, mais également parce qu'il était plus stable, avait une durée de vie plus longue et coûtait moins cher que le sucre traditionnel.

Pour Coca-Cola et ses confrères, cette avancée valait tous les trésors. Restait à trouver le moyen d'introduire le HFCS dans les sodas sans dérouter ni inquiéter les consommateurs. L'isoglucose pâtissait en effet d'un léger inconvénient : son goût n'était en rien identique à celui du sucre. Il avait même tendance à rendre les produits plus doux, ce que Roberto Goizueta aurait qualifié de plus rond.

Pour certains, la connexion partit de là. À les suivre, le New Coke aurait servi de cheval de Troie. Un moyen pour la Compagnie de passer du sucre à l'isoglucose.

L'idée a beau être intéressante, elle est fausse. En réalité, depuis le début des années 1980, Coke avait déjà opté pour le HFCS. Les chimistes d'Atlanta avaient, dans un premier temps, concocté un mélange de sucre et d'isoglucose, puis, quelques mois avant l'arrivée du New Coke, étaient passés au HFCS.

La thèse du HFCS a pourtant une qualité : elle confirme que, pour baisser ses coûts de production et augmenter ses profits, la firme d'Atlanta n'avait pas hésité, déjà, à modifier la formule du Coca-Cola. Et que si Roberto Goizueta l'avait accepté une fois, il n'hésiterait pas à recommencer.

*

— Il n'y avait pas des dizaines de manières d'augmenter nos profits !

Dan avait vécu l'arrivée du New Coke, le retour du Coca-Cola et bien d'autres choses encore.

— La première, la plus évidente, c'est la croissance en volume.

L'obsession de Goizueta pour le « hors domicile » et la grande distribution, sa volonté de démultiplier les points de ventes, sa politique agressive sur les marchés étrangers et la présence de Coke dans les plus grands événements internationaux, visaient à booster les ventes.

— La deuxième est de baisser notre prix de revient.

Les colas étant des produits à faible valeur ajoutée, essentiellement composés d'eau, de sucre, de gaz et de quelques extraits naturels, leurs coûts de production se révèlent relativement faibles. Les vraies dépenses concernent en fait l'embouteillage et la distribution. D'où l'investissement publicitaire massif de Coca-Cola : un produit coûtant peu libère des ressources colossales pour la communication. Une position d'autant plus confortable que la Compagnie produit uniquement le sirop destiné à fabriquer le Coca-Cola.

— Dans cet esprit le HFCS a eu l'effet d'un turbo. Pour nous comme pour l'autre.

Pepsi-Cola avait en effet suivi son adversaire dans cette voie et adopté le sirop de maïs pour sucrer son cola. Et les deux sociétés de diminuer drastiquement le coût d'un de leurs composants essentiels.

— La troisième manière consiste à augmenter le prix de vente du sirop. Et là...

*

Les mots du retraité de la Compagnie se perdirent dans un long silence peuplé de souvenirs. Avec, notamment, des images lui rappelant les difficiles combats menés contre les embouteilleurs à cause de Candler lui-même. Ne voulant à aucun prix assumer la charge de l'embouteillage, Asa avait inventé le système des franchisés. Un contrat remontant à 1899, qui garantissait à ces derniers un prix fixe du sirop... sans la moindre limitation dans le temps. Et si, au fil des années, Coca-Cola avait parfois pu revenir sur cette clause, c'était seulement dans le cadre d'accords limités, souvent liés à des situations de crise. Dès lors, à son grand désespoir, la Compagnie n'avait pas les mains libres pour déterminer le prix de vente de son sirop.

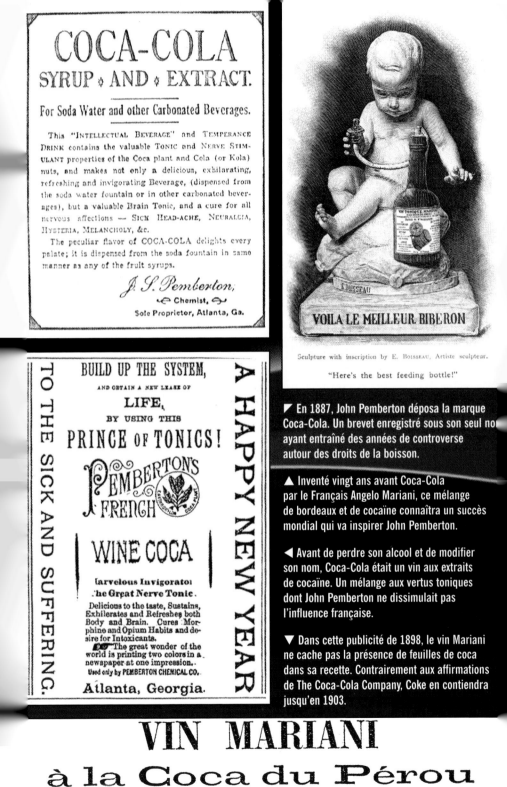

COCA-COLA
SYRUP ◦ AND ◦ EXTRACT.

For Soda Water and other Carbonated Beverages.

This "INTELLECTUAL BEVERAGE" and TEMPERANCE DRINK contains the valuable TONIC and NERVE STIMULANT properties of the Coca plant and Cola (or Kola) nuts, and makes not only a delicious, exhilarating, refreshing and invigorating Beverage, (dispensed from the soda water fountain or in other carbonated beverages), but a valuable Brain Tonic, and a cure for all nervous affections — SICK HEAD-ACHE, NEURALGIA, HYSTERIA, MELANCHOLY, &c.

The peculiar flavor of COCA-COLA delights every palate; it is dispensed from the soda fountain in same manner as any of the fruit syrups.

J. S. Pemberton,
Chemist,
Sole Proprietor, Atlanta, Ga.

VOILA LE MEILLEUR BIBERON

Sculpture with inscription by E. BOISSEAU, Artiste sculpteur.

"Here's the best feeding bottle!"

TO THE SICK AND SUFFERING.

A HAPPY NEW YEAR

BUILD UP THE SYSTEM,
AND OBTAIN A NEW LEASE OF
LIFE,
BY USING THIS
PRINCE OF TONICS!
PEMBERTON'S FRENCH
WINE COCA

Marvelous Invigorator
The Great Nerve Tonic.

Delicious to the taste, Sustains, Exhilerates and Refreshes both Body and Brain. Cures Morphine and Opium Habits and desire for Intoxicants.
The great wonder of the world is printing two colors in a newspaper at one impression.
Used only by PEMBERTON CHEMICAL CO.
Atlanta, Georgia.

▶ En 1887, John Pemberton déposa la marque Coca-Cola. Un brevet enregistré sous son seul nom ayant entraîné des années de controverse autour des droits de la boisson.

▲ Inventé vingt ans avant Coca-Cola par le Français Angelo Mariani, ce mélange de bordeaux et de cocaïne connaîtra un succès mondial qui va inspirer John Pemberton.

◀ Avant de perdre son alcool et de modifier son nom, Coca-Cola était un vin aux extraits de cocaïne. Un mélange aux vertus toniques dont John Pemberton ne dissimulait pas l'influence française.

▼ Dans cette publicité de 1898, le vin Mariani ne cache pas la présence de feuilles de coca dans sa recette. Contrairement aux affirmations de The Coca-Cola Company, Coke en contiendra jusqu'en 1903.

VIN MARIANI
à la Coca du Pérou
Le meilleur tonique et reconstituant

Coca-Cola, Fanta, Orangina… sont des marques déposées.

Un développement annonçant déjà la mondialisation. Le magazine nota notamment les difficultés rencontrées par la marque pour s'imposer en France.

— PATRON, UN COUP DE BLANC !

▲ Au début des années 1950, Coca-Cola incarna le danger culturel menaçant l'identité française. Une image qui, depuis, n'a jamais vraiment changé.

▲ Le retour de Coca-Cola en France en 1949 déclencha un mouvement d'opposition. Une vague orchestrée par des producteurs de vins redoutant la concurrence américaine.

LA POLITIQUE vue par SCHLOSS

L'OPIUM DU PEUPLE

▶ Le combat des viticulteurs obtint rapidement le soutien des communistes français. Coca-Cola devint le symbole de l'impérialisme américain et joua son avenir à l'Assemblée nationale.

En 1985, à la veille
de son centenaire, Coca-Cola
disparut au profit du New Coke.
Contraint par la pression des
consommateurs à faire machine
arrière, la Compagnie transforma
le flop du siècle en victoire
hautement marketing.
Sans jamais révéler les véritables
raisons de ce sacrilège.

"PLEASE DON'T CHANGE THE TASTE OF COKE"

I.
I have strolled into my share of fast food restaurants
And I've ordered up a burger, fries, and Coke
And I've heard the girl say, "Pepsi all right, Mister?"
And I've turned to leave each time them words are spoke

II.
Cause a Pepsi ain't a Coca-Cola, Honey
And an R.C. almost makes me want to choke
So I can't believe I read it in the paper
That some big shots want to change the taste of Coke

III.
I've been done in by a dozen dirty dealers
I've been beat up by the big boys on the block
I've been laid off by the foreman at the factory
But there ain't no rawer deal I've ever got

IV.
Than to have somebody try to change the one thing
That has seen me through each "God, what happens next?"
I can live without my sex and drugs and music
But without my Coke I'd be a total wreck

V.
I've been stepped on by each hero that I worship
Me and Ziggy and Miss Piggy, we're a joke
But no matter if the bomb goes off tomorrow
Well, at least until tonight I've had my Coke

VI.
Well, I know I'm just one man among a million
But I'll bet I speak for lots of other folks
Who'll bow their heads and whisper, "Nothin's sacred"
If somebody messes with the taste of Coke

CHORUS after Verse II.

Please Don't Change the Taste of Coke
Why you wanna fix it, it ain't broke?
Each time I taste the real thing
I want to teach the world to sing
Please Don't Change the Taste of Coke

REPEAT CHORUS after Verse IV.

CHORUS after Verse VI.

Please Don't Change the Taste of Coke
The thought of it's enough to make me croak
Each time I taste the real thing
I want to teach the world to sing
Please Don't Change the Taste of Coke

Please Don't Change the Taste of Coke
Why you wanna fix it, it ain't broke?
Each time I taste the real thing
I want to teach the world to sing
Please don't change the taste
No, don't change the taste
Please Don't Change the Taste of Coke

Pernod-Ricard vend la marque pour 5 milliards de francs

Coca-Cola va avaler Orangina

● Le groupe français de quinquez Pernod-Ricard cède la célèbre boisson à la pulpe d'orange au géant américain des boissons gazeuses pour près de 5 milliards de francs. La vente, qui doit encore faire l'objet d'un contrat définitif.

donnera à Pernod-Ricard les moyens de "renforcer son expansion internationale ● Créée en Algérie en 1936 par Léon Beton, Orangina à son siège social aux Milles près d'Aix-en-Provence et emploie 800 personnes en

France dont 300 dans la région. ● La petite bouteille ronde à relief des ventes de 1,8 milliard de francs en 1996.

En page 23 les articles de Michel-Philippe BARET et Jean-Luc CROZEL

Chaque jour des millions de gens cherchent à nous acheter et personne n'en fait toute une histoire.

▲ L'annonce de la cession d'Orangina à Coca-Cola fut, dans un premier temps, saluée par les médias français. Mais, rapidement, la transaction se transforma en enjeu politique pour le gouvernement Jospin.

▼ Les raisons politiques ayant entraîné le refus de Dominique Strauss-Kahn n'échappèrent pas au quotidien *Le Monde* en 1998. À terme, la confirmation, un an plus tard, de cette décision représenta un manque à gagner de deux milliards de francs pour les contribuables.

◄ En dernier recours, Orangina tenta de convaincre l'opinion publique de l'intérêt de cette cession. Sa campagne publicitaire constitua une timide réponse au raz de marée de lobbying mené par PepsiCo.

Le Monde

■ La Chin
à l'honneu
■ Théâtre
musique, a

86 – 7,50 F - 1,13 EURO   **SAMEDI 19 SEPTEMBRE 1998**   FONDATEUR : HUBERT BEUVE-MÉRY –

M. Strauss-Kahn dit non à Coca-Cola

● Le ministre de l'économie refuse la vente d'Orangina à la multinationale américaine
● Le gouvernement invoque le respect de la concurrence ● Cette décision est un gage donné
à la gauche plurielle ● A l'heure de la crise, les Etats s'affirment face au libre jeu du marché

LE MINISTÈRE de l'économie et des finances a annoncé, jeudi 17 septembre, son refus de la vente des activités françaises d'Orangina, filiale de Pernod-Ricard, à Coca-Cola. Selon le communiqué publié, dans la soirée, par Bercy, « *les discussions très approfondies avec la société Coca-Cola n'ont pas permis d'aboutir à des engagements suffisants pour prévenir les risques identifiés par le Conseil de la concurrence* ». Cette décision n'a donc pas été prise pour des raisons sociales - les salariés d'Orangina avaient obtenu de la firme d'Atlanta le maintien de l'emploi pendant deux ans. Invoquant le respect de la concurrence, elle est éminemment politique. Mardi 8 septembre, Bercy avait déjà refusé de céder le Crédit foncier à une filiale de General Motors dans les conditions exigées par les Américains.

Ce nouveau revers essuyé par une multinationale peut être perçu comme un gage donné par le gouvernement à sa majorité plu-

rielle et notamment à sa composante communiste. Plus fondamentalement, cette décision est à rapprocher du procès intenté par l'administration américaine à Mi-

crosoft et des multiples interventions du commissaire européen, Karel Van Miert. Face aux multinationales qui acquièrent des positions de monopoles mondiaux,

les Etats et les pouvoirs politiques usent de leur légitimité pour préserver les règles du marché.

Lire page 28

l'Humanité

Orangina ne sera pas racheté par la firme a

LA FRANCE
« NON »
À COCA

Le Conseil de la concurrence a donné hier un avis négatif au rachat de l'entreprise française par le géant US. Le gouvernement français a tranché dans ce sens. Le projet de Coca-Cola est rejeté au nom du refus des monopoles. **Page 4**

◀ Dépassant largement le cadre de la libre concurrence, le rejet du rachat d'Orangina par Coca-Cola peut être interprété comme un gage de Lionel Jospin à sa gauche. *L'Humanité* célèbra la victoire en retrouvant son ton de 1949.

▼ Malgré les concessions de dernière minute faites par Coca-Cola et les garanties de sauvegarde de l'emploi offertes aux employés d'Orangina, Coke subit un terrible échec en France Douglas Ivester, son président, en fut affaibli et démissionna quelque temps plus tard.

La Tribune

LE QUOTIDIEN ÉCONOMIQUE ET FINANCIER

Jeudi 25 novembre 1999   http://www.latribune.fr   N° 24.465 - 1.787 - 7 F - 1,07 €

LA TRIBUNE DES MARCHÉS

L'euro attaqué

L'euro en dollar

Coca-Cola perd la bataille pour le rachat d'Orangina

■ Suivant le Conseil de la concurrence, le ministre de l'Economie a interdit l'opération.

■ Pernod-Ricard se donne « le temps de la réflexion » pour réagir.

La monnaie unique est tombée à ses plus bas niveaux face à la livre et au yen. L'euro a également rechuté en dessous de 1,02 dollar, pour dériver jusqu'à 1,0155, à quelques fractions de son record de faiblesse de juillet dernier. La monnaie européenne accuse l'écart de vigueur entre l'économie américaine et celle du Vieux Continent. **Page IX**

■ La Bourse garde sa trajectoire

Christian Sautter a annoncé hier qu'il s'opposait à l'acquisition d'Orangina par Coca-Cola, estimant qu'elle fausserait la concurrence sur le marché français du soda. Cette décision prive Pernod-Ricard d'une cession de 4,7 milliards de francs et le contraint à réexaminer sa stratégie de redéploiement sur le marché des spiritueux. Les salariés d'Orangina s'inquiètent de leur sort.

ÉVÉNEMENT PAGES 3 ET 3
ET ÉDITORIAL PAGE II

Le groupe américain, présidé par Douglas Ivester, s'est dit hier « déçu » de la décision du gouvernement français.

27510. — M. p. désigner des boissons hygiéniques, déposée le 15 mai 1919, à 5 h., au greffe du tribunal de commerce de Bordeaux, par M. *Linton (Raymond-Aaron)*, 130, rue Notre-Dame, Bordeaux (N. B.).

▲ Le 15 mai 1919, Raymond Linton déposa à Bordeaux la marque Coca-Cola. Grâce aux efforts de cet Américain associé au français Georges Delcroix, la France devint l'un des premiers pays hors des États-Unis à commercialiser le soda d'Atlanta.

Coca-Cola

Coca-Cola

MARQUE DÉPOSÉE

BOISSON GAZEUSE,
DÉLICIEUSE
& RAFRAICHISSANTE.

G. DELCROIX
*Concessionnaire exclusif
pour la France & ses colonies*
r. La Quintinie, 35
(XVᵉ). — ☎ Ségur 18.27.

▲ Installé à Paris, Delcroix obtint la concession exclusive de la marque pour l'ensemble du territoire. Les ventes furent d'abord timides, même si Coca-Cola s'installa de préférence sur les lieux de villégiature des touristes américains.

▶ À la fin des années 1920, Coca-Cola réussit son implantation parisienne comme en témoigne cette livraison à proximité de la place des Invalides. Pourtant, aujourd'hui, Coca-Cola France affirme avoir entamé sa présence dans notre pays seulement en 1933.

◀ En 1923, Coca-Cola devint « la boisson du Sportman » et débuta, dans l'hexagone, le parrainage d'événements sportifs.

SEINE
BUVEZ
Coca-Cola

3759-RK 3

À partir de 1930, Coca-Cola fit de l'Europe un marché prioritaire. Et adapta ses publicités américaines aux différents marchés locaux, comme ici avec la France et l'Allemagne.

Sᵗᵉ Fˢᵉ ᴅᴇs **BREUVAGES NATURELS**

PROPRIÉTAIRE EN FRANCE DE LA MARQUE

Coca-Cola

CATALOGUE DE PUBLICITÉ

— PERMANENT —

N° 5

▲ Les congés payés et la modernisation de la société française permirent à Coca-Cola de conquérir

▲ Durant l'été 1939, Coca-Cola présenta une importante campagne sur les murs de Paris. L'enthousiasme de ces affiches publicitaires tranchait avec celles, voisines, de souscription aux bons d'armement.

▲ En 1940, Coca-Cola tenta de s'imposer comme choix patriotique en offrant des cartes postales en franchise militaire aux soldats. La même stratégie fut utilisée aux États-Unis et en Allemagne.

▲ La « légende » Coca-Cola avance que la firme a quitté la France en 1939.
Pourtant, en 1940, soucieuse de son développement dans l'hexagone,
la Compagnie éditait encore du matériel de formation pour ses vendeurs.

◀ En 1939, Coca-Cola Gmbh vendait plus de cent millions de bouteilles en Allemagne. Soucieuse de ne pas perdre pied avec la guerre, la Compagnie y commercialisa aussi Fanta en mai 1940. Dont la véritable histoire est le plus grand secret de Coca-Cola.

fanta erfrischt
Brauselimonade mit Fruchtgeschmack

▲ Dès 1933, l'implantation de Coca-Cola en Allemagne connut une très forte croissance. Devenu le deuxième marché de la Compagnie, Berlin accueillit les Jeux Olympiques de 1936. Un événement dont Coca-Cola fut l'un des principaux sponsors.

▲ Le plan de Coca-Cola englobait la totalité des pays occupés par les troupes d'Hitler. Après l'Italie et les Pays-Bas, Fanta apparut en Belgique. Où il devint Cappy afin d'éviter le ressentiment anti-allemand du peuple belge.

▲ Élaboré à Atlanta, Fanta est au départ un Coca-Cola sans 7X. Les ingrédients de la formule secrète étant impossibles à importer en temps de guerre, Fanta devint l'arme secrète de la Compagnie pour continuer à exister sous le IIIᵉ Reich

1598   BULLETIN OFFICIEL DE L

Cappy

323.367. — M. p. désigner une boisson gazeuse, déposée le 13 septembre 1941, à 9 heures, au greffe du tribunal de commerce de la Seine (n° 336.498), par la *Société Anonyme Française des Breuvages Naturels*, 13, rue Félix-Faure, Paris.

◀ En 1941, Cappy arriva à Paris. En moins d'une année, Coca-Cola parvint donc à commercialiser un nouveau produit sur l'ensemble de ses marchés européens. Alors que l'Amérique entrait en guerre, Coca-Cola poursuivit son expansion sur le Vieux Continent

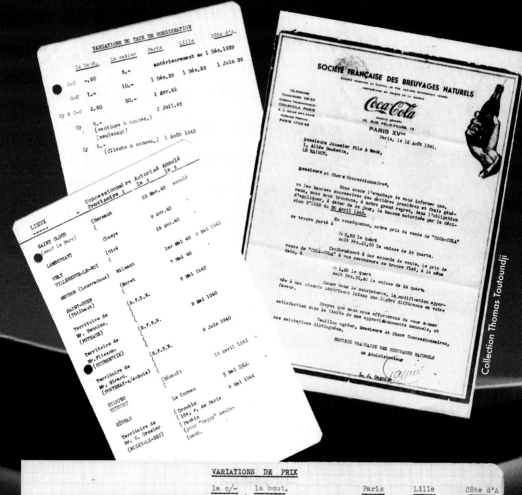

▲ Fanta-Cappy furent des armes élaborées à Atlanta en 1940 pour permettre à Coca-Cola de rester en Europe malgré la guerre. La boisson assurait non seulement la pérennité de la marque mais aussi des profits à ses embouteilleurs. La comptabilité de la filiale française démontre ainsi que Coca-Cola vendait ses sodas à prix réduits aux troupes d'occupation (T.O.) et continuait à signer des contrats un mois encore avant le débarquement en Normandie (C-C pour Coca-Cola, Cy pour Cappy).

► Sans la fidélité de Max Keith et son réseau au sein de l'appareil nazi, Coca-Cola aurait eu des difficultés à survivre en Europe. Keith, devenu administrateur des filiales confisquées par Hitler, assura l'approvisionnement en sucre et matières premières.

Cl. 69.

EAUX MINERALES ET GAZEUSES, LIMONADES, SIROPS

Coca-Cola

372.549. — M. p. dés. des boissons et des sirops pour la fabrication desdites boissons, dép. le 13 juin 1945, à 14 h. 30, au gr. du trib. de com. de la Seine (n° 50.118), par la Soc. *The Coca-Cola Company*, 101, West 10 th Street, Wilmington, Etat de Delaware (E. U. A.). (C. V.).

◄ Une fois le conflit terminé, à Paris comme dans le reste de l'Europe, Coca-Cola reprit le contrôle de ses filiales. Et ferma les anciennes structures pour effacer leur passé collaborationniste.

▲ Grâce au plan Fanta et à Keith, les structures de Coca-Cola étaient en ordre de marche dès la Libération. À Nice, l'arrivée des troupes coïncida avec celle du sirop nécessaire à la fabrication.

Coca-Cola mena donc
deux guerres. Une première qui,
à grand renfort de publicités,
accompagna l'effort militaire allié.
Une seconde, secrète, pour assurer
sa survie au sein du IIIᵉ Reich.

T'es le bienvenu, vieux frère … Have a Coca-Cola
(GREETINGS, OLD MAN)

…a way to show friendship to a French sailor

A visiting French sailor may not know English, but he is quick to know friendliness when he sees it. And he always sees it, the minute someone says *Have a Coke*. It's an invitation that speaks all languages. There's the good old home-town American spirit behind it … the same as when you serve Coke at home. Coca-Cola stands for *the pause that refreshes*, —has become a bond of sympathy between kindly-minded folks.

Une perm' a Paris … Have a Coca-Cola
(PARIS LEAVE)

…Yank friendliness comes to the Eiffel Tower

It's a natural impulse for a Yank soldier to share his home ways and home things with friendly foreigners abroad. The invitation *Have a Coke* is a symbol of his feeling of friendliness toward folks in Paris. It says *We're your allies* —we wish you well in a way as American as baseball or the corner drugstore at home. Wherever you hear a *Have a*

Coke you hear the voice of America … inviting you to enjoy *the pause that refreshes*, —a national custom now becoming an international symbol of good will as well.

* * *

Our fighting men meet up with Coca-Cola many places overseas, where it's bottled on the spot. Coca-Cola has been a globe-trotter "since way back when".

Tous les documents du cahier photos sont issus
de la Collection Guy et William Reymond
à l'exception de cinq documents
portant une mention particulière :
la couverture du *Time* (Collection particulière),
le document de la *Société française des breuvages
naturels* (Collection Thomas Toutoundji),
deux documents manuscrits (Archives de Paris)
et la photo prise à Nice en 1945
(Collection Maurice Préfol).

Dan venait-il de me livrer une explication de la naissance de Tab ? Woodruff avait-il, au lieu de décliner sa marque, opté pour un nouveau nom afin de contourner cet écueil ?

Quand j'exprimai cette option, mon interlocuteur sourit. Et me répondit en bottant en touche :

— L'avantage des autres produits de la gamme, c'est qu'il est en effet impossible de les faire entrer dans le cadre Candler.

Sprite, Fanta, Tab... Avec ces dénominations éloignées du nom initial devenu générique, les données étaient différentes et les contrats avec les embouteilleurs autrement plus avantageux puisque la direction pouvait fixer librement ses prix. Ces derniers, associés en exclusivité à Coca-Cola, et n'étant pas en mesure de faire jouer la concurrence, se seraient vus obligés de revenir sur les clauses ancestrales et de choisir l'ensemble de la gamme.

L'ancien cadre sombra à nouveau dans ses pensées. Comme si un puzzle se mettait en place à mesure que progressait notre conversation.

— Pour décrypter le fiasco de 1985, il faut comprendre Diet Coke.

Une fois la création de la boisson allégée planifiée, Goizueta avait décrété que ce soda ne rentrerait pas dans le cadre des contrats Candler, sous le prétexte qu'il ne s'agissait pas d'un Coca-Cola sans sucre mais bel et bien d'une recette à part, un mélange unique que la Compagnie facturerait au prix fort. À l'exception de quelques embouteilleurs ayant porté l'affaire devant les tribunaux [1], le réseau avait accepté la règle du jeu imposée.

— À Atlanta nous ne parlions plus que de ça : le Diet Coke nous avait rendus fou.

---

1. L'affaire se termina par un accord à l'amiable après que le magistrat ait obligé la Compagnie à rendre public les formules de Coca-Cola et de Diet Coke afin de les comparer.

La droiture de Dan me frappa. Jamais, dans son récit, il n'avait essayé de s'épargner.

En tout cas, le succès du Diet Coke avait pris la Compagnie par surprise. Alors que le plan initial prévoyait de mettre progressivement le soda en vente sur l'ensemble du territoire, en quelques semaines il avait fallu répondre à des ruptures de stocks imprévues. Les embouteilleurs augmentaient sans cesse leurs commandes, oubliant de se plaindre du prix modifié par la Compagnie. Cette réussite unissait donc les trois recettes évoquées par Dan pour accroître les profits. La boisson sans sucre représentait de larges volumes commercialisés au prix fort. Et le prix de revient du sirop serait encore plus faible une fois débarrassé de la licence Nutrasweet[1].

— Eh bien le New Coke, c'était cela. Un Diet Coke à la sauce Ben Johnson. Une source de profits gonflée aux stéroïdes.

Contrairement à une idée reçue et complaisamment colportée, le Coca-Cola original n'avait pas constitué le point de départ du New Coke. La merveille de Goizueta était un Diet Coke dont l'Aspartame avait été remplacé par le peu coûteux et très rentable HFCS.

— Du vent les études de marché, de l'esbroufe les enquêtes de consommateurs ! Le New Coke était un Coke pour Wall Street, la poule aux œufs d'or de Roberto.

Pour la première fois, je devinai une pointe d'amertume dans les propos de mon témoin. Sa démonstration était en tout cas imparable. Le New Coke, destiné à accroître les profits de la Compagnie et les dividendes de ses actionnaires, ce « hold up » constituait un coup de maître.

Fondé sur la recette de Diet Coke, il revenait moins cher à produire que le sirop original. Et permettait, surtout, à la

---

1. La Compagnie fut la première à commercialiser l'Aspartame, édulcorant intense utilisé dans le Coca-Cola. Au bout de dix ans, le brevet devenant public, Coke se passa d'elle, augmentant à nouveau les profits.

Compagnie, libérée du carcan imposé par Candler, de charger au maximum les embouteilleurs.

Soudain, je venais enfin de comprendre pourquoi Goizueta avait choisi de tuer Coca-Cola.

— Supprimer Coke permettait de garantir le succès de cette nouvelle formule magique auprès des embouteilleurs, c'est ça ?

Dan hocha légèrement la tête. Après un énième silence, il précisa :

— Nous ne pouvions pas leur laisser le choix. Il était évident qu'ils auraient continué à commander d'abord du sirop de Coca-Cola puis, seulement après, un panachage du reste !

En devenant l'unique proposition, le New Coke cumulait les volumes de ventes de son prédécesseur, supprimait toute concurrence chez les embouteilleurs et permettait à la Compagnie d'augmenter sa marge déjà diablement confortable[1].

— Pour tout dire, le New Coke était l'ultime machine à profits.

C'était donc dans la logique de cette vision-là que Goizueta avait accepté de sacrifier la formule de Pemberton. Le New Coke, au-delà de son goût, construisait la rampe de lancement dont Coca-Cola avait besoin pour devenir la plus puissante compagnie de la planète.

Et si le 11 juillet 1985 avait marqué l'échec de cette stratégie, il s'agissait seulement d'un incident de parcours. Le monde paraissait sans limites et Roberto Goizueta comptait en devenir le maître.

---

1. The Coca-Cola Company a toujours refusé de communiquer sur sa marge. La vente de Cola est une des activités les plus profitables au monde. Aussi, les analyses les plus modérées l'estiment à un solide 30 % du prix de vente.

47. Tache

Goizueta en faisait même une affaire personnelle. Parce qu'en plein maelström New Coke, Roger Enrico, patron de Pepsi, avait eu le tort de publier un livre où il revendiquait la victoire de la guerre des colas, le président de la Compagnie ne décolérait plus. Chiffres en main, la mauvaise foi de la firme de Purchase l'avait en outre estomaqué. Comment pouvait-on proférer autant de contre-vérités ? Comment pouvait-on, dans le même temps, rompre le code de bonne conduite laborieusement préservé et avancer avec autant de morgue ?

Certes, quelques mois après l'introduction du Classic Coke, Enrico avait eu le bon goût d'admettre son erreur dans la préface d'une seconde édition de son ouvrage, mais Goizueta n'avait toujours pas digéré le coup bas. Puisque Enrico avait osé remettre en cause son aptitude à diriger Coca-Cola, il allait le lui faire payer.

*

Déjà, la question américaine était réglée. Classic Coke avait écrasé le rêve d'une première place occupée par PepsiCo, et Enrico n'avait eu d'autre solution que d'ordonner la fin du

216

Challenge. Aussi, Atlanta visait plus large : assurer sa suprématie sur le monde, déjà bien installée.

La présidence de Jimmy Carter avait permis un rapprochement avec la Chine. Une aubaine pour la Compagnie, le président démocrate étant originaire de Géorgie et Coca-Cola ayant largement contribué à sa campagne, les portes de la Grande Muraille s'ouvrirent et, sur le plus gros marché du monde, Coke s'installa à la première place en reléguant Pepsi dans les profondeurs du classement.

Plus tard, en 1981, débuta la campagne des Philippines. Dans cet archipel où Pepsi talonnait Coke, Goizueta déclencha une offensive commerciale massive qui réduisit le cola de Purchase à la portion congrue : après la bataille, il se vendait deux fois moins que son adversaire triomphant.

La chute du mur de Berlin vit les deux camps s'empoigner pour dominer l'Europe de l'Est. Grâce à Richard Nixon, les anciens satellites soviétiques avaient toujours représenté un domaine réservé de Pepsi. Mais, à coups de milliards de dollars, Atlanta changea là encore la donne. Une mutation facilitée par le fait que, cette fois, c'est Coke qui apparut aux populations avides de changements comme le choix de la nouvelle génération. Pouvant se parer du manteau de la liberté et des valeurs généreuses de l'Amérique, Coca-Cola eut beau jeu d'écraser Pepsi-Cola perçu, malgré lui, comme le symbole de l'administration communiste honnie.

En solution de repli, pour tenter de conserver ses positions, Enrico s'accrocha à la Russie. Il est vrai qu'en 1994 sa firme contrôlait 60 % du marché, laissant un pauvre tiers au géant d'Atlanta. Coke pouvait être en constante progression, Purchase estimait son avance suffisamment solide. C'était oublier la force de frappe et le rouleau compresseur de l'adversaire : Goizueta investit en effet cinq cents millions de dollars dans la construction d'usines de conditionnement, s'associant aux nouveaux champions du capitalisme à la russe. Puis il demanda à Bill et Hilary Clinton, venus en voyage à

Moscou, d'inaugurer sa structure moscovite. L'effet fut immédiat. En 1996, Coke s'était emparé de la forteresse russe. Désormais, le soda d'Atlanta possédait les deux tiers du marché.

Le monde virait au rouge. Partout Coca-Cola, numéro un, abandonnait avec condescendance et sourires quelques miettes à Pepsi. L'action maison battait record sur record, les profits atteignaient des sommets. Saluant l'exploit de Goizueta, le magazine *Forbes* décerna même, en 1986, à Coca-Cola, le titre de plus puissante compagnie du monde.

Le triomphe avait donc de quoi paraître total. Pourtant Roberto Goizueta avait encore du mal à dormir. Malgré cette hégémonie, cette puissance, ces résultats incroyables, les nuits du président de la Compagnie étaient hantées par vingt-deux millions de consommateurs.

*

En 1940, Pepsi-Cola posait le pied au Venezuela. Un débarquement permis par Embotelladora Cisneros, entreprise désireuse d'adjoindre un cola américain à sa gamme menée par Hit, une boisson maison vendue à bas prix. La franchise Pepsi étant moins contraignante et plus abordable, les frères Cisneros, aidés par un redoutable réseau politique et une solide fortune, avaient fait le bonheur de Purchase. Mieux, ils avaient transformé le Venezuela en bastion de résistance. C'était le seul pays où Pepsi battait Coca-Cola. Par une victoire sans appel puisque, en 1995, les vingt-deux millions d'habitants accordaient au soda d'Enrico une part de marché de 70,4 %[1].

En somme, ce petit pays représentait l'unique tache bleue de la mappemonde des colas bien teintée de rouge. Une poche rebelle que Goizueta s'était juré de percer.

---

1. La part de marché de Coca-Cola était de 21,5 %, la différence tenant à Hit, l'autre boisson des frères Cisneros. Audits & Surveys Worldwide, Los Medios y Mercados de Latinoamerica, 1995.

48. Cygne

La ville sombrait doucement dans la nuit. Dans les rues de la capitale mexicaine, en ce mois d'août 1996, on étouffait. Pourtant, sur le tarmac de l'aéroport Benito Juarez, régnait une activité inhabituelle. Le pilote d'un Boeing 727 venait enfin de recevoir son plan de vol vers Caracas.

La phase active de l'opération Cygne débutait.

*

Tandis qu'à Mexico l'appareil décollait, Roberto Goizueta allumait un cigare. Pendant quelques secondes, le visage du président de la Compagnie disparut dans un nuage de fumée savoureux. Le Cubain sourit.

Son havane diffusait le goût du triomphe. Ce soir, enfin, il parviendrait à dormir en paix.

*

Le nom de code de cette *blitzkrieg* des sodas n'avait guère été compliqué à trouver. En espagnol, langue maternelle de Goizueta, cygne se disait *cisne*[1]. Soit les premières syllabes

1. En américain, le nom de l'opération était *Project Swan*.

du patronyme des frères contrôlant le marché des boissons du Venezuela, au plus grand bénéfice de PepsiCo.

Goizueta l'avait aussi approuvé parce qu'il en appréciait le cynisme. Après tout, si l'opération cygne se déroulait comme prévu, Roger Enrico n'aurait d'autre option que d'en entamer le chant.

*

Deux ans plus tôt, en 1994, Oswaldo Cisneros pensait à sa mort. Et aux mauvais clins d'œil du destin. Alors qu'il avait mis des années à édifier son empire, ses filles refusaient de poursuivre l'activité d'embouteillage ayant fait la fortune de la famille. Le millionnaire vénézuélien, récemment victime d'une alerte cardiaque, était donc inquiet. S'il disparaissait, son cousin Gustavo, homme de qualités méritant son rôle de dauphin, prendrait son siège, mais aurait-il les capacités pour tenir les rênes et assurer la pérennité du Groupe ?

À chaque moment où il avait une décision cruciale à prendre, Oswaldo Cisneros s'en ouvrait à son ami Roger Enrico. Hélas, cette fois, le patron de PepsiCo n'avait pas semblé l'entendre. Ou comprendre. Un autre jour, il avait tenté à nouveau sa chance en se montrant plus clair : Pepsi pourrait-il lui acheter sa société et mettre ainsi définitivement ses héritiers à l'abri ? Enrico rencontrant d'autres difficultés en Amérique latine avait fait la moue. Pour lui, le *statu quo* vénézuélien constituait une solution idéale et il refusait de voir Pepsi s'y lancer dans l'embouteillage. Certes, au nom de l'amitié et des services rendus, PepsiCo consentirait à un effort en acquérant 10 % d'Embotelladora Cisneros, mais pas plus.

Cette proposition resta lettre morte. Notant le manque de motivation de Pepsi, Cisneros échafauda un autre plan. L'été approchait et le Vénézuélien devait pousser les feux : il mandata une banque new-yorkaise pour mener à bien une mission exigeant la plus grande discrétion. Cisneros s'était résolu à proposer à Goizueta une opportunité qui ne se refusait pas.

*

Le premier contact, fugace, s'était bien déroulé. Entre expatriés, les points communs ne manquaient pas. Les Cisneros avaient quitté Cuba en 1928 sans jamais oublier l'île. Goizueta, lui, n'avait pu cicatriser la blessure d'un départ précipité par l'arrivée de Fidel Castro. Roberto et Oswaldo n'étaient donc séparés que par la couleur de l'étiquette d'un cola. Une différence aisée à gommer.

Goizueta avait choisi son second, Doug Ivester, pour conduire dans le secret la négociation. Celui-ci disposa de toutes les prérogatives nécessaires et, afin d'éviter la moindre fuite, eut l'autorisation d'agir sans information préalable des actionnaires principaux. Durant dix-huit mois le projet avança, l'essentiel des rencontres se déroulant dans un bungalow de Casa del Campo en République dominicaine. Sans oublier quelques rendez-vous précipités et fugitifs dans des hangars d'aéroports et des hôtels discrets.

Au début 1996, Enrico commença à trouver étrange le long silence de son ami Oswaldo. Et lorsque ses appels restèrent sans réponse, le patron de PepsiCo s'inquiéta réellement. Bientôt, de Caracas, lui remonta la rumeur, insensée pour lui, que les Cisneros discutaient avec Coke. Mais Gustavo se chargea de le rassurer. Roger fut cependant à moitié convaincu. Peut-être qu'il allait lui falloir, dans quelque temps, se pencher sur la situation au Venezuela.

*

Coca-Cola offrit un demi-milliard de dollars à la famille Cisneros. Ainsi que la création d'une nouvelle entité, la Coca-Cola y Hit de Venezuela, contrôlée par chaque camp à égalité. Mais, au-delà du deal financier, l'opération comportait un volet proche du commando : dans quelques heures, la Compagnie allait contrôler 98 % du marché des boissons non alcoolisées du Venezuela.

Les limousines roulaient en direction de l'avenue Nord. D'ici quelques minutes, ce 15 août 1996, au vingt-quatrième étage de la tour Coca-Cola, deux Cubains s'apprêtaient à écrire l'une des plus belles pages de l'histoire de la plus américaine des compagnies.

Quelques minutes plus tard, une fois les contrats paraphés, tandis que Goizueta tirait sur son Sancho Panza Sanchos, Doug Ivester ne laissa à personne le soin d'enclencher le lancement de la phase 2 de l'opération Cygne.

Coca-Cola allait prouver à tous pourquoi il méritait son titre de champion du monde.

*

En septembre 1996, William Mullenix débarqua à Caracas. Ce cadre de Purchase avait pour mission d'évaluer la situation vénézuélienne, trente jours après la signature de l'accord entre les Cisneros[1] et la Compagnie. Et l'envoyé de Pepsi n'en croyait pas ses yeux : « C'était incroyable... Cinquante années de présence publicitaire [...] avaient été littéralement recouvertes en moins d'un mois. Vous pouviez décoller la première couche et découvrir Pepsi en dessous[2]. »

L'ampleur de l'opération Cygne avait surpris au sein même de la Compagnie. À Atlanta, on n'en revenait pas de voir qu'en si peu de temps, Coca-Cola avait « pu renverser ce que Pepsi avait mis cinquante ans à construire[3] ».

---

1. En 2005, à la tête d'un véritable empire où l'embouteillage pour Coca-Cola figure en bonne place, Gustavo Cisneros mena l'opposition contre le président Hugo Chavez.
2. *New-York Times*, 18 décembre 1998.
3. Brent Willis, président de Coca-Cola Venezuela, *in New York Times*, 18 décembre 1998.

*

En fait, bien qu'il ait fallu quelques semaines pour parachever le succès, tout s'était joué en une nuit.

Au feu vert d'Ivester, Coke avait mis en branle un plan fou dont chaque détail avait été minutieusement étudié. En quelques heures, Atlanta voulait refaire l'histoire.

À Mexico, véritable base arrière, la Compagnie avait fait appel à d'anciens logisticiens de l'armée américaine dont certains experts en transport de troupes durant la première guerre du Golfe. À cinq heures de Caracas, ils devaient organiser un pont aérien vers le Venezuela, des avions transportant les bouteilles et capsules indispensables à l'embouteillage dans les dix-huit usines Pepsi venant subitement de tomber sous la coupe de Coke. Sans oublier les quantités phénoménales de concentré, Atlanta ayant décidé d'expédier en une nuit de quoi désaltérer une nation entière.

Sur le terrain, les employés de Cisneros furent d'une redoutable efficacité. Les distributeurs Pepsi se virent débranchés et chargés dans des camions. Les équipes de livraison rendirent sur-le-champ leurs uniformes aux couleurs de Purchase pour arborer celles de leur nouveau boss. Dans le même temps, d'autres mettaient la flotte des véhicules au ton du jour. Étant dans l'impossibilité de repeindre totalement les quatre mille camions, ils collèrent directement le logo de Coca-Cola sur celui de l'« imitateur ».

Le Venezuela s'était endormi sous le signe du bleu et se réveilla rouge écarlate.

*

En une nuit, Pepsi-Cola avait donc perdu le seul pays qui l'avait couronné roi[1]. Et à Atlanta, la Compagnie tenait sa

---

1. Deux ans plus tard, PepsiCo tenta un coûteux retour en s'associant avec Polar, autre embouteilleur local. Et même si Pepsi navigue désormais entre 15 et 20 % de parts de marché, le Venezuela est dorénavant solidement contrôlé par la Compagnie.

revanche. Une telle victoire devait se faire savoir. Aussi bien à Purchase qu'à Wall Street. D'abord, on publia les parts du marché vénézuélien pour le quatrième trimestre 1996, lesquelles prouvèrent que les chiffres de l'année précédente avaient été quasiment inversés[1]. Ensuite, profitant des colonnes du magazine de référence *Fortune*, Goizueta fit mordre la poussière à son adversaire : « On dirait que la société qui avait revendiqué une victoire dans la guerre des colas est en train d'agiter le drapeau blanc. [...] Pour Coca-Cola, il n'existe plus la moindre obligation de regarder dans leur direction[2]. »

Roger Enrico avait enfin réalisé une chose : Roberto Goizueta était ni plus ni moins un tueur. Pour lequel la guerre des colas n'avait représenté qu'une récréation. Désormais, Pepsi devait lutter pour sa survie. Et le prochain combat passait par Paris.

---

1. Quasiment, car Coca-Cola, afin d'éviter de se faire accuser de monopole, avait confié six de « ses » usines à une compagnie indépendante chargée de produire du Pepsi-Cola pendant trois semaines. En somme, le délai de grâce offert par le magnanime Goizueta au perdant.

2. *Fortune*, 28 octobre 1996.

49. Argile

Le cauchemar de Caracas était-il sur le point de se reproduire ? Thierry Jacquillat, directeur général de Pernod-Ricard SA, venait d'annoncer la signature d'une lettre d'intention accordant la cession d'Orangina à Coca-Cola. Ce 22 décembre 1997, la Compagnie gâchait encore le Noël de Purchase.

*

PepsiCo n'ignorait pas l'envie du groupe français de se séparer d'Orangina. Après avoir acquis la société à la famille Beton[1], Pernod-Ricard avait transformé la boisson à la pulpe

---

1. Invention du docteur espagnol Trigo, les droits de Naranjina avaient été achetés en 1936 par Léon Beton. Beton, installé à Boufarik en Algérie française, avait rebaptisé la boisson Orangina et organisé son développement. L'acquisition par Pernod-Ricard s'était déroulée dans des conditions particulières. À l'époque Orangina avait deux propriétaires : la famille Beton possédait les droits pour le marché francophone tandis qu'une holding basée au Liechtenstein contrôlait le reste du monde. C'est à cette dernière que Pernod-Ricard acheta, en 1980, Orangina. Face au refus de la famille Beton de céder ses parts, Pernod-Ricard choisit une autre stratégie. Produire et embouteiller Orangina hors de France, puis, via des distributeurs étrangers, inonder le marché hexagonal de bouteilles

d'orange en valeur sûre de son portefeuille. Acheté deux cent cinquante millions de francs en 1984, le soda avait offert à son nouveau propriétaire un retour sur investissement en trois ans.

Au milieu des années 1990, néanmoins, la donne avait changé. Le développement à l'étranger se trouvait freiné par l'absence d'un solide réseau d'embouteilleurs et, en France, où Orangina écoulait l'essentiel de ses cent quatre-vingt-huit millions de litres annuels, Pernod-Ricard plaçait ses priorités ailleurs. Notamment, à partir de 1996, dans un recentrage sur son métier d'origine, la vente d'alcool. Ce virage, imposé par une croissance stagnante et recommandé par la banque Morgan-Stanley, nécessitait des cessions d'actifs. Dont, selon les préconisations, la mise sur le marché d'Orangina pour avoir des liquidités en cas d'opportunités à saisir dans le domaine des vins et spiritueux.

Dès lors, le sort du soda était scellé. Au printemps 1997, Pernod-Ricard accorda à Morgan-Stanley un mandat de vente. Le prix de la transaction n'étant pas fixé, le message se révélait limpide : Orangina irait au plus offrant.

*

Purchase incarnait la solution naturelle. Depuis 1993, Orangina et Pepsi travaillaient de concert. En France, Pernod-Ricard distribuait Pepsi et le soda américain, profitant du réseau conséquent de l'entreprise française, était pour la première fois parvenu à doubler ses parts de marché. Certes, les chiffres restaient modestes puisque Coca-Cola occupait 75 % des ventes, mais au moins une expansion existait. D'ailleurs, dans les deux entreprises, certains cadres s'étaient prononcés pour un rapprochement plus serré entre les deux Groupes. Sur

___

à bas prix. L'Orangina de Beton étant moins attractif, il perdit des parts de marché.

le papier, l'idée paraissait évidente. Dans la corbeille, Pernod-Ricard apportait le réseau de distribution sur lequel Coca-Cola s'était appuyé durant quarante ans[1] quand PepsiCo, grâce à ses usines d'embouteillage disséminées dans le monde entier, ouvrait de vraies perspectives de développement à Orangina. Si le schéma séduisait Charles Bouaziz, président de la filiale française de PepsiCo, à Purchase, en revanche, on ne témoignait pas du même enthousiasme. Pire, Enrico ne croyait absolument pas au potentiel d'Orangina, l'amertume de cette boisson allant selon lui à l'opposé du goût des consommateurs. En outre, acheter Orangina c'était essayer d'escalader un autre Everest du Groupe concurrent, ascension qu'il ne désirait guère entamer, échaudé par ses récents déboires. Face à la bouteille ronde, il y avait en effet le mastodonte Fanta, propriété de Coca-Cola.

Pressé de ne rien faire, PepsiCo réclama quelques informations complémentaires à Morgan Stanley puis s'enferma dans le silence.

*

La réponse de Doug Ivester, elle, fut immédiate. Depuis que Roberto Goizueta était hospitalisé pour un cancer des poumons, conséquence d'une vie de fumeur, Ivester assurait l'intérim. Or il connaissait parfaitement le marché européen, Pernod-Ricard et Orangina.

Sa réponse était évidente. Une semaine après, Thierry Jacquillat reçut une lettre de confirmation de son homologue américain. Pour emporter la partie, Atlanta avait même sorti les grands moyens : la Compagnie déposait sur la table trois fois la valeur d'Orangina. Soit... cinq milliards de francs.

---

1. Pernod-Ricard avait été l'un des acteurs de l'implantation française de Coca-Cola. Mécontent des chiffres de vente de son représentant tricolore, Coca-Cola s'était séparé de son partenaire en 1990.

*

À ce pactole démesuré, Robert Enrico ne voyait aucune logique. Après tout, peut-être les cadres de la Compagnie étaient-ils encore sous le coup du décès de Goizueta[1] ? Rien ne justifiait à ses yeux un tel chiffre. À moins que Coca-Cola n'ait trouvé une autre raison. Et, dans ce cas, les options paraissaient limitées. Depuis Paris, Charles Bouaziz qui avait tiré le signal d'alarme devait avoir raison : si Coca-Cola voulait emporter Orangina même au prix fort, c'était pour bouter Pepsi hors de France[2].

Les blessures du projet Cygne ayant à peine eu le temps de cicatriser, la Compagnie repartait à l'attaque. Cette fois Purchase serait prêt à l'affrontement.

*

Bob Biggart, expert des questions internationales au service juridique de PepsiCo, attendait cette occasion depuis toujours. Longtemps, en vain, il avait tenté d'imposer sa vision à la direction : passer à l'offensive en Europe. Pas forcément sur les marchés où le soda était à la peine, mais plus radicalement devant les tribunaux. L'Union européenne disposait en effet de multiples lois qui, bien utilisées, pouvaient tourner à l'avantage de Purchase. Biggart pensait plus spécifiquement aux situations de monopole. Tandis qu'aux États-Unis les textes avantageaient les grands groupes – dès qu'il existait un concurrent, même de taille minime, les compagnies pouvaient croître –, en Europe la donne était tout autre. L'avocat avait en effet noté que si une société dépassait 50 % de parts de

---

1. Roberto Goizueta s'est éteint le 18 octobre 1997. Six semaines après la découverte de son cancer.

2. Cette théorie devint l'axe de défense de PepsiCo. Ainsi, Charles Bouaziz ne cessa d'affirmer que « Le prix proposé par Coca-Cola est celui de notre éviction du marché français. » *In Le Monde*, 28 août 1998.

marché, son évolution rencontrait d'innombrables législations complexes.

Dès lors, il se tenait prêt, accumulant les dossiers, collectionnant les arrêts et mémorisant les jurisprudences. Et là, à la veille de Noël, Enrico venait enfin de lui accorder les pleins pouvoirs pour faire trébucher la Compagnie.

50. Contrôle

À Atlanta, les nuages s'amoncelaient et annonçaient l'orage. Et pourtant tout avait débuté sous les meilleurs auspices.

Le 23 décembre, au lendemain de l'officialisation de l'offre de Coca-Cola, la France avait bien réagi. Dans la presse, les commentaires étaient même élogieux. Grâce à la puissance de la Compagnie, Orangina allait partir à la conquête du monde, entendait-on. Et Pernod-Ricard, enrichi par les milliards déversés, pourrait faire entendre sa voix sur le créneau disputé des spiritueux.

Certes la partie n'était pas encore gagnée mais le chemin semblait balisé. Chez Orangina, du reste, on préparait la transition. Sans surprise, Michel Fontanes, le président, assuma ce revirement : puisqu'il avait défendu un accord avec PepsiCo, il tira sa révérence et choisit de partir à la retraite[1]. Dans le même temps, les cadres maison multipliaient les allers-retours avec la Géorgie. Pour certains, découvrir les couloirs de la Compagnie s'apparentait à un choc culturel. « Ma visite à Atlanta me laissa un souvenir inoubliable, raconta l'un d'eux. Les portes capitonnées, le silence feutré,

_____

1. *In Coca Pepsi*, Pascal Galinier, Éditions Assouline, 1999.

les assistantes très sérieuses et moyenâgeuses, l'isolement par rapport aux autres, les costumes gris-noir, me faisaient penser à un gouvernement, une puissance qui n'existe pas sur le globe [1]. »

Comme il va de soi, Coca-Cola avait pris les précautions d'usage. Sa lettre d'intention évoquait l'ensemble des perspectives offertes à Orangina. Notamment un développement majeur à l'international et une augmentation considérable des ventes. En un an, la Compagnie assurait pouvoir quadrupler les volumes du soda. Afin d'aboutir à six cents millions de litres, Coca-Cola affirmait qu'il suffisait à la boisson française de s'emparer de 1 % du marché américain, tâche à son avis d'autant plus facile qu'elle bénéficierait de la force de frappe de la Compagnie.

Par ailleurs, quelques messages avaient été habilement transmis, en particulier à l'ambassadeur de France à Washington, signifiant que ce qui était bon pour la Compagnie l'était pour l'économie française [2].

Enfin, Doug Ivester avait pris soin de recruter Jean-Yves Naouri, un cadre de Publicis Conseils champion du lobbying, ex-collaborateur de Dominique Strauss-Kahn. Un moyen de se faire bien voir du ministre socialiste de l'Économie. La Compagnie comptait également sur ses bonnes relations avec Roland Dumas [3], président du Conseil constitutionnel, et Christian Pierret, secrétaire d'État à l'Industrie [4].

---

1. Correspondance entre Guy Reymond et un cadre d'Orangina. Collection de l'auteur.

2. Ce fut également le sens du seul entretien que Doug Ivester donna aux médias français. Dans une période sensible pour l'emploi, le patron de la Compagnie insistait sur le nombre de Français travaillant directement ou non pour Coca-Cola.

3. Le cabinet d'avocats du président du Conseil constitutionnel avait représenté la Compagnie dans plusieurs affaires. *In Coca Pepsi*, Pascal Galinier, Éditions Assouline, 1999.

4. Christian Pierret avait été directeur général, puis vice-président de la chaîne hôtelière Accor entre 1993-1996. Coca-Cola était le fournisseur exclusif de boissons sans alcool de la chaîne.

*

La situation était sous contrôle.

Et pourtant le printemps avait connu quelques journées grises. Le 7 mai 1997, Dominique Strauss-Kahn avait en effet saisi le Conseil de la concurrence.

Coca-Cola avait détaché ses cadres à Paris pour vérifier qu'il s'agissait juste d'un incident de parcours. Le dossier était solide, l'offre belle et Pernod-Ricard confiant. Ils repartirent rassérénés.

Tout allait bien se passer...

*

La rentrée fut cependant pourrie. Le 17 septembre, validant l'avis du Conseil de la concurrence, le ministre de l'Économie refusa le rachat.

À cause de Bercy, le géant d'Atlanta venait de toucher terre. Purchase respirait mais la Compagnie n'y croyait pas. La France lui offrait-elle ainsi un billet pour un voyage dans le temps ? Un retour vers la terrible année 1949 ?

51. Hégémonie

La Compagnie n'avait même pas entamé la commercialisa-tion de son sirop dans l'Hexagone que déjà la France était dans la rue[1].

Ce dimanche 4 janvier 1948, les comédiens et artistes défi-laient contre les accords Blum-Byrnes[2]. La Fédération natio-nale du spectacle souhaitait par ce biais accroître sa pression sur le gouvernement et sensibiliser l'opinion publique. La pro-fession craignait en effet de voir les écrans envahis par des films produits aux États-Unis. Au premier rang, entre la Madeleine et la République, le public put reconnaître Jean Becker, Simone Signoret ou Jean Marais[3]. Le ton était grave

---

1. L'essentiel des informations sur le retour de Coca-Cola en France au lendemain de la Seconde Guerre mondiale provient du manuscrit non publié de Guy Reymond : *L'Histoire de Coca-Cola en France, 1918-2005.*

2. Au printemps 1946, représentant le gouvernement, Léon Blum se rendit aux États-Unis afin de négocier un prêt destiné à permettre le redé-marrage de l'économie française. En contrepartie de fonds, de matières premières et d'outillage, le pouvoir américain obtint la libre circulation de ses produits, y compris culturels.

3. En juillet 1951, Jean Marais tiendra pourtant avec l'actrice Martine Carol le stand Coca-Cola à la *Kermesse aux étoiles*, une manifestation

et les banderoles annonçaient la mort certaine du cinéma français[1].

Au-delà de la menace culturelle, les manifestants mettaient en garde contre les risques d'une hégémonie américaine totale. Le symbole de ce nouveau danger était d'ailleurs peint sur une pancarte accrochée au pare-chocs du camion ouvrant le cortège.

Si Atlanta avait vu ces clichés, la Compagnie n'avait eu aucune peine à comprendre que l'inscription portée sur le morceau de bois parisien s'en prenait à Coca-Cola.

-----

dont les bénéfices allaient aux œuvres de la Division Leclerc, alias le 2ᵉ DB.

1. Une pancarte, écrite par le réalisateur Jean Delanoy, proclamait : « Le cinéma français vivra parce qu'il est libre. Libre d'esprit et libre de crever de faim ! mais libre. Spectateurs vous devez l'aider à se défendre ».

52. Espion

Robert Woodruff savait pertinemment que la conquête de l'Europe en ces années d'après-guerre serait particulièrement ardue. Et que la bataille de France serait sans doute la plus délicate. D'ailleurs, prévoyant mais quand même désireux de prendre le taureau par les cornes, ou plutôt le coq par la crête, il avait pris soin d'envoyer un homme fin connaisseur des particularismes de ce pays à jamais rebelle : Alexander Makinsky.

*

Né en Perse en 1900, élevé à Bakou par une nurse anglaise, Alexander Makinsky avait fui la Russie au lendemain de la révolution d'Octobre. Dans les années 1920, cet exilé impétueux avait rejoint l'importante communauté d'opposants russes installée à Paris[1]. Faisant son trou, quelques années plus tard, il s'était tourné vers la Fondation Rockefeller et spécialisé en lobbying politique. De quoi lui fournir l'occasion, déjà, de défendre les intérêts américains dans toute l'Europe. Ces années formatrices permirent en tout cas au

---

1. Environ 65 000 Russes blancs.

Russe blanc de se constituer un réseau unique dont allait, plus tard, profiter la Compagnie[1].

La débâcle française et l'invasion nazie l'obligèrent à partir aux États-Unis. Dès 1941, installé à New York et devenu vice-président adjoint de la Fondation Rockefeller, il se mit au service des services de renseignements militaires américains. Une activité qui s'intensifia dans la seconde partie du conflit.

Utilisant ses contacts avec les pouvoirs espagnol et portugais, il constitua une filière d'exfiltration de savants allemands. Et quand les troupes alliées gagnèrent du terrain en Europe, il plongea dans son solide carnet d'adresses constitué au sein de la fondation et participa à la récupération de scientifiques nazis[2]. La Seconde Guerre mondiale n'était pas achevée que, déjà, se dessinaient les prémices de la guerre froide.

Le conflit terminé, devenu américain, Makinsky souhaita exploiter son expérience de la diplomatie des entreprises privées. Et Coca-Cola fut la première société à louer les services de cet ancien espion.

*

Le 1er avril 1946, Alexander Makinsky rejoignit donc Atlanta.

---

1. De Franco au roi Farouk, Makinsky, spécialiste du protocole, se vantait de connaître personnellement l'exécutif d'une vingtaine de pays. Jusqu'à son décès en 1980, Coca-Cola utilisa les talents du « consultant ». Dans les années 1960, Makinsky avait parfaitement résumé la symbolique de Coke : « C'est du maccarthysme à l'envers. Le meilleur baromètre du rapport des États-Unis avec n'importe quel pays est la manière dont Coca-Cola est traité. »

2. À noter que le parcours d'Alexander Makinsky, de la Fondation Rockefeller à la récupération de scientifiques, est similaire à celui de Sir Jack Drummond. *In Dominici non coupable, les assassins retrouvés*, William Reymond, Flammarion, 1997.

Robert Woodruff appréciait d'ailleurs les qualités de sa recrue : la virulence de ses sentiments anticommunistes[1] l'avait rassuré. Et sa connaissance des arcanes du pouvoir intéressé. Dorénavant, le Russe blanc interpréterait le rôle de nouvel ambassadeur de la Compagnie en Europe. Dont la première mission passait par Paris.

*

Curieusement, le journal *France-Dimanche* consacra quelques lignes à l'arrivée de Makinsky sur le sol français. Outre un portrait anecdotique, l'article avait le mérite de décrire la future stratégie hexagonale de la Compagnie :

« Le trust Coca-Cola est décidé à conquérir le marché européen. Il a envoyé dans ce but, en Europe, un ambassadeur extraordinaire. Authentique prince du Caucase, devenu américain, le prince Makinsky représenta, durant de longues années, la fondation Rockefeller en France. Pendant la guerre, il fut chargé de l'évacuation, pour l'Amérique, des savants et intellectuels européens menacés. [...]

Il n'est pas venu en France pour vendre, mais pour dépenser. Les usines américaines Coca-Cola ne sont en effet pas capables de fournir actuellement le marché européen. Mais Coca-Cola est décidé à dépenser plusieurs millions de publicité pour, un jour, pouvoir abreuver l'Europe.

D'ici quinze ans, les maîtres de Coca-Cola prévoient une Europe libérale, sans contrôle des changes. Alors, s'ils le désirent, ils feront rentrer aux États-Unis des millions de dollars[2]. »

Avant de transformer le Vieux Continent en eldorado, Makinsky devait toutefois réussir en France.

---

1. L'épouse de Makinsky n'était guère enthousiaste à l'idée de venir s'installer à Paris. Elle craignait que « les communistes fassent sauter l'appartement ». *In For God, Country and Coca-Cola. Ibid*

2. *France-Dimanche*, 27 juillet 1947.

Coca-Cola, l'enquête interdite

*

Première étape, l'ouverture d'un « bureau d'études », avant-poste de la Compagnie à Paris[1], à quelques encablures du bar du Ritz où Makinsky entama une série d'entretiens de recrutement. Son objectif ? Sélectionner les entrepreneurs français susceptibles de devenir les embouteilleurs de Coca-Cola. Ses critères ? Non la capacité à investir, mais l'obligation de réunir des partenaires de confiance, politiquement proches du pouvoir et des valeurs de la Compagnie[2].

Ensuite, l'ex-espion se lança dans la partie la plus sensible de sa mission : trouver les moyens de faire cohabiter un Groupe américain avec les lois françaises, d'apprivoiser l'administration hexagonale et de consolider le tissu d'amis installés dans les hautes sphères du pouvoir favorables aux plans de la firme[3].

---

1. « Après la guerre, la Compagnie Coca-Cola ne fut pas autorisée à reprendre son exploitation en France. Aussi la Coca-Cola Export Corporation ouvrit à Paris, non pas une succursale mais un "Bureau d'études", situé 39, rue Cambon. C'était un lieu officieux. Coca-Cola à Paris n'existait pas. [...]. Makinsky avait son bureau à part. » Entretien avec Jacques Blanc, l'un des premiers Français à avoir travaillé avec Coca-Cola après guerre.

2. Le pionnier fut Jacques Foussier, président de la Société Pernod : « Il désire devenir concessionnaire-embouteilleur et présente toutes les qualités requises pour obtenir l'aval de la Compagnie. Afin de réunir les capitaux nécessaires à la construction de l'usine parisienne d'embouteillage, Jacques Foussier va s'associer avec Jacques Fabry. C'est le président-directeur général de la Société nouvelle des glacières de Paris, une importante entreprise chargée d'approvisionner journellement les bars et cafés de la capitale en pains de glace. MM. Foussier et Fabry deviendront les premiers embouteilleurs pour Paris et la région parisienne en créant la Société parisienne de boissons gazeuses ou SPBG. C'est ainsi qu'au début de 1949 commence dans le XVe arrondissement, rue Rouelle, la construction d'une immense usine, fonctionnelle et ultra moderne, qui en intrigue plus d'un. » *In L'Histoire de Coca-Cola en France, op. cit.*

3. « C'était un homme de grande taille, particulièrement versé dans les relations publiques. Assez inquiétant. Il arrivait à contacter les gens qu'il fallait. » Témoignage de Jacques Blanc.

Espion

*

Le 14 juillet approchait en ce lourd été 1949. Depuis bientôt un an, en coulisses, la Compagnie avait déclenché sa conquête de la France. Installé dans son bureau de la rue Cambon, Makinsky passait en revue ses souvenirs. Et se remémorait parfaitement un dîner dans son appartement new-yorkais au cours duquel, par jeu, il avait soumis sa carrière au sein de Coca-Cola au vote de ses amis. Depuis, en plaisantant, il aimait raconter que le seul qui avait déconseillé de franchir ce pas... c'était lui. Et qu'alors il avait « accepté le boulot[1] ».

Depuis, les choses avaient changé. Et la tâche promettait d'être compliquée. Mais après tout Woodruff ne l'avait-il pas engagé pour cela ? Et lui, l'ancien espion aux manières aristocratiques n'avait-il pas accepté parce que la facilité n'avait jamais été dans ses habitudes ?

Alexander Makinsky avait fui les bolcheviques, combattu les nazis et concurrencé les Soviétiques. À bien y penser, sa vie l'avait préparé à l'épreuve. Le Russe blanc ignorait toutefois qu'en débarquant à Paris, c'était au-dessus d'un volcan qu'il avait atterri.

---

1. *In Secret Formula, op. cit.*

53. Colonisation

« Peut-être prépare-t-on l'arrivée en grande pompe en France de la Coca-Cola[1], boisson stupéfiante et abrutissante ? »

La première salve que Makinsky redoutait depuis quelques mois venait d'être tirée.

« Pour la vente de nos jus de fruits, l'extension de Coca-Cola représente une concurrence dangereuse. »

Surprise, le coup de feu n'était pas parti de la gauche.

« Pour la vente de nos vins, l'extension de Coca-Cola représente une concurrence redoutable. À la boisson américaine

---

1. En 1949, trente ans après son arrivée sur notre sol, l'on hésitait encore sur le genre, masculin ou féminin, à donner à Coca-Cola. Dans son numéro de juin 1951, *Coca-Cola Overseas* en parle en ces termes : « Dernièrement la presse française écrivait avec humour comment le nom Coca-Cola avait été masculinisé par les Français. "Puisque whisky, vin, gin et vermouth sont tous masculins, disait un correspondant, il est normal qu'il en soit de même pour Coca-Cola". » Plus sérieusement, dans un rapport rédigé en 1951, Roy Stubbs, homme de loi chargé des intérêts de Coca-Cola à l'étranger, précisait au vu de notes rédigées en 1945 et 1946, que déjà avant guerre en France, en Belgique et en Suisse, le nom Coca-Cola était masculin du fait que le matériel publicitaire alors utilisé provenait en grande partie du Canada francophone, où son nom était masculin... » In *L'Histoire de Coca-Cola en France, op. cit.*

dite stimulante et rafraîchissante, opposons la boisson française vraiment stimulante et rafraîchissante. Le jus de raisin et le vin se complètent très heureusement sous la forme de jus de fruit devenu naturellement mousseux [...] un vina-viva cent pour cent français qui vaut tous les Coca-Cola du monde. Et le vin doit rester la boisson idéale[1] parce qu'il tient le juste milieu en réconfort sans intoxiquer[2]. »

*

Depuis le 4 avril, Alexander Makinsky s'attendait à des remous. Le processus avait été le même en Italie. En signant le traité de l'Atlantique Nord[3], les alliés s'étaient acquis l'appui des États-Unis en cas d'agression extérieure. Bien que l'URSS n'ait pas été ouvertement désignée sous ce vocable, il relevait du secret de polichinelle que la menace évoquée c'était elle. Dès lors, le Russe blanc avait deviné : dans des pays aux partis communistes forts, l'équation serait identique. L'armée américaine étant de retour, Coca-Cola apparaîtrait comme une cible.

---

1. Ce plaidoyer pour le vin et contre Coca-Cola peut aujourd'hui étonner. Mais, en réalité, il n'a pas complètement disparu. Durant l'été 2005, dans le cadre d'une conversation avec une enseignante de l'ouest de la France, je lui demandais si Coke était vendu en cafétéria. Après une réponse négative pour les enfants, je l'interrogeai sur le choix des boissons réservées aux professeurs au déjeuner. Sa réponse résonnait comme 1949 : « Nous avons le choix entre de l'eau, de la bière et du vin. Mais pas de Coca-Cola car ce n'est pas bon pour la santé. »

2. *In* « Le vin et Coca-Cola », L. Sablairolles, *La Journée vinicole*, 19 juillet 1949.

3. L'OTAN regroupait douze alliés dont la France, la Belgique, l'Italie et la Grande-Bretagne. Le SHAPE, quartier général des forces alliées en Europe, était basé à Louveciennes à une vingtaine de kilomètres de Paris. À ce titre, et jusqu'en 1967, six mille militaires américains et soixante mille civils répartis dans quatorze bases et quarante dépôts de matériel furent présents en France.

Mais alors qu'il guettait une réaction du PC et de ses alliés, l'assaut partit de Montpellier. Se sentant menacée par l'arrivée de Coca-Cola, c'est l'industrie vinicole qui montait la première au front. Et ce qui apparaissait seulement comme un cri d'alarme le 19 juillet, se transforma en appel à l'action quelques jours plus tard.

Gérard d'Eaubonne, secrétaire de la Chambre patronale des jus de fruits, profita à son tour des colonnes de la revue professionnelle *La Journée viticole* pour passer à l'offensive :

« Nous voulons envisager le problème sur un plan purement économique et mesurer les incidences de ses répercussions sur la consommation de nos produits nationaux à laquelle notre agriculture est directement intéressée. J'ai nommé le vin, la bière, les eaux gazeuses, les limonades, le cidre et les jus de fruits. [...] Un consommateur qui boit soixante litres de Coca-Cola, ne boira pas soixante litres de bière, de vin, de cidre et de jus de fruits. [...] Le vrai problème qui se pose est de savoir si l'introduction du Coca-Cola en France ne risque pas de compromettre l'écoulement de la vente du vin, du cidre, des limonades et des jus de fruits, qui sont, eux, des produits de notre sol et qu'on a le devoir de protéger parce qu'ils sont utiles à notre économie, en un mot, indispensables à l'équilibre de notre activité économique dans ce domaine [1]. »

Abattre la carte de la menace économique s'avérait redoutablement habile. Les études de marché effectuées par la Compagnie tendaient à prouver que Coke ne concurrençait en rien le vin ou la bière [2], mais l'argument de la sauvegarde de l'emploi frappait. Surtout en étant accompagnée d'une main tendue à la classe politique française. Gérard d'Eaubonne, décidé à obtenir un geste du gouvernement, concluait en effet

---

1. *In* « Coca-Cola et jus de fruits », *La Journée vinicole*, 29 juillet 1949.

2. « En France, Coca-Cola compte se tailler une clientèle entièrement nouvelle qu'elle trouvera surtout dans la jeunesse et les milieux sportifs », *in Paris Match*, 4 février 1950.

sa diatribe en demandant de « maintenir les avantages détenus par une classe importante de la société française et de la protéger efficacement par des moyens appropriés, que seuls les pouvoirs publics peuvent appliquer en toute objectivité[1] ».

Makinsky sut lire entre les lignes. Coca-Cola quittait désormais le monde de la concurrence inter-entreprises pour glisser dans un univers plus dangereux. L'avenir de la Compagnie en France se jouerait sur l'échiquier politique. Où Coca-Cola pouvait tout perdre.

*

Le mode d'emploi ne variait pas : l'homme politique montait uniquement au créneau lorsque l'opinion publique semblait mûre pour la cueillette. Dans le camp communiste, Coca-Cola était un objectif idéal. L'esprit de conquête de la Compagnie symbolisait à merveille, à ses yeux, l'impérialisme américain. De plus, la boisson étant quasiment inconnue, il était aisé de la résumer à un cheval de Troie coupable de tous les maux[2]. *In fine*, la bataille se jouerait donc dans les couloirs de l'Assemblée. Mais, auparavant, les Français devaient savoir. Les viticulteurs ayant été les premiers à désigner les périls économiques, la presse, essentiellement communiste, s'occupa du reste.

« Il n'est pas question de gagner des consommateurs, mais de convertir des impies. On ne fait pas du commerce mais du prosélytisme. »

Le mensuel *Constellation* ouvrit le bal et annonça rien moins que l'apocalypse.

« En Europe, la Belgique a fourni le premier champ d'expérience. La bière reculait, le vin, menacé de toutes parts, lâchait

---

1. In « Coca-Cola et jus de fruits », *La Journée vinicole*, 29 juillet 1949.

2. Y compris, selon la presse de gauche, celui du renseignement . « Le réseau de distribution automobile du Coca-Cola serait soigneusement tissé par secteurs géographiques et se doublerait en fait d'un réseau d'espionnage. » In *L'Histoire de Coca-Cola en France, op. cit.*

pied. La limonade, les jus de fruits, les eaux gazeuses amorçaient un premier décrochage. [...] En Italie, où Coca-Cola fut récemment introduit [...] le leader communiste Togliatti n'a pas craint de dénoncer le Coca-Cola comme un second plan Marshall. Quant à la France elle est cernée par des États coca-colisants. [...] Le Coca-Cola s'apprête à déferler sur nous. D'après les prévisions de l'envahisseur, la consommation, durant les deux premières années, serait paraît-il, de six bouteilles par habitant. [...] Le comte Makinsky estime que la lutte sera chaude. Mais Coca-Cola n'a jamais perdu une bataille. Les spécialistes américains prévoient que, bientôt, tout Français qui ne boira pas du Coca-Cola se sentira coupable. Les beaux vignobles de France pourriraient au soleil. Les sources thermales les plus réputées ne trouveraient plus de clients. Coca-Cola serait roi chez nous [1]. »

La seconde vague d'assaut envahit les pages de *L'Humanité*. Le 8 novembre 1949, l'« organe central du parti communiste » utilisa un néologisme évocateur en inventant l'expression « cocacolonisation ». Dans un article signé Pierre Hervé, le quotidien n'hésitait pas, en effet, à verser dans la politique-fiction. Alors que l'exploitation de Coca-Cola n'avait pas encore débuté, l'article prévenait : « Les allégements douaniers imposés par les Américains ont déjà de funestes conséquences. De toutes les régions vinicoles de France on nous informe que la vente se fait mal [2]. »

*

1. *Constellation*, le monde vu en français, octobre 1949.
2. L'article révèle également les progrès de Makinsky : « Des pourparlers entre la société Coca-Cola et le gouvernement français ont eu lieu. Des sociétés telles que Pernod, les Glacières de Paris, les Caves Lyonnaises, Cordial-Médoc ont conclu des contrats. » *In L'Humanité*, 8 novembre 1949.

Durant ce mois de novembre, la presse de gauche ne cessa de prêter à la Compagnie les plus sombres desseins[1]. Prudent et sur la défensive, Makinsky refusa d'entrer dans la polémique. D'abord parce qu'il était préoccupé des difficultés à obtenir l'autorisation de vente promise voilà plusieurs mois. Ensuite, parce que, sans en avoir estimé l'ampleur, la Compagnie avait anticipé l'adversité du PC. Mais au moment où atterrit sur son bureau un exemplaire du quotidien *Le Monde*, il sut que ses plans sombraient.

Le 23 novembre, sous le titre « Coca-Colonisation », négligeant sa modération coutumière, le journal s'en prit à son tour à la boisson d'Atlanta et nota : « Les conquérants qui ont tenté d'assimiler des peuples allogènes se sont en général attaqués à leurs langues, à leurs écoles, à leurs religions. Ils avaient tort. Le point vulnérable, c'est la boisson nationale. Le vin est la plus antique constante de la France. Il est antérieur à la religion et à la langue, il a survécu à tous les régimes. Il a fait l'unité de la nation[2]. »

*

1. Ainsi, le 11 novembre 1949, Jacques Naret, journaliste à *Regards*, écrivait : « Coca-Cola à nos frontières ! Coca-Cola prépare le jour J de son débarquement [...] Un mouvement de défense très net s'amorce déjà dans notre pays à l'annonce de cette invasion. Outre les doutes qu'on peut avoir sur l'innocuité du Coca-Cola, les organismes professionnels sont très inquiets de la fâcheuse répercussion que peut avoir sur les industries du vin, des alcools, des jus de fruits et des eaux minérales, un déluge de l'eau caramélisée chère à M. Truman. »

2. L'analogie dénonçant Coca-Cola comme un péril contre l'identité française est toujours d'actualité. Ainsi, le 11 février 2003, Roselyne Bachelot, ministre de la République, profita du débat sur la Chasse pour délimiter à sa manière le véritable enjeu : « La chasse participe pleinement à notre identité et aux spécificités de nos régions. À chaque fois que la chasse recule, le Coca-Cola avance ! » *In* http://www.environnement. gouv.fr/actua/com²0003/fevrier/11-discours-chasse.htm

À Atlanta, les remous parisiens faisaient grincer des dents. Différents messages envoyés à la filiale new-yorkaise chargée des opérations internationales attestaient de cette inquiétude : « (il est) extrêmement important de faire tout ce qui est humainement possible pour gagner la guerre qui se déroule à l'heure actuelle en France [1] », ordonna-t-on.

Or, de l'autre côté de l'Atlantique, le soulèvement devenait général. En plus d'avoir à convaincre les viticulteurs, contester la presse de gauche, modérer les intellectuels de droite inquiets de « la menace sur les valeurs morales françaises », c'était sur le terrain que le conflit rebondissait.

Une bouffée d'air survint pour Coca le 5 décembre 1949. Grâce au travail souterrain de Makinsky, la Compagnie obtint enfin l'autorisation de commercialiser son soda. Le même jour, deux camions jaune et rouge sillonnèrent les rues de la capitale [2] et affrontèrent avec rudesse la réalité : Coca-Cola était un produit presque inconnu de l'Hexagone. Adoptant les recettes de Candler des années 1890, les employés multiplièrent les dégustations gratuites. « Dans les années cinquante, on disait qu'il fallait être deux pour réussir à faire une dégustation de Coca-Cola : le premier pour tenir le gars, le

---

1. *In Secret Formula, op. cit.*

2. « Précédant de peu le père Noël, les deux premiers camions décorés du signe "Buvez Coca-Cola" démarrent de la rue Rouelle. Mission : faire connaître le produit au grand public. Consigne : "Prenez la Seine pour frontière et allez-y." Les vendeurs livreurs en uniforme, impeccablement cravatés, font sensation dans la capitale. Les deux camions alvéolaires deviennent trois puis quatre. Progressivement, ils seront une trentaine à sillonner les rues de Paris. Les véhicules sont équipés de petites glacières pour assurer une dégustation dans de bonnes conditions chez les clients, dans les magasins de détail et même à domicile, chez les particuliers. Dans le même temps, des glacières sont mises en place dans les cafés, très mal lotis en la matière, afin de permettre aux consommateurs de boire Coca-Cola à la température idéale. » Fiche historique éditée par le service Relations extérieures de Coca-Cola, 1980.

deuxième pour le faire boire ! L'Amérique n'avait pas très bonne presse[1] » admettra l'un de ces pionniers.

L'image n'est pas seulement humoristique[2] : à cette époque, les VRP de Coca-Cola affrontaient réellement une pression physique. Dans le Sud-Ouest en particulier, les camions aux étaient la cible d'attaques. Pire, des rixes naissaient et se multipliaient. « Il y a eu des problèmes avec des extrémistes, se souvint un démarcheur. Une fois que je faisais des dégustations, l'un d'eux m'a pris la bouteille et l'a jetée contre un mur[3]. »

Dans le Nord ou l'Est, c'était pire encore. « Faire des dégustations à Sidélor ou chez de Wendel, des sidérurgistes de l'Est, ce n'était pas de la tarte, raconta plus tard l'un de ces aventuriers. Alors, quand on faisait des dégustations à midi à la sortie du personnel et qu'on offrait une bouteille à chaque ouvrier qui sortait, on nous insultait, on jetait nos caisses, on nous traitait de tous les noms, on nous foutait dehors. Nous étions le "Beaujolais du Texas". Ils nous disaient : "Le Beaujolais du Texas, on n'en veut pas... Les Américains en Amérique... Nous, on boit Français, on boit du vin." On nous balançait presque les bouteilles sur la figure. [...] À l'époque il y avait le docteur Defrémont qui s'occupait de la sidérurgie et qui voulait éviter la consommation de l'alcool dans les usines. [...] Il a accepté de mettre des appareils automatiques

---

1. Témoignage d'André Lemane, un des premiers employés de la SPBG. *In L'Histoire de Coca-Cola en France, op. cit.*

2. « On a fait des dégustations pour faire apprécier le produit. Car Coca-Cola c'est un goût qui surprend. Coca-Cola c'est pas un goût, c'est plus une sensation de fraîcheur. Ce produit frais, au contact de la muqueuse, aux alentours de 4 degrés, ça se transforme en mousse, ce qui fait que vous avez tout l'estomac qui est tapissé par une mousse qui est légère. Buvez un verre d'eau glacé, vous le sentirez passer ! Toute l'eau descend par la pesanteur au bas de votre estomac, ça vous fait une congestion, ça vous réfrigère pas. Tandis que le Coca-Cola, oui. » Témoignage de Jacques Blanc, *in L'Histoire de Coca-Cola en France, op. cit.*

3. Témoignage de Jacques Blanc, *idem.*

dans les usines. Mais ça été très difficile. Au début, les premiers appareils automatiques disparaissaient dans les fonderies. Avec leurs chariots élévateurs, ils les balançaient dans les fonderies [...]. Il fallait s'accrocher [1]. »

Les passions étaient chauffées à blanc. Il suffisait de souffler une dernière fois sur les braises. La lutte contre Coca-Cola allait s'attiser dans les travées de l'Assemblée nationale.

---

1. Témoignage de Thomas Toutoundji. *In L'Histoire de Coca-Cola en France, op. cit.*

54. Cavalerie

Pour Atlanta, la France venait d'utiliser l'arme atomique.
Pour contrer Coca-Cola, le Palais-Bourbon avait sorti l'artille-
rie lourde. Et les alliances aussi bien contre nature qu'imprévues. Les élus communistes s'étaient en effet associés aux
députés MRP[1] du Gard et de l'Hérault pour déposer, le
14 décembre 1949, une proposition de loi visant à réglementer
l'utilisation des « produits d'origine végétale dans les boissons non alcoolisées en vue de protéger la santé publique ».
    Même si le projet ne désignait pas directement Coca-Cola,
l'union de la droite vinicole et de l'extrême gauche communiste voulait faire interdire Coca-Cola en France

*

La discussion de la proposition de loi Thibault et Boulet
étant décidée à la fin janvier 1950, la Compagnie disposait
d'une faible marge de manœuvre. Tous ses relais furent donc
mobilisés.

---

1 Mouvement républicain populaire, parti de droite, considéré alors
comme pro-américain.

Classiquement, l'ambassadeur américain en France adressa des remarques au président du Conseil Georges Bidault. David Bruce avertit le Premier ministre que « le gouvernement des États-Unis s'opposerait à une discrimination arbitraire contre tout produit américain[1] ».

Makinsky activa parallèlement ses réseaux MRP et RPF pour décrocher le rejet du texte. Le patron de Coca-Cola France pensait avoir érigé les barrages nécessaires quand, le 3 janvier, la commission des boissons de l'Assemblée nationale adopta une série de vœux présentés par deux députés communistes. Et, cette fois, les élus réclamaient que, le 28 février prochain, l'importation et la fabrication du Coca-Cola soient interdites en France.

*

L'action du Russe blanc ne suffirait pas, Atlanta dut envoyer la cavalerie. L'Hexagone constituant une pièce essentielle du plan de développement européen de la Compagnie, il convenait d'éteindre l'incendie d'urgence. Car, sans que le mouvement de grogne atteigne l'ampleur de la réaction française, partout les troupes de Coca-Cola s'étaient heurtées à des difficultés, heureusement peu à peu aplanies. Mais que Paris mette le feu aux poudres et tout risquait de s'embraser.

---

1. Cité *in New-York Times*, 28 février 1950. *Le Monde*, se faisant écho de la rencontre, écrivit : « Ainsi se trouve portée sur le plan diplomatique une affaire qui, l'an dernier déjà, occupait le conseil des ministres et qui, entre-temps, a été évoquée devant plusieurs commissions parlementaires. [...] Comme au surplus le président de la société américaine est M. James Farley, ancien président du parti démocrate de 1928 à 1940, et grand électeur du président Roosevelt, le State Department, nous assure-t-on, ne saurait se désintéresser des pourparlers en cours. » *In* « La société Coca-Cola pourra-t-elle librement développer ses ventes en France », *Le Monde*, 30 décembre 1949.

55. Dollars

Janvier était passé. Février avait été pire puisque le gouvernement, suivant le parlement, avait décidé un embargo sur le Coca-Cola. Ne disposant pas d'usine sur le sol hexagonal pour fabriquer son sirop, la Compagnie avait opté pour Casablanca, au Maroc. Mais, sans le moindre avertissement, la douane refusa les importations marocaines. Avant même que les députés se soient prononcés sur la demande d'interdiction, Coke risquait la pénurie.

De toute manière, poursuivre l'activité relevait de la mission impossible. Au total, pas moins de cinq ministères différents enquêtaient sur Coca-Cola. Makinsky avait même informé Atlanta que la Sûreté nationale plaçait certains cadres sous surveillance discrète. Le Russe blanc assurait aussi détenir des preuves que la ligne téléphonique du siège parisien se trouvait sur écoute et que son courrier était systématiquement épluché.

Les menaces physiques, elles, perduraient. Moins directes, plus sournoises puisque visant les familles des employés de Coca-Cola. Dans un mémorandum Makinsky révéla par exemple comment, sans la vigilance d'une directrice d'école, la fille d'Alfredo Schvab, président

251

français de la succursale de Coca-Cola Export, aurait été enlevée[1].

L'ancien espion, perdant pied, réclamait d'urgence des renforts. Atlanta entendit enfin son cri d'alarme.

*

Steve Ladas ne disposait pas pour seule vertu de posséder un diplôme de Harvard. L'avocat était surtout un fidèle

---

1. Schvab quitta la France pour Le Caire avant la fin de l'année 1950. Le mémorandum de Makinsky étant conservé dans les archives Coca-Cola, le refus de la Compagnie de m'autoriser l'accès ne m'a pas permis de le consulter et d'obtenir les détails permettant de vérifier l'histoire du rapt. Dans *Secret Formula*, Frederick Allen en fait toutefois écho. Il faut évoquer brièvement le parcours de Schvab afin de comprendre le réseau politique tissé en France par Coca-Cola : « Au moment où les Américains ont décidé de lancer Coca-Cola en Europe, ils ont fait appel à ses services en lui disant : "Vous êtes la personne la mieux placée pour ouvrir des concessions en France." Alors il est arrivé à Marseille vers 1948 et là, il a pu obtenir, je ne sais dans quelles circonstances, mais c'était grâce à des combines, que le préfet autorise la création d'une "Succursale en France de l'Export" [...] Schvab revient en France en tant que directeur général en 1956. Il fallait placer son ancien patron Alexander Pathy. Il lui a conseillé d'acheter la région de Lyon, Valence, les Savoies, pour qu'il monte une usine d'embouteillage. Il y a eu une convention avec la Compagnie qui a probablement dédommagé tous les distributeurs qui étaient là pour leur enlever le contrat et le donner à la nouvelle société, le groupe Pathy, dont j'avais trouvé le nom : la SICOL, pour Société Industrielle et Commerciale Lyonnaise. Je faisais partie, ès qualités, comme membre de la Compagnie, du comité de direction de l'affaire de Lyon. Je n'ai jamais vu un conseil d'administration comme cela. Il y avait un vice-président de l'Assemblée nationale car Schvab était un cousin de Michel Debré. Il y avait le chef de protocole italien, le marquis de Ferrare, un vice-président de la McCann-Erickson, la société américaine qui avait notre budget de publicité. [...] Il y avait aussi Napoléon Bullukian, l'ami intime de Gromyko, ils se rencontraient à Paris. Et le Président de conseil d'administration c'était François Durand de Grossouvre. [...] C'était un docteur. Il avait épousé la fille des sucres Berger, une entreprise assez importante de Lyon, et il avait des intérêts dans les soieries. J'ai mangé plus d'une centaine de fois avec Grossouvre. Je suis allé à son château

employé de la Compagnie[1]. Donc l'homme de la situation, le *missi dominici* désigné pour accomplir en France une mission des plus cruciales. Pope Brock, responsable du service juridique de Coca-Cola, s'était montré extrêmement précis quant aux moyens mis à sa disposition : « Il ne s'agit pas de la jouer petite main. C'est un combat décisif qui se déroule en Europe. » En somme, on lui signait un chèque en blanc. Brock avait bien insisté : Ladas pourrait dépenser tous les fonds nécessaires au « recrutement de nouveaux soldats ». Et de préciser : « Peut-être qu'il s'agira d'engager une demi-douzaine ou plus de scientifiques influents ? Ou peut-être que notre avocat devra s'associer avec un avocat de plus ? Ou trois autres ? Il sera peut-être envisagé de recruter un responsable politique pour qu'il effectue un travail légitime pour nous ? Un ou une demi-douzaine[2] ? »

Ladas avait saisi le message. Comme partout, dans son esprit, le dollar constituait la clé. Si Coca-Cola avait échoué par la politique officielle, peut-être la Compagnie parviendrait-elle à acheter le droit de désaltérer les gosiers français[3] ?

*

---

près de Nevers dans la Nièvre lui racheter quelques actions de Coca-Cola qui manquaient. De Grossouvre était un ami de Mitterrand. » Témoignage de Jacques Blanc, *op. cit.*

1. Si fidèle et consciencieux qu'il notait chaque jour les étapes de sa mission française. *In Secret Formula, op. cit.*

2. Mémorandum de Brock à Ladas, 15 février 1950, cité *in Secret Formula*.

3. Et là, la partie ne semblait pas gagnée d'avance : « En vérité il n'est nul besoin d'une édiction législative pour que le Coca-Cola disparaisse des comptoirs français. J'ai bu ce breuvage à Vichy. En le portant à la bouche, c'est une éruption gazeuse. Puis le soda se transforme en un vague bitter. Enfin, l'arrière-goût révèle je ne sais quelle odeur pharmaceutique qui suffit à dégoûter à jamais le palais le moins raffiné. [...] Le Coca-Cola n'est pas du tout au goût français et il ne s'implantera jamais en France. » *In L'Accueil*, 10 août 1950.

Coca-Cola, l'enquête interdite

Steve Ladas atterrit à Paris le 20 février 1950. Sa première visite eut lieu au siège du Parti radical socialiste. Au centre de l'échiquier politique, cette formation charnière représentait l'allié nécessaire de tout mouvement désireux de décrocher une majorité dans cette instable Chambre de la Quatrième République. En outre, ses représentants venaient essentiellement du Sud-Ouest, au cœur même de cette France du vin à l'esprit échauffé contre Coca-Cola.

Son contact sur place, resté anonyme dans les comptes-rendus rédigés, comprit vite l'objet de la rencontre. Sans trop de retenue, Ladas en vint rapidement au cœur du problème : que pouvait faire la Compagnie pour apaiser l'ire des viticulteurs ? Une question directe. Or son interlocuteur avait en tête une idée précise [1].

Le Français entra dans la négociation en la plaçant sur le terrain de la réciprocité économique. Il déplora en effet les lois protectionnistes américaines qui rendaient compliquées et onéreuses les exportations de vin vers les États-Unis. Peut-être, suggéra-t-il, Coca-Cola disposait-il de moyens pour arranger la situation ? Ladas n'hésita pas : il affirma que son employeur était disposé à investir cinquante mille dollars dans des actions de lobbying à Washington. Seul écueil, la démarche prendrait du temps. Or c'était ce qui faisait défaut à Coca-Cola.

Les autres interlocuteurs entrevus ici et là lui expliquèrent la même chose : pour apaiser la mauvaise humeur de l'Hexagone, obtenir l'ouverture du marché US s'imposait. Représentants politiques, scientifiques, syndicalistes de la Confédération générale de l'agriculture lui tinrent le même langage. Sans résultat probant sur ce point, personne ne serait prêt à se battre pour sauver Coca-Cola.

---

1. Dans son rapport à Coca-Cola, Ladas désigne son interlocuteur sous le nom de « Monsieur Rolland ».

56. Nocif

Les dollars de la Compagnie n'avaient donc servi à rien[1].

Seul point positif, le soutien de *Paris Match*. Sans que l'on puisse l'attribuer aux amitiés de Makinsky, l'hebdomadaire ne se montrait pas hostile à Coca-Cola. Ainsi, le 4 février 1950, sur cinq pages, dans « un souci d'information objective et sans aucune arrière-pensée publicitaire, [afin] d'éclairer pour ses lecteurs ce qu'on a appelé "le plus grand mystère commercial du siècle"[2] », *Paris Match* monta au front.

Déclinant un argument devenu, depuis, cher à la stratégie de défense de la Compagnie, l'hebdomadaire revint sur l'identité française de Coke : « La participation américaine sera très

---

1. « Le problème n'est pas l'argent mais le fait qu'il n'y a rien ou presque où l'argent puisse être utilisé. » Mémorandum de Ladas à Brock. *In Secret Formula.*

2. *Paris Match* n° 46, 4 février 1950. À noter toutefois qu'au sein de ce reportage plutôt positif, *Match* dressait un portrait particulier de la Compagnie. Une description rappelant celle faite plus de quarante-cinq ans après par un cadre d'Orangina de passage au siège d'Atlanta : « Les bureaux des dirigeants de Coca-Cola sont graves et froids comme ceux d'une société biblique. Leurs manières prennent l'onction autoritaire et bienveillante des ministres de la Providence. Ils commencent à avoir conscience d'une mission et ils ne sont plus éloignés de croire qu'ils représentent une nouvelle Église universelle. »

réduite. La mise en bouteilles et la distribution sont confiées à des sociétés indépendantes, dont la direction, les capitaux et le personnel sont exclusivement français. Tout le matériel sera français. Les bouteilles, les caisses, les capsules, les machines seront fabriquées en France par de la main-d'œuvre française avec des matières premières françaises. Le concentré lui-même, le "syrup", sera extrait pour sa quasi-totalité de produits français. Le sucre, qui en constitue l'élément principal, se formera dans les betteraves du Nord et non dans les cannes de Porto Rico. Le seul ingrédient qui viendra d'Amérique, et qui ne peut venir que d'Amérique, sera le 7X[1]. »

Ensuite, le magazine tenta de rassurer le futur consommateur en détaillant la composition d'une bouteille du breuvage d'Atlanta : « De l'eau et du sucre en parties sensiblement égales, il n'y a pas d'acide phosphorique (analyse récente de la Faculté de médecine), un peu de caféine (douze fois moins que dans une tasse de café), un soupçon de vanille et de caramel, des traces d'extrait de feuilles de cacao et de noix de cola. Le 7X n'entre dans la composition du Coca-Cola que pour une fraction minuscule : moins d'un litre pour 5 000 litres de concentré, qui fournissent 10 000 litres de boisson[2]. »

La réaction de certains lecteurs de *Paris Match* fut virulente. « Dans un article prétendument non publicitaire, écrivit l'un d'eux, [...], vous vous associez à la mainmise d'un "trust américain" qui espère vendre au moins quinze à vingt bouteilles de cette mixture affreuse par Français. [...] Vous prétendez cette mixture comme hygiénique alors qu'elle contient plus de caféine que le café traditionnel. Ce produit est dangereux pour les sportifs et les jeunes[3]. »

---

1. *Idem.*
2. *Idem.*
3. *Paris Match* publia également un témoignage plus positif : « Je suis presque honteuse d'être française. Où le chauvinisme va-t-il se nicher ? *La* Coca-Cola ne peut faire aucune concurrence au vin. Il n'y a aucun rapport entre les deux. L'un et l'autre sont bien agréables. [...] L'un de

Nocif

*

Mais ce n'était plus dans les colonnes de la presse que se jouait le sort du soda. Le 28 février, Paul Boulet, député-maire de Montpellier et porte-parole des viticulteurs de l'Hérault, défendit en effet devant l'Assemblée la proposition de loi voulant interdire Coca-Cola [1].

Or, alerté par ses représentants parisiens, Atlanta redoutait l'adoption du texte. En plus de l'alliance de circonstance entre les élus du PC et ceux des régions vinicoles, Makinsky avait expliqué craindre le désistement de membres du MRP. Le parti centriste, celui-là même du Premier ministre, étant accusé par l'ensemble de la gauche d'être trop proche des États-Unis, pouvait se saisir du dossier pour afficher son indépendance de façade... sur le dos de Coca-Cola. Une occasion rêvée, pour Georges Bidault, de s'offrir à moindre frais un brevet d'anti-américanisme.

*

Dans un préambule, Paul Boulet avait défini le cadre de sa proposition de loi en ces termes :

« Aujourd'hui, nous entendons faire adopter un texte permettant d'interdire toute invasion de notre pays par des boissons importées [...] qui, parce qu'elles se présenteraient comme des boissons non alcooliques à un public insuffisamment averti, seraient dangereuses pour la santé publique. »

Si Boulet ne cita pas Coca-Cola, les débats levèrent rapidement l'ambiguïté. Ainsi Jean Llante, député communiste, sonna-t-il la charge sans langue de bois :

---

mes fils, atteint d'une intoxication intestinale, fut soigné par un docteur au bouillon de légumes et à *la* Coca-Cola. Il fut vite rétabli. »

1. « Emploi de certains produits végétaux dans les boissons non alcooliques. Discussion d'une proposition de loi », 2e séance de l'Assemblée nationale présidée par M. Édouard Herriot.

« Je ne comprends pas pourquoi M. le ministre n'accepte pas qu'on lui donne une arme pour lutter contre une boisson nocive, tempêta-t-il. M. le ministre, sur les Grands Boulevards de Paris, on vend une boisson qui s'appelle Coca-Cola. Ce qui est grave, c'est que vous le sachiez et que vous ne fassiez rien. Cette question n'est pas simplement une question économique, ni simplement une question sanitaire, mais aussi une question politique. Il faut savoir si, pour une question politique, vous allez permettre qu'on empoisonne les Français et les Françaises. Nous maintenons donc l'amendement avec le mot "Coca-Cola"[1]. »

Pris entre deux feux, le ministre de la Santé publique, Pierre Schneiter, tenta de faire entendre la voix de la raison.

« Aucun ministre de la République n'aura le pouvoir d'orienter la soif des Français vers telle boisson et telle boisson seulement. »

Une manière de ménager la chèvre et le chou puisque, par ailleurs, à la grande stupéfaction de Makinsky, jamais il ne s'opposa non plus franchement à la loi.

Après quatre heures de débats houleux, François Grenier, pour le groupe communiste, prit une dernière fois la parole afin de justifier le vote à venir.

« Nous avons vu successivement le cinéma français attaqué, le livre français attaqué. Nous avons assisté à la lutte contre l'industrie du tracteur. Nous avons vu toute une série de secteurs de notre production, industriel, agricole ou artistique, successivement attaqués, sans que les pouvoirs publics les aient défendus. C'est la première raison de notre obstination. Un autre argument [...] est que la société en cause dispose en France d'un budget de publicité d'un milliard de francs. Or, nous avons pu mesurer les ravages que cette publicité a occasionnés en Belgique et au Luxembourg. Notre dernier argument est qu'une série d'intérêts français sont menacés,

---

1. L'attaque de Llante déclencha dans les travées des cris de réprobation tels que : « Je demande qu'on interdise aussi le pastis » et « Si c'était de la cola-vodka, vous seriez heureux de cette publicité ! »

concernant le vin, la bière, les eaux minérales, les limonades, le cidre, les jus de fruits, l'ensemble même des boissons françaises. Nous sommes, par ailleurs, convaincus que la boisson dont il s'agit est nocive. [...] Lorsque la loi sera en vigueur, nous verrons ce que le gouvernement fera pour empêcher l'invasion d'un produit nocif et dangereux pour une série de productions françaises qui ont besoin d'être défendues. »

*

Il était près de vingt heures, le 28 février 1950, quand le verdict tomba : les députés français s'étaient prononcés. Et à la majorité ils avaient voté l'interdiction du Coca-Cola. Pour la première fois de leur histoire, les hommes de la Compagnie n'avaient rien empêché. Et ne savaient que faire.

57. Boycott

L'architecte avait une idée. Après avoir construit la victoire présidentielle de Franklin Delano Roosevelt en 1932, puis assumé la présidence du puissant Parti démocrate, Jim Farley avait rejoint la Compagnie en 1940[1]. Depuis, il jouait les ambassadeurs de la marque, passant l'essentiel de son temps hors des États-Unis. Ne convenait-il pas de recourir à ses services ? Puisque, comme l'avait noté le *New York Times*, la France punissait l'Amérique à travers Coca-Cola, il fallait un homme d'envergure pour répondre à l'affront. Et Farley ne laissa à personne le soin de tirer la première salve.

*

Le 1er mars, invité principal de l'émission la plus populaire du moment sur CBS, une bouteille de Coca à la main, l'architecte lança sa contre-offensive.

---

1. Farley s'était opposé à l'idée que FDR brigue un troisième mandat alors qu'une présidence américaine se limite à deux. La victoire de Roosevelt avait correspondu au départ de Farley pour la branche Export de Coca-Cola.

« Le Coca-Cola n'a pas été néfaste à la santé des soldats américains qui ont libéré la France des nazis pour que les députés communistes puissent maintenant siéger au Parlement[1] », tonna-t-il.

Les répercussions de son coup d'éclat furent colossales. Quelques heures après, l'Amérique entière se scandalisait de l'affront fait à Coke. Et, à travers lui, aux États-Unis.

Le plan de Farley marchait à merveille. Et, quelques jours plus tard, le *New-Yorker* consacra son éditorial au sujet : « La France se trouve à l'égard des États-Unis devant l'obligation solennelle de se garder de toute mesure qui nous révélerait qu'elle est oublieuse des sacrifices incommensurables et de la générosité de l'Amérique ; c'est une question d'honneur et de reconnaissance envers le fait que nous avons sauvé son indépendance au cours de deux guerres terribles, et dispensé tant de nos richesses américaines dans son intérêt en temps de paix[2]. »

*

Galvanisé par les médias, le peuple américain voulait quasiment prendre les armes. En tout cas saisir la plus redoutable en période de paix, celle du boycott.

Le 14 mars, l'ambassade de France dut réagir. En l'espace de quelques jours, les ventes de produits français, à commencer par les alcools, avaient fortement chuté. Le 16, Henri Bonnet, notre représentant à Washington, reçut discrètement Jim Farley. La peur avait changé de camp : Paris baissa d'un ton et chercha à savoir ce qui satisferait la Compagnie et, par là même, apaiserait la colère américaine. Un timing idéal dans la mesure où la proposition de loi votée en février devait venir devant le Conseil de la République[3] le 6 juin suivant.

---

1. Cité *in The New York Times*, 2 mars 1950.
2. *The New Yorker*, 6 décembre 1950.
3. L'équivalent, sous la IVᵉ République, du Sénat.

Coca-Cola, l'enquête interdite

La date se révélait on ne peut plus symbolique. Comme l'avait dit Jim Farley, ce serait l'occasion pour les élus de se souvenir que des jeunes Américains étaient venus mourir sur les plages de Normandie.

*

À l'unanimité, les sénateurs revinrent à la raison. Le sénateur Luc Hamon invoqua même « la sagesse », plaida la nécessité de « s'en remettre au gosier des Français » et jugea « préférable de réserver pour des choses plus graves notre énergie[1] ».

De son côté, en deuxième lecture, l'Assemblée nationale donna les armes nécessaires au gouvernement pour décider, ou pas, de l'interdiction de Coca-Cola. Et des viticulteurs aux communistes[2], passée l'excitation initiale, on avait envie de s'occuper d'autre chose. Plus personne n'y croyait.

Aussi, en 1951, le ministère de l'Agriculture déclara Coke, qui n'avait jamais cessé de se vendre, conforme à la loi française. Et en avril 1952, *L'Information syndicale vinicole*, les yeux pétillants de dollars tournés vers l'immense marché américain, se mit à vanter les mérites de la boisson d'Atlanta[3].

Libérés des embûches politiques, Makinsky et ses troupes pouvaient maintenant se lancer dans leur vrai métier : s'attaquer au marché français[4].

---

1. *Journal officiel*, débats, Conseil de la République, 6 juin 1950.
2. À noter, ironie de l'histoire, que, dans les années 1980, Coca-Cola fut un des sponsors de la Fête de *L'Humanité*.
3. « La réussite de cette boisson "mise en bouteille selon les règles les plus strictes de l'hygiène et avec les soins les plus minutieusement contrôlés" devrait servir d'exemple. » In *L'Histoire de Coca-Cola en France, op. cit.*
4. En 1953, l'IFOP réalisait un sondage pour le mensuel *Réalités*. À la question « Aimez-vous le Coca-Cola ? », les Français interrogés avaient répondu : Beaucoup : 5 %, Assez : 12 %, Pas du tout : 61 %, Sans réponse : 22 %. *In Réalités*, août 1953, numéro spécial, « L'Amérique vue par les Français ».

*

Coke connaissait les dessous de cet épisode qui avait failli virer au cauchemar. Les noms, rôles et actes de Makinsky, Farley, Boulet, Ladas, Bidault et les autres figuraient dans les dossiers rouges de Ben Oehlert. Ceux-là même que Dan, le cadre retraité, avait pu apercevoir à l'époque où il travaillait pour le Groupe. Le problème français n'était donc pas nouveau.

Mais, à la veille de la décision finale du ministre de l'Économie quant à la vente d'Orangina, la Compagnie, rongée par l'arrogance, avait refusé de faire l'effort de se souvenir.

58. Revanche

La Compagnie ne pouvait pas perdre.

Pourtant, déjà, il avait été nécessaire de rebondir. Après le rejet par Dominique Strauss-Kahn et un recours repoussé par le Conseil d'État[1], Coca-Cola s'était vu contraint d'ajuster son offre. Et, pour la première fois de son histoire, s'était avancé sur le terrain de l'emploi, négociant un plan approuvé par les syndicats d'Orangina. En outre, comme le Conseil de la Concurrence avait épinglé le risque d'une disparition de Pepsi-Cola du hors-domicile, Atlanta avait cédé et fait preuve de mansuétude en accordant dix ans à Purchase pour trouver un nouveau partenaire[2]. Enfin, il y avait l'argent. L'offre géorgienne s'élevait désormais à 4,7 milliards : une entreprise française avait-elle jamais été désiré à un tel niveau ?

---

1. Durant l'automne 1998, Coke avait saisi le Conseil d'État pour excès de pouvoir du ministre de l'Économie. Le 9 avril suivant, l'organisme avait rejeté le recours. La démarche offensive de la Compagnie avait définitivement refroidi ses relations avec le service de Dominique Strauss-Kahn.

2. Sur le hors-domicile, Coca-Cola occupait, en 1998, 89 % du secteur. Pepsi, avec 2,4 %, se trouvait en troisième position après Canderburry Schweppes. Sur le secteur, Pepsi était maintenu en vie grâce à son accord avec Orangina qui s'occupait de sa distribution.

Revanche

*

La Compagnie ne pouvait pas perdre.

D'autant que le sort et le sport intervenaient en sa faveur. La Coupe du monde de football allait réveiller la France, et Coke en était le sponsor principal. Les Bleus d'Aimé Jacquet remportaient la finale et Doug Ivester se trouvait au Stade de France. Sur les Champs-Élysées, le champagne coula à flots mais c'est Coca-Cola qui était partout. Ivester, sans même songer à passer par le bureau de Dominique Strauss-Kahn pour d'ultimes civilités, rentra donc à Atlanta. Là, il put rassurer ses actionnaires : la défaite relevait de l'impossible.

Mais impossible n'était pas français.

*

La Compagnie avait perdu.

Tout l'été, Charles Bouaziz, le président de PepsiCo, avait martelé qu'il existait « pour les équipes d'Orangina, un autre avenir que Coca-Cola ou le chaos[1] ». Personne n'avait précisé lequel, mais, depuis bien des jours, le sort d'Orangina n'occupait plus les débats. L'opinion avait goûté à d'autres sujets.

Le 24 novembre 1999, se rangeant au second avis négatif du conseil de la Concurrence, le ministre de l'Économie classa définitivement l'offre de rachat d'Orangina.

*

La Compagnie avait perdu.

Et, en terre de France, là où il existait à peine, Pepsi-Cola décrochait enfin sa revanche.

---

1. *In Le Monde*, 28 août 1998.

59. Monstre

La guerre des colas maniait l'illusion. Alors que les commentateurs expliquaient que l'affaire Orangina se jouait à Bercy, son premier acte s'était en fait déroulé à Purchase. Avec Bob Biggart à la manœuvre.

Une fois obtenu le feu vert d'Enrico, il avait puisé dans les informations réunies depuis une dizaine d'années sur « l'ennemi ». Le sort de la boisson à la pulpe d'orange ne l'intéressait en rien, l'avocat voulait simplement prouver que Coke était un monstre. Un monstre ne désirant qu'une chose : détruire Pepsi.

*

Pièces et documents à l'appui, Biggart s'échina à prouver ce que craignaient justement les Français : un monopole conduisant à l'hégémonie donc à la fin d'une indépendance. Biggart démontra ainsi, à coups de chiffres et tableaux, qu'en Europe la Compagnie renforçait chaque année sa position dominante et n'hésitait pas à utiliser cette prépondérance pour étouffer la concurrence. L'exemple le plus récent, et le mieux documenté, venait à ses yeux d'Italie.

Comme en France, l'émergence de la boisson après la guerre y avait été handicapée par l'opposition communiste. Une fois cet écueil contourné, plus rien n'avait ralenti la progression de Coke. Habitués à l'eau pétillante, les gosiers italiens s'étaient massivement précipités vers Coca-Cola. Et, de l'autre côté des Alpes, Pepsi s'était vu condamné à de la figuration ridicule.

Pourtant, les 80 % du marché détenus par Atlanta ne semblaient pas suffire au Groupe. En 1990, lors de la Coupe du Monde qui se déroulait dans la Péninsule, les troupes transalpines de la Compagnie passèrent à l'offensive : afin de développer la consommation, on multiplia les points de vente. Avec un franc succès. Jusqu'à ce que les autorités italiennes découvrent l'envers du décor : des membres de Coke avaient eu recours à la corruption, certains commerciaux ayant rémunéré des grossistes et des revendeurs pour qu'ils préfèrent leur soda au Pepsi[1].

L'enquête des autorités italiennes dura dix-huit mois. Bob Biggart, sans que l'on sache comment, était parvenu à mettre la main sur un document sensible de première importance. Dans ce mémorandum interne portant le logo de Coca-Cola Italie, l'un des cadres maison, en s'adressant au président de la filiale, promettait « l'élimination de Pepsi du marché italien avant le début du XXIe siècle[2] ».

Ce document, Biggart avait trouvé le moyen d'en faire parvenir une copie au conseil de la Concurrence. Selon Constance Hays, journaliste au *New York Times*, le dossier à charge de Pepsi aurait même été remis à Dominique Strauss-Kahn, le ministre de l'Économie[3]. De quoi influencer sa décision ?

---

1. Le 17 décembre 1999, la Compagnie fut condamnée par l'organisme italien en charge de la concurrence à payer une amende de 16 millions de dollars. *In Financial Times*, 18 décembre 1999. L'appel de Coke fut rejeté le 30 octobre 2000.
2. *In The Real Thing, op. cit.*
3. *Idem.*

Coca-Cola, l'enquête interdite

*

Paris n'était qu'une étape.

Biggart n'ignorait pas que les autorités européennes enquêtaient déjà sur les pratiques commerciales de Coca-Cola[1]. Aussi escomptait-il quelques pressions sur Bercy. Le dossier qu'il avait rassemblé fut envoyé aux relais de Pepsi en Belgique et parallèlement transmis à Karel Van Miert. Si ce commissaire européen à la concurrence n'aimait pas trop la France[2], il appréciait encore moins les habitudes monopolistiques de la Compagnie[3]. Autant d'atouts pour devenir, malgré lui, un allié précieux de l'assaut lancé par Biggart[4].

Purchase avait bouclé la première phase de sa campagne. Maintenant Pepsi devait manœuvrer une autre pièce majeure du puzzle français.

---

1. De 1999 à 2004, l'autorité européenne enquêta sur la politique commerciale de la Compagnie. Le but était de savoir si Coca-Cola – et ses embouteilleurs – utilisaient des pratiques déloyales afin de renforcer sa part de marché. En octobre 2004, la Compagnie signa un accord avec Bruxelles. Coke s'engagea à ne plus donner d'avantages aux commerçants choisissant ses produits et à consacrer 20 % de son réseau de distributeurs aux marques concurrentes. En échange de cela, la Commission européenne renonça à sa plainte contre Coca-Cola. *In Financial Times*, 20 octobre 2004.

2. Voir « La France reste la bête noire de Karel Van Miert », *in L'Expansion*, 23 septembre 1999.
http://www.lexpansion.com/art/6.0.125381.0.html

3. Depuis son départ de la Commission Européenne, Karel Van Miert a rejoint les conseils de surveillance de groupes tel Philips, Swissair et RWE, Agfa-Gevaert. Selon le *New York Times*, confirmant une politique définie par Robert Woodruff dans les années 1930, la Compagnie a engagé son ancien nemesis afin de participer à des séminaires réservés aux cadres de Coca-Cola. *In The Real Thing, op. cit.*

4. Dans son livre, *Coca Pepsi*, Pascal Galinier, journaliste au quotidien *Le Monde*, confirme que sur le dossier Orangina, Bruxelles exerça des pressions sur Paris. *In Coca Pepsi, Ibid.*

60. Cynisme

Handicap de taille pour PepsiCo, au début de l'affaire Orangina, Atlanta était parti avec un avantage. Le 23 décembre 1997, après l'annonce de l'accord de principe entre Coca-Cola et Pernod-Ricard, la presse s'était en effet montrée unanime. Les bénéfices que tireraient Orangina, son actuel propriétaire, et l'économie française dans l'opération enchantaient tous les éditorialistes et spécialistes. Même les syndicats d'Orangina se réjouissaient puisque, après une série de négociations sereines, ils avaient obtenu des garanties jugées suffisantes[1].

PepsiCo n'ignorait donc pas qu'avant de se dérouler dans les bureaux des administrations, le combat se mènerait dans le cœur de l'opinion française. Que, quelle que soit la valeur des dossiers accumulés par Biggart, aucun ministre ne s'opposerait à un accord soutenu par le public. Dès lors, Purchase devait parvenir à rendre la vente impopulaire. Quoi de mieux,

---

1. Le 15 septembre 1997, Coca-Cola avait signé un protocole d'accord avec la totalité des syndicats d'Orangina : « maintien des contrats de travail en l'état jusqu'au 31 décembre 2000, préservation de l'accord de réduction du temps de travail (type "Loi Robien") conclu au sein de l'entreprise, etc. Du jamais vu, de la part d'une multinationale américaine. » In Coca Pepsi, op. cit.

pour y arriver, que de dépeindre Coca-Cola en pire symbole de la mondialisation ?

*

Le vent virait. Et la meute avait flairé l'odeur du sang. Les effets combinés du travail de sape de Pepsi et du vieux fond anti-Coca-Cola se montraient redoutables. Coke payait désormais pour ce qu'il représentait – et d'une certaine manière était.

Le premier rejet de Dominique Strauss-Kahn, en septembre 1997, était déjà un mauvais signe. Et la presse se mettait à trouver le géant vulnérable. Inconsciemment ou pas, elle opta peu à peu pour Pepsi.

Un revirement jugé injuste à Atlanta puisque Pepsi avait rejeté l'offre initiale de Pernod-Ricard et que le sort d'Orangina ne l'avait en fait jamais intéressé. Mais c'était prêcher dans le désert. Parce que Coca incarnait le géant de la mondialisation, son discours, même fondé sur des faits réels, devint vite inaudible.

Un autre volet du dossier avait été occulté par les médias : Pepsi et Orangina collaboraient déjà en Europe. Une union qui avait été catastrophique pour la boisson française et légitimait à elle seule le refus de Pernod-Ricard de lui céder sa boisson à l'orange. Depuis 1996, Purchase avait repris la distribution d'Orangina en Italie. Tandis qu'un an plus tôt, Pernod-Ricard y avait écoulé 9,1 millions de litres, sous la gestion de la multinationale américaine les ventes avaient chuté à 6,5 millions de litres. En Allemagne même, le plus grand marché européen des boissons sans alcool, en deux ans Pepsi était parvenu à faire reculer Orangina de presque 50 %. Pourtant, c'était Coca-Cola que, poussés par les lobbyistes et des idées reçues, les médias accusèrent au fil des jours de vouloir brader le soda pulpé.

Le plus paradoxal, c'était de penser que, en France, des plateaux de télévision au salon du Conseil de la concurrence, les avocats de Pepsi revendiquaient le rôle du David menacé par Goliath, alors qu'à Purchase même on calculait l'offre à faire pour acquérir non pas Orangina mais le numéro un mondial du jus de fruit. Le 20 juillet 1997, Roger Enrico signa ainsi un chèque de vingt milliards de francs... à Tropicana, montant cinq fois supérieur à l'offre française de Coca-Cola et qui fit de PepsiCo le premier fabriquant de boissons sans alcool de la planète.

Pepsi n'était donc en rien le petit poucet se battant bec et ongles pour sa survie, craignant d'être dévoré par l'ogre Coke. Pourtant, six jours plus tard, lors de son grand oral devant le Conseil de la concurrence, ce fut encore la carte abattue par la filiale française de Purchase. Un paradoxe gênant qui, au cœur de l'été, ne fut exploité ni par Pernod-Ricard ni par Coke ni par les médias.

*

La presse avait sans doute manqué de jugement et poussé un peu plus Coke vers le précipice. Elle avait en tout cas contribué à façonner l'opinion publique, à renforcer l'idée que les seules intentions d'Atlanta étaient d'éliminer Pepsi de France.

Si cet impact est difficilement quantifiable, il y a au moins eu un article influent. Un papier qui, peut-être, a scellé le sort de l'accord entre Pernod-Ricard et la Compagnie.

Le 16 septembre 1997, *Le Canard enchaîné* s'intéressa à l'usine de concentré que Coca-Cola exploitait dans le Var.

Produisant du sirop pour une partie de l'Europe, le centre de Signes constituait un maillon essentiel du réseau de la Compagnie, mais ce n'était évidemment pas cet aspect technique qui intriguait l'hebdomadaire. *Le Canard* révéla en effet que l'usine, installée dans une zone franche, aurait permis à la Compagnie d'économiser cinq milliards de francs d'impôts. Un chiffre troublant – s'il était authentique – puisqu'il représentait la somme mise sur la table pour acquérir Orangina.

Coïncidence ou pas, le rapprochement fut tentant. Et beaucoup pensèrent que, prouvant un cynisme digne de son statut de World Company, Coca-Cola voulait racheter un fleuron de l'industrie hexagonale en utilisant l'argent économisé sur le dos des contribuables.

L'article du *Canard enchaîné* acheva de brouiller les esprits. Et parut la veille de l'annonce de Dominique Strauss-Kahn[1] !

---

1. Une information non vérifiée place la source de l'information à Bercy. Si c'était le cas, elle aurait servi à justifier plus facilement le refus de D. Strauss-Kahn. Franklin Delano Roosevelt, trois fois Président des États-Unis, et renard politique, avait l'habitude de dire qu'en « politique rien ne se passe par hasard. Si quelque chose se produit, vous pouvez être certain que c'était prévu ». *In Bush Land*, William Reymond, Flammarion, 2004. Par ailleurs, il n'a pas été trouvé trace de réaction de la société à cet article.

61. Bombe

Désarçonné, Coca-Cola se battait contre un ennemi invisible. Une partie de poker aux adversaires masqués. Cette vérité s'était peu à peu imposée dans les premiers jours de septembre 1997. D'accord la Compagnie avait fait preuve de patience, ce qui n'était guère dans ses habitudes. Mieux, alertée par Jean-Yves Naouri, elle avait tout fait pour présenter un dossier socialement irréprochable. Mais alors, pourquoi ces efforts ne semblaient-ils pas suffire ?

« Dans les dernières heures de la négociation, Bercy a durci sa position, faisant monter le niveau des exigences au fur et à mesure des concessions lâchées par Coca, racontera plus tard un spécialiste. Comme si le gouvernement voulait coûte que coûte faire mordre la poussière à cette multinationale arrogante et trop sûre d'elle[1]. »

En fait, comme en 1949, Coca-Cola réglait l'addition d'un contexte politique qu'elle ne contrôlait pas. Et que Pepsi avait eu l'intelligence de tourner à son avantage.

*

----

1. *In Coca Pepsi, op. cit.*

273

Habitué aux coulisses du pouvoir américain, PepsiCo usa des mêmes recettes en France. Début 1998, la firme avait recruté Bernard Sananès [1], spécialiste des relations publiques d'Euro-RSCG et expert en lobbying politique [2]. Un maître dans l'art de découvrir les failles de l'armure de l'adversaire. Et dans celui de les exploiter avec génie.

*

Depuis son arrivée à Matignon, le Premier ministre Lionel Jospin avait fait de l'emploi sa priorité. Or Bernard Sananès avait calculé que, réunis, Coca-Cola et Orangina disposeraient de neuf usines sur le territoire. Un nombre important ne paraissant correspondre à aucune réalité économique. D'où l'argument susurré de licenciements inéluctables. Cette menace – non prouvée – constituait une bombe à retardement pour un Premier ministre aux ambitions présidentielles avouées.

Cette « déduction » ne fut pas seulement véhiculée dans les hautes sphères parisiennes. Les élus locaux, les maires et les députés des villes « visées », premiers concernés en cas de fermeture, furent à leur tour « informés » et se transformèrent en adversaire de la transaction [3].

Pour achever son ordre de marche, Sananès alerta l'un des groupes de pression les plus puissants du pays : la grande distribution. En expliquant qu'une union entre Coke et Orangina

---

1. Bernard Sananès est directeur général adjoint d'Euro RSCG C&O. Son blog est disponible à l'adresse suivante : http://bensan.typepad.com/ben/

2. Ancien responsable de la communication de Bernard Bosson, il connaît parfaitement la scène politique française. *In Coca Pepsi, op. cit.*

3. Un des exemples utilisés par PepsiCo est l'usine de Signes. « Dans le Var, la rumeur court que la firme d'Atlanta aurait déjà un projet de déménagement de la fabrication du concentré dans un site flambant neuf en construction en Irlande, autre région fiscalement attractive (où est d'ailleurs installée l'usine de concentrée de... Pepsi). Un projet que Sananès va s'employer à faire connaître à Bercy. » *In Coca Pepsi, op. cit.*

offrirait 80 % du marché à la Compagnie, le conseiller de Pepsi agita avec conviction l'épouvantail d'une hégémonie commerciale redoutable.

Coca-Cola se mettait à payer pour son image et Pepsi prouvait sa maîtrise de l'aïkido : Purchase utilisait le poids de son adversaire pour mieux le terrasser.

*

Et puis, pour comble de malchance, Atlanta fut en plus victime de ces impondérables que personne ne peut prévoir ni contrôler. Le 3 novembre 1999, l'affaire dite de la MNEF contraignit le ministre des Finances à la démission. Et si, plus tard, Dominique Strauss-Kahn fut blanchi, ce coup de tonnerre politique n'incita pas Lionel Jospin à se montrer audacieux. Salué dans les sondages mais harcelé sur sa gauche plurielle [1] – certains de ses alliés lui reprochant son libéralisme politique –, il ne pouvait courir le risque de brusquer à la fois l'opinion, la presse et ses soutiens. Comme Georges Bidault en 1950, l'affaire Coca-Cola, de casse-tête agaçant pouvait, bien conduite, tourner à son avantage. Refuser à la Compagnie, comme il en avait au final le pouvoir, l'achat d'Orangina, n'était-ce pas aussi, pour lui, une occasion de gauchiser son image de futur candidat à l'élection présidentielle sans trop de casse ?

---

1. En septembre 1997, D. Strauss-Kahn avait été pris à parti par des militants communistes lors de sa visite de la Fête de *L'Humanité*. *In Coca Pepsi*.

62. Perdants

Pepsi avait donc gagné. En faisant trébucher son vieil ennemi, il goûtait la satisfaction de prendre une revanche. Mais, au-delà de ce plaisir spécieux, n'y avait-il pas dans cette affaire essentiellement des perdants ?

À Atlanta, Doug Ivester, paralysé par les bons résultats de son prédécesseur Roberto Goizueta [1] à poursuivre, fut fragilisé par cette débâcle.

À Paris, l'action Pernod-Ricard, elle, battit de l'aile. Car on avait oublié, dans ce jeu cynique, que le propriétaire d'Orangina voulait s'en défaire pour se recentrer et viser d'autres secteurs. En quelques heures, ce 24 novembre 1999, la société avait perdu une plus-value de trois milliards de francs, différence entre la valeur d'Orangina et l'offre de Coke. Par ailleurs, que devenait le soda à pulpe d'orange ? L'échec de cette transaction n'avait en rien invalidé le changement de politique de Pernod-Ricard : le groupe était décidé à

---

1. Durant les seize années de la présidence de Goizueta, la valeur boursière de Coca-Cola augmenta de 3 500 % ! Passant de 4 milliards de dollars à plus de 150. Le revenu lié à consommation annuelle de produits de la Compagnie passa lui de 6 milliards de dollars à près de vingt.

se consacrer uniquement aux vins et spiritueux. Il fallait toujours vendre Orangina. À un acquéreur qui n'aurait peut-être ni la surface financière de Coca-Cola ni les moyens de développer mondialement la marque[1].

Enfin, il y avait un chiffre que Bercy n'avait jamais communiqué. Si le refus de vendre Orangina à Coca-Cola constituait peut-être une victoire politique, elle apparaissait surtout comme un terrible gâchis économique. Dont les contribuables français étaient les grands perdants. Car Pepsi avait gagné, certes, mais le fisc, de son côté, avait vu s'envoler près de deux milliards de francs au titre de l'impôt sur les plus-values.

---

1. En 2001, le groupe britannique Cadbury Schweppes achetait Orangina pour 700 millions d'euros. En septembre 2005, après une succession de relances de la marque et l'effondrement des parts de marchés d'Orangina, le groupe publiait un communiqué lapidaire : « À la suite d'une revue stratégique de sa division boissons en Europe, la direction a décidé de concentrer ses ressources financières et humaines sur la confiserie et les autres divisions boissons, qui ont un plus grand potentiel de croissance. » Une nouvelle fois, Orangina était à vendre.

63. Arrogance

— La France est le seul endroit au monde plus arrogant que The Coca-Cola Company[1].

Furieux mais lucide, ce vétéran de multiples campagnes menées pour Coke, résumait parfaitement la situation. La firme d'Atlanta avait subi un revers colossal et mémorable parce qu'un cancer la rongeait depuis trop d'années : sa morgue, sa suffisance, sa conviction de toujours gagner et d'être la meilleure. En un mot, son aveuglement.

*

Naouri avait averti à plusieurs reprises les instances dirigeantes que la décision parisienne ne se ferait pas exclusivement sur la valeur du dossier, mais Coke n'avait rien voulu entendre. Ivester, venu à Paris, n'avait pas même jugé utile de prolonger son séjour quelques heures pour rencontrer Dominique Strauss-Kahn et plaider son offre. Or cette proposition résumait la fierté mal placée de la Compagnie. Estimant ses dollars et sa réputation suffisants, Coca-Cola n'avait ni étayé ni vanté la stratégie industrielle étudiée pour Orangina.

---

1. *In The Real Thing, op. cit.*

Hormis des discours d'intentions, de vagues et généreuses grandes lignes, des perspectives annoncées réjouissantes, rien ne paraissait construit, élaboré, envisagé. Dans le dossier, pas vraiment d'étude de marché détaillée ni de feuille de route précise.

En somme, Coca-Cola avait péché par excès d'orgueil[1].

*

« La France est la valeur étalon de la Compagnie. Les problèmes que nous y rencontrons nous servent ensuite pour progresser et les anticiper ailleurs. »

Les paroles de Dan prenaient d'un coup tout leur sens. Et puisque l'Hexagone occupait une place si spécifique dans l'épopée de la Compagnie, il ne me parut pas réellement surprenant d'y déceler la piste qui allait me conduire au plus grand secret de Coca-Cola.

---

1. Autre exemple, révélé par Pascal Galinier : « En secret, DSK avait fait dire aux dirigeants américains qu'ils trouvent une solution pour maintenir [...] une activité dans le Var [...] Coca-Cola refuse sèchement, expliquant que ceci n'a rien à voir avec le dossier Orangina. À Atlanta, on ne comprend décidément rien aux subtilités de la politique franco-française... » *In Coca Pepsi, op. cit.*

TROISIÈME PARTIE

Deux guerres

« J'espère que, comme toujours, nous trouverons une manière de contourner ces difficultés sans nécessairement sacrifier les principes et les politiques qui nous sont fondamentales[1]. »

Mémorandum à Robert W. Woodruff,
président de The Coca-Cola Company.

---

1. Mémorandum de H.B. Nicholson à R.W. Woodruff, 8 février 1940. *In Special Collections and Archives*, Robert W. Woodruff Library, Emory University, Atlanta. Voir annexe.

64. Murs

Emory University, 8 mars 2005.

Interdit d'enquête par la Compagnie, mon séjour à Atlanta ne peut se limiter à une simple visite du musée Coca-Cola. Il me reste donc l'Emory University. Si, de prime abord, elle pouvait sonner comme un second choix, en réalité il n'en fut rien.

Fondée en 1836 par une communauté religieuse méthodiste nostalgique d'une certaine Angleterre [1], Emory est un important centre du savoir aux États-Unis. Chaque année, après avoir versé un droit d'entrée de vingt-neuf mille dollars, près de douze mille étudiants s'y spécialisent en recherche, droit ou affaires. Tout en marchant dans les pas de la légende : ici plus qu'ailleurs, en effet, Coca-Cola est partout.

Il est vrai que nous sommes à une quinzaine de minutes au nord d'Atlanta et que la boisson fétiche de la région est servie dans les cafétérias, en vente dans les distributeurs du vaste campus, et triomphe sur les publicités situées autour du terrain de basket comme de football. Une présence pouvant surprendre un habitué des établissements scolaires français, mais banale aux États-Unis où les universités signent fréquemment

---

1. Ils baptisèrent « Oxford » la villa voisine de l'université.

des contrats d'exclusivité avec des firmes en échange de plusieurs millions de dollars. Il ne faut pourtant pas s'y méprendre : à Emory l'empreinte de la Compagnie dépasse le cadre du simple accord. Ici, l'histoire de Coca-Cola est inscrite dans les murs. Là, sur la gauche, il y a la Candler School of Theology. Et, plus bas, la Roberto C. Goizueta Business School. Quant à ma destination, elle complète le trio.

*

Le service des Archives de la Robert W. Woodruff Library loge au dernier étage. Un emplacement logique : les bribes et morceaux d'existence de celui qui incarna Coca-Cola pendant plus d'un demi-siècle ne pouvaient finir stockés dans un sous-sol. Plus que Candler et Goizueta, Woodruff incarnait Coca-Cola. Une identification totale dont l'héritage pèse encore au siège même de la Compagnie. Là, bien qu'il soit décédé quelques mois avant l'introduction du New Coke, on raconte que l'odeur de son cigare continue de flotter dans les couloirs.

La salle de consultation respire, elle, l'odeur rassurante et familière du vieux papier. Avant d'aller m'installer, je passe par le « bureau de Woodruff ». La reconstitution ressemble à un tour de force. À l'aide de quelques souvenirs, d'une dizaine de photographies, d'autant de livres et objets personnels, la vie du big boss s'étale devant mes yeux. Surprise : Coca-Cola est présent à travers des bouteilles commémoratives, mais le soda n'écrase pas le reste. On s'aperçoit que Robert Woodruff a aussi été un amateur de chasse, un homme croyant et un grand voyageur. Au final, néanmoins, on s'aperçoit que ces facettes de sa personnalité ne comptaient guère : ce fut Coke la maîtresse qui ne l'a jamais quitté.

*

La baie vitrée des Archives offre une vue unique sur Emory, dont le campus ressemble à une ville grouillant d'activité. Face à moi, un bâtiment se détache des autres. Avant de voir un hélicoptère atterrir sur son toit, je n'avais pas saisi qu'il s'agissait de l'hôpital d'Emory, l'un des centres médicaux les plus réputés du pays. Quand les pales cessent leur manège, l'ironie de la situation me saute aux yeux.

Les fenêtres qui font face aux archives sont celles de la suite privée. Du lieu où Woodruff puis Goizueta ont fini leurs jours, emportant avec eux les secrets de la Compagnie.

Heureusement pour moi, à quelques mètres, dans des liasses de feuilles jaunies, Robert Woodruff en a oublié un.

65 Politique

La Compagnie avait toujours su forcer les portes de l'Histoire. De sa création jusqu'à son formidable essor mené de main de maître par Asa Candler, Coca-Cola incarnait l'archétype du capitalisme d'opportunisme. Boisson alcoolisée à l'origine, l'invention de John Pemberton s'était adaptée pour survivre aux nouvelles législations d'Atlanta, puis la prohibition lui avait offert le cadre idéal pour s'imposer sur l'en semble du territoire.

Woodruff, de son côté, avait eu le génie d'anticiper les évolutions de la société américaine. Sous la présidence de la famille Candler, Coke constituait un rafraîchissement consommé dans les *soda fountains*. Avec Woodruff, l'inimitable bouteille de Coca-Cola apparut là où personne auparavant n'avait songé à vendre des boissons. À savoir au domicile même des amateurs, grâce à la généralisation de la réfrigération et à la naissance de la société de consommation. Mais aussi dans les usines, les travées des stades de base-ball, les stations services, les épiceries... Une prolifération qui métamorphosa ce soda *a priori* superflu en produit essentiel.

*

Les années 1910 avaient montré l'évolution du marché aux dirigeants : pour survivre et se développer, une bonne boisson, un prix attractif et le recours à la publicité ne suffisaient plus. À mesure que Coke devenait une boisson américaine, une part de son avenir se décidait aussi à Washington. D'attaques sur son contenu à des remises en questions de son honnêteté fiscale, la Compagnie se retrouvait sans cesse obligée de se défendre et d'ajouter à ses chercheurs et commerciaux d'autres métiers. Ce monde peuplé d'avocats, de juges, d'élus, de hauts fonctionnaires et de législateurs, il convenait de l'amadouer, de l'apprivoiser, de le séduire aussi. Mieux que Candler, Woodruff comprit la nécessité d'être présent – ou représenté – dans les couloirs du pouvoir où beaucoup se jouait. Avec l'idée de faire disparaître la frontière entre les intérêts particuliers et l'intérêt général. Et l'obligation de recruter d'anciens élus ou fonctionnaires disposés à quitter le secteur public, moyennant un meilleur salaire.

Avec les années, le lobbying de la Compagnie et de ses concurrents s'affina. Et devint même extrêmement efficace et redoutable. Comme il ne suffisait plus de se montrer opportuniste, les grandes entreprises américaines devinrent les principaux bailleurs de fonds de l'appareil politique. Une générosité dont les ramifications grimpaient souvent jusqu'aux plus hautes strates du pouvoir. Ainsi Coca-Cola se rapprocha-t-il du camp démocrate, dont la branche conservatrice était profondément implantée dans le sud de l'Amérique alors que Pepsi-Cola préféra, lui, le camp d'en face.

*

Seule exception chez Coke, le républicain Dwight Eisenhower. Mais le Général, ami personnel de Woodruff, était depuis toujours soucieux des intérêts du groupe d'Atlanta. Le président de la Compagnie n'avait-il pas été, avec Clint Murchinson[1], l'un des

---

1. Clint Murchinson était un milliardaire texan installé à Dallas. Voir *JFK, autopsie d'un crime d'État*, et *JFK, le dernier témoin*, du même auteur.

hommes ayant convaincu Ike d'être candidat à la Maison-Blanche en lui assurant, quelle que soit l'étiquette qu'il choisirait, de mettre sa puissance et son argent à sa disposition [1] ?

Une fois élu, son mandat avait profité à ses fidèles soutiens. Le 22 mai 1953, cinq mois après sa prise de pouvoir, il signa ainsi la loi « sur les terres submergées » pour le plus grand profit des producteurs texans de pétrole [2].

Pour Woodruff, c'est l'orientation économique et politique de Ike qui fut bénéfique. Alors que Truman, prédécesseur d'Eisenhower, s'était montré trop interventionniste à ses yeux en tentant de réguler le marché, le nouvel élu, lui, avançait en défenseur de la liberté d'entreprise. En outre, convaincu que la puissance de son pays passait par celle des exportations, il mit la politique extérieure de Washington au service des capitaux américains, se transformant personnellement à l'occasion en ambassadeur commercial de haute volée.

Les années 1950 constituèrent donc l'un des âges d'or de la Compagnie, qui s'imposa en même temps à Washington et en Amérique du Sud et latine. Ike bénéficia d'ailleurs personnellement des performances de Coca-Cola. Au début de la décennie, le général était en effet devenu actionnaire de la

---

1. « Nous sommes quelques-uns à le vouloir président. D'abord, nous l'avons envoyé à l'étranger pour lui donner une couleur internationale et puis après on l'a fait élire président de l'université de Columbia pour plaire aux crânes d'œufs. » Propos prêtés à Robert Woodruff. *In For God, Country and Coca-Cola, op. cit.* À noter qu'avant son élection en 1952, Ike occupait le poste de commandant en chef de l'OTAN et résidait à Paris. Ses archives personnelles font état de contacts et de nombreux déjeuners avec Alexander Makinsky. Voir http://www.eisenhowermemorial.org/presidential-papers/first-term/documents/1324.cfm

2. Au détriment des États, la loi donnait à Washington le droit d'attribuer les concessions d'exploitation de plates-formes pétrolières. L'entreprise Kellog Brown Root (KBR) fut une des principales bénéficiaires du nouveau pouvoir de la Maison Blanche. Plus tard, KBR devint une des entités d'Halliburton. Voir *Bush Land*, William Reymond, Flammarion, 2004.

Joroberts Corporation [1], une société installée à Montevideo, en Uruguay, présente dans plusieurs pays de l'Amérique du Sud, qui se chargeait de... l'embouteillage du soda.

*

L'élection de John F. Kennedy marqua le retour aux traditions politiques de la Compagnie. Après l'escapade républicaine des années Eisenhower, Coke redevint sous le mandat de JFK la boisson du camp démocrate.

Kennedy, qui consommait quotidiennement du Coca-Cola, proposa même à Woodruff le poste d'ambassadeur à Londres, une fonction prestigieuse occupée par Joseph Kennedy, père du Président, avant la Première Guerre mondiale. Le refus de Woodruff ne se traduisit en rien par une détérioration des bonnes relations entre Atlanta et la Maison-Blanche, Farley, ex-architecte de la victoire de Roosevelt et représentant de Coke se chargeant de maintenir des contacts réguliers avec le Bureau ovale. Quant à Ben Oehlert, l'homme ayant constitué les dossiers sur la France, il entretenait parallèlement des relations amicales avec Lyndon B. Johnson, le vice-président. LBJ qui, après le 22 novembre 1963, accéda à son tour au plus haut échelon de la vie politique américaine.

---

1. La transaction avait été effectuée par son conseiller financier qui était le même que celui de Robert W. Woodruff. *In For God, Country and Coca-Cola, op. cit.*

66. Promesse

La victoire du républicain Richard Nixon en 1968 bouscula l'édifice patiemment construit. Non seulement la Compagnie perdit l'accès direct au Président, mais elle vit l'ennemi de Purchase s'installer à Washington. Tout cela parce qu'au lendemain de sa défaite contre Kennedy en 1960, alors que Nixon avait annoncé vouloir quitter la scène politique et entamait une terrible traversée du désert, seul Pepsi-Cola lui avait apporté son soutien. L'ancien vice-président d'Ike, buveur de Coke invétéré, accepta d'être l'un des avocats de la PepsiCo[1].

Comme il se doit, une fois élu le républicain n'oublia pas ses bienfaiteurs. « La génération Nixon c'est la génération Pepsi[2] », affirma même un éditorialiste. De fait, grâce à ses entrées à la Maison-Blanche et au réchauffement des relations avec l'URSS, le soda fut le premier à arriver à Moscou.

*

1. Et, à ce titre, se trouvait à Dallas, le 22 novembre 1963, quand JFK fut tué, parce que s'y tenait une convention d'embouteilleurs.
2. Commentaire d'un éditorialiste américain au moment de la réélection de Nixon. *In* http://www.americanpresident.org/history/richardnix

La candidature Nixon avait rassemblé la plupart des entreprises américaines ayant, pour suivre Eisenhower, investi en Amérique du Sud et latine. Pepsi, United Fruit, Standard Oil, Texaco, Ford... tous avaient un autre point commun : avoir beaucoup perdu à Cuba depuis la chute de Batista et la prise de pouvoir de Fidel Castro.

Nixon possédait le profil idéal. Son discours revanchard n'écartait pas la possibilité de reprendre La Havane. Une fois élu, il promit même que jamais un autre pays de la sphère américaine ne tomberait aux mains des communistes.

Et, le 15 septembre 1970, le président américain tint la promesse faite à Pepsi.

*

Santiago était devenu la nouvelle Havane. Depuis 1963, les entreprises américaines avaient investi près de deux milliards de dollars au Chili. Avec des retours sur investissements conséquents puisque, sous le régime corrompu d'Eduardo Frei, les États-Unis s'étaient assuré le contrôle de 85 % de l'économie du pays. Mais les récentes élections de septembre 1970 risquaient de tout compromettre : profitant d'un désaccord entre le centre et la droite, un troisième candidat, Salvador Allende, avait emporté la présidentielle. Or, à la tête d'une coalition de gauche, le nouveau chef de l'État n'avait pas caché son désir de tenter une expérience socialiste au Chili[1].

Une perspective impensable aux yeux des compagnies américaines, persuadées que le cauchemar cubain recommençait.

*

En 1998, à l'occasion du vingt-cinquième anniversaire du coup d'État militaire mené par le général Pinochet, l'administration Clinton rendit publics différents documents relatifs à

---

1. *La vía chilena al socialismo.*

l'implication de la CIA dans le putsch chilien. Fut ainsi révélé le projet Fubelt[1], un nom de code qui couvrait différentes opérations américaines chargées, d'abord, de déstabiliser la campagne d'Allende, puis de recourir à la violence pour contester son accession au pouvoir. Les mémorandums révélés montrèrent, par exemple, que l'Agence avait fourni des armes aux opposants et, selon toute vraisemblance, participé à la conception de l'enlèvement et du meurtre du général Schneider, militaire pro-Allende.

Si Fubelt constituait un épisode de plus dans la noire litanie des exactions perpétrées par des services américains à l'étranger à cette époque, ces révélations ne purent aller jusqu'à dévoiler tous les dessous de la tentative de renversement du 15 septembre 1970. Cette fois, c'est un homme qui vint apporter la lumière sur ce sombre chapitre de l'histoire. En novembre 1998, Edward Korry brava son devoir de réserve. À soixante-dix-sept ans, l'ancien ambassadeur au Chili décida qu'il était temps de livrer sa propre version de l'élection de Salvador Allende. Une confession étayée par des documents accablants et authentiques, à savoir des doubles de rapports qu'il avait soigneusement conservés.

Korry confirma que la CIA, sur ordre de Richard Nixon et Henry Kissinger, avait tout fait pour empêcher l'accession au pouvoir d'Allende en octobre 1970[2]. Et que cette politique tenait beaucoup à des pressions d'entreprises proches du chef de l'État.

Au début septembre, Donald Kendall, président de PepsiCo, avait ainsi téléphoné à deux reprises à son ancien avocat. En lui demandant expressément d'agir pour rétablir

---

1. http://www.gwu.edu/~nsarchiv/news/19980911.htm

2. « It is the firm and continuing policy that Allende be overthrown by a coup... Please review all your present and possibly new activities to include propaganda, black operations, surfacing of intelligence or disinformation, personal contacts, or anything else your imagination can conjure... » Mémorandum du quartier général de la CIA au chef du bureau de Santiago, 16 octobre 1970.

la situation chilienne. Nixon, selon Korry, avait parfaitement compris le message. Car Kendall ne représentait pas seulement Pepsi, il parlait vraisemblablement au nom de l'ensemble des entreprises américaines. Le 15 septembre 1970, Henry Kissinger, conseiller du Président sur les questions de sécurité nationale, rencontra secrètement l'embouteilleur chilien de Pepsi-Cola pour aborder à son tour le problème Allende. Un rendez-vous organisé après un deuxième appel de Kendall. Le même jour, une fois que Kissinger eut fait son rapport à Nixon, ce dernier contactait Richard Helms. Les notes manuscrites du patron de la CIA, disponibles par ailleurs, montrèrent l'existence d'une conversation plutôt brève. Et pour cause, il n'y avait pas grand-chose à discuter : le président des États-Unis lui avait demandé d'empêcher la passation de pouvoir.

Vingt-huit ans plus tard, Korry était formel : Nixon avait agi sur les conseils pressants de Pepsi-Cola.

*

La victoire du démocrate Jimmy Carter en 1976, après le séisme du Watergate, marqua le retour en grâce de la Compagnie. Comme elle, Carter venait de Georgie. Il y avait été gouverneur et, durant sa campagne, s'était déplacé dans un jet privé affrété par Coca-Cola. Son responsable de la communication venait du Groupe, tandis qu'Atlanta s'était porté garant de lui dans le monde des affaires. Son entrée à la Maison-Blanche fut donc aussi celle de Coca-Cola, dont seuls les distributeurs furent autorisés.

Plus sérieusement, la présidence de Carter ouvrit à Coke l'immense marché chinois, lui permit de rejoindre Pepsi en Union Soviétique, ainsi que de s'installer en Égypte et au Yémen, pays arabes ayant boycotté Coca-Cola durant de nombreuses années à cause de sa présence en Israël.

*

Battu par un acteur alors qu'il sollicitait un second mandat, Jimmy Carter retourna à ses cacahuètes. Et Coke vit arriver dans le Bureau ovale un président hostile. La rumeur raconta même que la première décision de Ronald Reagan fut d'ordonner le remplacement des distributeurs de boissons. Coke était un soda démocrate, alors lui, le républicain, optait pour Pepsi. L'armée, de son côté, ouvrit ses cantines aux breuvages de Purchase. Désormais, le fantassin aurait le choix de son cola, mettant ainsi fin à une longue exclusivité de la Compagnie.

Les deux mandats de Bill Clinton offrirent en revanche à Coke la possibilité d'élargir son implantation au Moyen-Orient, rassuré par les efforts de paix du Président américain, de reprendre pied en Afrique du Sud et de conquérir les anciennes républiques de l'ex-bloc soviétique.

Enfin George W. Bush brisa le cycle bien huilé depuis tant de présidents. En 2000 et 2004, aussi bien Pepsi que Coca-Cola préférèrent le postulant républicain à ses opposants démocrates. Sur son nom, et un programme d'avantages fiscaux destinés aux entreprises et grosses fortunes, le Texan avait réussi l'impossible : rassembler les deux ennemis.

*

Coca-Cola avait donc grandi au rythme des oscillations de la démocratie américaine. Son action à Washington n'était ni spécifique ni extraordinaire, elle illustrait simplement les relations coutumières dans ce pays entre le pouvoir et l'argent. D'opportuniste donc, Coke était passé à l'efficacité de la prévention. Désormais, mieux valait s'assurer au préalable que la législation évolue dans le bon sens plutôt que de devoir réagir une fois une loi adoptée.

Fort de ce précepte, assuré que Coke disposait de réseaux solides là où son avenir se jouait, Robert Woodruff avait voulu exporter sa ligne de conduite. Et c'est pour cette raison, alors que sur l'Europe soufflait un vent guerrier, que la Compagnie se tenait prête.

67. Leçons

La Compagnie méditait sans cesse les leçons du passé.

La Première Guerre mondiale et sa pénurie de sucre avaient coûté cher à la famille Candler. Si cher que les héritiers d'Asa avaient dû céder Coca-Cola à un groupement bancaire mené par le père de Woodruff. Or, après 1919, premier consommateur mondial de sucre, Coke se trouvait trop dépendant de cette matière première.

Robert Woodruff craignait ce péril. Surtout en ces années dites folles où tant de coups de tonnerre assombrissaient le ciel de l'Europe. En même temps, une nouvelle guerre, en affaiblissant voire tuant Pepsi, pour peu qu'avec habileté on lui résiste, pouvait offrir de belles opportunités. Il fallait en somme autant redouter l'avenir que s'en réjouir, préparer les esprits au pire tout en regardant les occasions à saisir. En bref, protéger la Compagnie sans oublier d'avancer, de gagner du terrain. Une règle que les troupes d'Atlanta suivaient à la lettre.

*

Depuis 1933, Woodruff avait institué l'expansion internationale priorité stratégique de Coca-Cola. Le marché américain était immense mais, à terme, il importait de conquérir d'autres contrées. Bien que la présence du soda y ait souvent été anecdotique, certains pays se mettaient à adopter Coca-Cola. L'Allemagne, par exemple, représentait le second marché de la Compagnie avant la guerre. Septembre 1939 avait bousculé cette stratégie et, pour ne pas disparaître, Woodruff donna l'ordre de regarder vers le sud. Le Mexique puis l'Amérique latine devinrent, avec succès, les nouvelles cibles maison[1]. De quoi présenter aux actionnaires des profits annuels en hausse[2].

Mais cela ne suffirait pas. Pour devenir incontournable aux États-Unis, Coca-Cola avait massivement investi dans la distribution et la publicité. Les divers embargos, les restrictions de matières premières risquaient de mettre en péril la santé du géant. Notamment sur le sol américain où une économie de guerre se mettait en place. Pour ne pas en subir les conséquences, Atlanta devait protéger Coke. Un combat qui se jouait à Washington.

*

La première bataille se déroula au Congrès quand l'administration Roosevelt eut l'idée d'instaurer de nouvelles taxes pour répondre aux enjeux de l'époque. L'une d'elles prévoyait ainsi un impôt complémentaire sur les bénéfices liés à la vente de boissons gazeuses. Usant de ses contacts politiques, Coca-Cola parvint à faire disparaître la menace. Et économisa huit millions de dollars d'impôts.

---

1. L'implantation de Coke au Mexique fut une telle réussite qu'aujourd'hui encore le pays est l'un de ses plus importants marchés. Dans les années 1980, la consommation par habitant dépassait même celle des États-Unis.

2. Le profit de 1939 était supérieur à 41 millions de dollars. Un an plus tôt, il s'élevait à 33,7 millions de dollars.

Autre source d'inquiétude, les restrictions. En plus du sucre, Atlanta avait identifié un risque de pénurie de métal et d'aluminium. Avec, à terme, une remise en question de la fabrication des capsules. Stocker constituait une réponse mais, quand l'Amérique entrerait en guerre à son tour, le gouvernement n'hésiterait évidemment pas à réquisitionner tout. La seule parade : tenter d'éviter que la décision soit prise. En 1939 et 1940, Coke s'employa donc à placer certains de ses cadres au sein des comités gouvernementaux [1] chargés de la gestion de l'économie de guerre. De quoi garantir l'approvisionnement en capsules [2] et quasiment donner le coup de grâce à Pepsi.

Ed Forio, l'un des responsables des opérations de lobbying menées par Coca-Cola [3], avait en effet rejoint le War Production Board (WPB), instance établissant les quotas de sucre. Et, grâce à lui, la Compagnie avait décroché en 1940 le droit d'utiliser 80 % des quantités consommées une année plus tôt. Ce qui renforçait Coke, à la tête d'importants stocks, mais limitait les tentatives d'essor de Pepsi-Cola. Pour s'en sortir, l'« imitateur » avait ouvert une usine de préparation de sirop à Monterey, au Mexique. Ne fabriquant plus son concentré aux États-Unis, Pepsi n'avait donc plus besoin d'importer autant de sucre et évitait de tomber sous le joug des quotas [4]. La manœuvre n'échappa pas à Fioro qui essaya de pousser le WPB à concocter une nouvelle grille d'imposition défavorable à Pepsi.

Pour Steele, président du concurrent, cette situation était catastrophique. Si, grâce à Forio, Coke réussissait, l'avenir de Pepsi était en péril. Dos au mur, Steele passa à l'offensive.

---

1. En V.O. : Industry Councils.

2. Le comité déclara qu'il n'existait pas de produit de substitution pour la fabrication des capsules.

3. Sur Ed Forio et la surveillance exercée sur Pepsi, voir chapitre 38.

4. Plus tard, Pepsi-Cola acheta sa propre plantation de canne à sucre à Cuba. Coca-Cola faillit en faire autant mais se ravisa. L'arrivée de Castro fut donc plus coûteuse à Pepsi qu'à Coke.

Et, une fois de plus, le message monta jusqu'à Woodruff. Si le WPB votait la proposition de Forio, Pepsi lancerait une campagne expliquant aux Américains la manière honteuse dont la Compagnie utilisait la guerre à son profit.

Woodruff saisit immédiatement le danger d'une telle campagne et fit machine arrière. Mieux, il en tira un autre enseignement : alors que le pays se préparait au sacrifice, Coca-Cola devait coûte que coûte afficher son patriotisme.

68. Plan

Il n'y avait que deux solutions possibles : soit Benjamin Oehlert sombrait dans la folie, soit l'avocat de la Compagnie était un génie. Dans les deux cas, son plan s'avérait à la fois simple et ambitieux.

Début 1940, Oehlert avait acquis une certitude : en période de troubles, il n'existait qu'une manière d'épargner Coca-Cola et de garantir son expansion, le transformer en acteur majeur de l'effort de guerre américain. Parce que cet élan de civisme permettrait à la Compagnie de se moquer des restrictions et rejaillirait sur sa réputation.

Un concept parfait sur le papier, mais qui exigeait une stratégie dépassant le cadre de l'activité d'un réseau d'influence installé à Washington. Pour s'imposer là-bas, Coke devait d'abord séduire.

*

Robert Woodruff adopta d'emblée le projet d'Oehlert. Le patriotisme constituait non seulement une valeur conforme à ses idéaux mais en plus elle lui serait bénéfique en temps de guerre. Woodruff se chargerait donc d'en définir le fond[1], et Oehlert la mise en pratique.

Pour jouer un rôle essentiel dans le moral des troupes, Coke devait d'abord devenir une habitude de consommation du milieu militaire. Recourant aux méthodes utilisées dans les usines durant les années 1930, la Compagnie installa des distributeurs puis démontra les avantages sanitaires de la « pause qui rafraîchit ». En visant les hôpitaux militaires, les centres de la Croix-Rouge, les casernes de la Garde nationale, les associations d'anciens combattants, les gares où s'arrêtaient les trains transportant les troupes, et les bases militaires en train de se multiplier, peu à peu le soda d'Atlanta apparut comme une alternative à l'alcool recherchée par les troufions comme par les gradés. Une victoire l'exemptant de respect des quotas de sucre pour fabriquer son sirop destiné aux camps d'entraînements, bases et autres lieux de la vie militaire !

Ce coup de maître garantit aux embouteilleurs un nouveau marché[2] et offrit à Coke un alibi idéal.

En effet, dès 1940, contrairement à certains concurrents, la Compagnie avait décidé de ne pas toucher à la qualité de son produit. Woodruff avait estimé qu'à moyen terme un Coke moins sucré aurait des effets négatifs sur la confiance du consommateur. Et donc fragiliserait l'avenir de la boisson, une fois le conflit terminé.

---

1. « Où qu'il se trouve et quel qu'en soit le prix, chaque homme sous les drapeaux pourra avoir un Coca-Cola pour cinq cents. » *In Secret Formula, op. cit.*

2. Il arrivait souvent que les embouteilleurs utilisent une partie de leur stock de sirop dit militaire pour continuer de servir le public. La pratique, illégale, est documentée par un mémorandum de l'office de contrôle de la région de San Francisco, remarquant que « Mars utilisait la même stratégie que The Coca-Cola Company ». *In* Regional Office, Office of Price Administration, San Francisco, California, National Archives and Records Administration.

Plan

Ce choix était juste et courageux. Mais également dangereux. En 1941, le gouvernement avait autorisé la Compagnie à utiliser seulement 50 % du sucre consommé l'année précédente. Ce qui signifiait clairement que Coca-Cola devait ralentir sa production alors que la demande était en constante hausse. Résultat, Coke se retrouvait en rupture de stock. Alors que la société instaurait des cartes de ravitaillement limitant l'achat à trois bouteilles par semaine, ces nouvelles obligations patriotiques tombaient bien.

De fait, en 1941, et pour la première fois de son histoire, le budget publicitaire d'Atlanta dépassa les dix millions de dollars. Une communication dont l'axe principal consistait à justifier les difficultés d'approvisionnement par l'obligation morale d'abreuver les troupes. Coke manquait dans les épiceries parce qu'il rafraîchissait le soldat[1].

L'appel au sacrifice, doublé de campagnes d'information où la Compagnie demandait au peuple américain d'acheter des bons de guerre, finirent par installer la marque là où Woodruff et Oehlert avaient rêvé qu'elle soit. Désormais Coca-Cola, en contribuant à l'effort de guerre, était devenu le plus américain des symboles.

Il était temps de passer à la vitesse supérieure.

---

1. « Again sugar enlists for Victory, our volume had been reduced. But this we pledge : the character of Coca-Cola will be unimpaired » ; Campagne de publicité 1941. Cité *in Coca-Cola : An Illustrated History*, Pat Watters, Doubleday, 1978.

69. Adéquat

Pearl Harbor le confirmait : l'attaque japonaise précipitait l'Amérique dans une guerre que tout le monde attendait. Ben Oehlert y vit, lui, la validation de sa stratégie. La première partie de son plan avait renforcé l'image patriotique du soda et évité à l'activité de ralentir. Et là, avec la perspective de voir des millions d'hommes partir pour le front en Europe comme dans le Pacifique, l'avocat de la Compagnie était gagné par une autre certitude.

« Une utilisation adéquate de la fourniture de Coca-Cola aux troupes, écrivit-il, et cela où qu'elles aillent, peut nous apporter plus de bonnes choses, à l'étranger et ici, que ce que pourraient donner des décennies d'effort et des millions de dollars dépensés en publicité[1]. »

Ce discours peut heurter par son cynisme, mais, en période de crise, la Compagnie faisait surtout preuve de pragmatisme et d'opportunisme. Il prouvait en tout cas que, dès 1942, Coca-Cola envisageait clairement le soldat américain comme un excellent ambassadeur de son soda. Et la guerre, comme le

---

1. Mémorandum de Benjamin Oehlert à Robert Woodruff, 1er juin 1942. *In Special Collections and Archives*, Robert W. Woodruff Library, Emory University, Atlanta.

théâtre d'une gigantesque et formidable conquête de nouveaux marchés.

*

Les mille huit cents bases du territoire américain ne suffisaient plus. Il fallait que Coke se retrouve dans le barda des futurs libérateurs. Pour cela, la Compagnie avait à convaincre le Pentagone de devenir son premier client. Avec, en corollaire, une exemption des contraintes liées au sucre et l'autorisation de bénéficier des matières premières nécessaires au fonctionnement de l'appareil de production.

En 1942, quelques mois après l'entrée en guerre des États-Unis, Atlanta entama une intense opération de lobbying. Les responsables gouvernementaux et militaires de la Marine, de l'armée de l'air et de terre reçurent un livret produit par la firme. Derrière un titre neutre – « Importance of the Rest Pause in Maximum War effort[1] » –, se cachait un plaidoyer pro soda maison. Affirmant, démonstration à l'appui, les bienfaits d'une « pause rafraîchissante et sucrée » dans le monde du travail, Coca-Cola y faisait un parallèle avec la situation rencontrée sur le front par les troupes américaines.

En plus de photographies et graphiques illustrant l'effet bénéfique du sucre, la brochure multipliait les témoignages de scientifiques, médecins et chefs d'entreprises vantant l'apport énergétique préconisé. Pour enfoncer le clou, des extraits de lettres de soldats et de hauts gradés saluaient le fait d'avoir trouvé, avec le soda, un parfait substitut aux anciennes récompenses alcoolisées. D'autres, en revanche, déploraient l'absence de Coca-Cola sur le terrain et insistaient sur le réconfort moral qu'il procure. Ce matériel publicitaire assenait donc sans ambages que Coke était nécessaire à l'effort de guerre.

---

1. « L'importance de la pause en période d'effort de guerre maximum. »

Coca-Cola, l'enquête interdite

*

Pour emporter la décision des instances politiques, Woodruff investit enfin 1,5 million de dollars dans une nouvelle campagne publicitaire destinée à avertir le public des arguments avancés par Coca-Cola dans cette opération. Associant des images de la guerre de Sécession, du premier conflit mondial et de celui en cours, la Compagnie insistait sur les effets méritoires de sa boisson sur les fantassins[1].

Quelques semaines plus tard, l'Administration Roosevelt accorda à la firme d'Atlanta ce qu'Oehlert avait imaginé quatre ans plus tôt : Coke reçut officiellement le statut de « fournisseur de guerre ». Et, à ce titre, put échapper à toute restriction sur le sucre... que son sirop serve à répondre à la demande du marché intérieur ou à réconforter le soldat prêt à débarquer sur les plages de Normandie.

---

1. Une des publicités de la Compagnie, véritable reconstruction de l'Histoire à son profit, mêlait un slogan de Coca-Cola à l'un des épisodes de la guerre de Sécession : « Stonewall Jackson nous apprit ce que la pause qui rafraîchit signifie [...]. Il distribuait des rations de sucre à ses hommes et à intervalles réguliers ordonnait qu'ils s'allongent afin de se reposer. Résultat, les troupes progressaient plus rapidement et plus loin qu'avec n'importe quel autre général. »

70. Fondateur

L'acte fondateur de la prestigieuse seconde moitié du siècle de la Compagnie eut lieu le 29 juin 1943. Du quartier général des forces alliées, à Alger, le général Dwight D. Eisenhower télégraphia à Washington une requête importante : l'envoi « de trois millions de bouteilles (remplies) de Coca-Cola ». Afin de s'assurer du réapprovisionnement de cette quantité, le militaire exigea aussi « l'équipement complet pour l'embouteillage, le lavage et le capsulage de la même quantité deux fois par mois ». Sachant que le front était mouvant, Ike concluait à la nécessité de prévoir « dix autres machines à installer dans différents endroits. Elles seront opérationnelles pour produire vingt mille bouteilles par jour[1]. »

La commande était pharamineuse. Si démesurée que, rapidement, le général George Marshall, chef d'état-major de l'armée américaine, conclut à l'impossibilité de l'honorer. En revanche, si une telle quantité de bouteilles pleines ne pouvait traverser l'Atlantique, le matériel nécessaire à l'embouteillage serait plus facile à transporter. Coca-Cola allait donc devoir monter, puis démonter et remonter ses usines là où seraient les troupes. Au gré de l'avancement du front, en somme.

---

1. Cité *in Secret Formula, op. cit.*

305

Coca-Cola, l'enquête interdite

Le télégramme d'Eisenhower acheva de convaincre le gouvernement américain du bien-fondé à accorder à Coca-Cola un statut de fournisseur des troupes. Statut dont disposaient Hershey et ses barres de chocolat, ou Ford et Willys et leur célèbre Jeep[1]. Dorénavant, comme l'avait prédit Ben Oehlert dans son mémorandum à Woodruff, l'administration Roosevelt « serait en mesure d'oublier toute question sur les profits de la Compagnie[2] » puisque seul importerait l'effort de Coca-Cola.

Bien entendu, Pepsi avait protesté. En arguant qu'au nom du patriotisme, la solidarité imposait non un monopole mais un partage. L'« imitateur » souhaitait l'envoi de différents colas et pas le choix d'une marque. Mais, à la mi-1943, Ike était déjà un héros. Et le héros avait commandé du Coca-Cola. Roosevelt pouvait seulement s'exécuter.

*

Au milieu de l'été, huit millions de casiers de Coca-Cola vinrent regonfler le moral des troupes. À la fin de l'année, on dépassait les soixante-quinze millions. Au rythme de deux bouteilles par semaine et par soldat[3], Coke consacrait une large part de sa production à l'armée américaine. Un document interne estima qu'en 1943 les ventes directes au Pentagone comptaient pour un tiers[4]. Les huit millions de

---

1. Ou bien encore Camel pour les cigarettes et Chiclets pour les chewing-gums.
2. Mémorandum de Benjamin Oehlert à Robert Woodruff, 1er juin 1942. *In Special Collections and Archives*, Robert W. Woodruff Library, Emory University, Atlanta.
3. Rationnées, les bouteilles de Coca-Cola étaient l'objet d'un véritable marché noir, dépassant largement leur prix de vente de 5 cents.
4. La demande militaire, croissante jusqu'à la Libération, multiplia les cas de rupture de stock sur le sol américain. Comme en 1941, Coke eut recours à la publicité afin de justifier son absence dans les rayons pour « que là-bas, nos combattants puissent avoir leur pause qui rafraîchit ». *In Coca-Cola : An Illustrated History, op. cit.*

litres de sirop vendus aux troupes représentaient, eux, l'équivalent de trois milliards de bouteilles [1]. Résultat, comme l'année précédente, la Compagnie fit un profit de plus de
cinquante-cinq millions de dollars.

*

Sans songer aux calculs d'Oehlert ou aux bénéfices de la
Compagnie, il faut admettre que le pari était insensé.
Les troupes américaines se battaient en Europe et dans le Pacifique. Le front qui évoluait au gré des victoires et l'engagement pris par la firme de fournir du Coca-Cola au prix
habituel sur le territoire américain compliquaient la donne. En
outre, comment remporter la gageure de fournir une boisson
de qualité dans des zones aussi variées et contrastées que la
jungle birmane, le désert saharien ou les étendues glacées
islandaises ? Woodruff avait exigé que la qualité de son soda
ne soit jamais sacrifiée mais le défi était complexe alors que
trouver de l'eau potable dans certaines contrées relevait déjà
du miracle [2].

Une solution pour remporter ce challenge : confier directement la tâche aux ingénieurs de la Compagnie. Des hommes
qui, non seulement, se porteraient garants de l'intégrité de la
boisson mais aussi, et conformément aux directives d'Oehlert,
se transformeraient en pionniers de la Compagnie.

---

1. *In* Mémorandum de S.F. Boyd au Local Board TCCC, 16 novembre
1943, *Special Collections and Archives*, Robert W. Woodruff Library,
Emory University, Atlanta.
2. Un des éléments de l'immense succès de Coke auprès des GI américains s'explique par la mauvaise qualité de l'eau. Coca-Cola, qui traitait
son eau de manière chimique, devenait dès lors une alternative de meilleur
goût.

71. Volontaire

Les soldats représentaient seulement une étape. En vérité, l'ambition de Benjamin Oehlert était des plus vastes. Si la Compagnie remportait son pari, avait-il écrit à Woodruff en juin 1942, l'avancée des troupes américaines permettrait « d'exposer (à la boisson) les populations civiles » des pays où se déroulaient les combats[1]. Et, dès lors, d'être sûr que pour une génération au moins le souvenir de la Libération serait à jamais associé à Coca-Cola. Dans cette perspective, en plus du bidasse métamorphosé en représentant de commerce malgré lui, Coke comptait sur les *Technical Observers*[2].

Les T. O. étaient des employés capables de faire tourner seuls ou presque une structure d'embouteillage. Civils intégrés à l'armée[3], ils avançaient avec les troupes, vivaient dans les mêmes conditions que les soldats et partageaient avec eux tous les risques liés au conflit[4].

---

1. Mémorandum de Benjamin Oehlert à Robert Woodruff, 1er juin 1942. *In Special Collections and Archives*, Robert W. Woodruff Library, Emory University, Atlanta.

2. Littéralement « Observateurs techniques ».

3. Les T. O. recevaient un grade d'officier et étaient payés par l'armée.

4. Deux des quarante-huit T. O. de Coca-Cola décédèrent durant leur mission : Turk Beard et Jake Sutton, qui périrent dans le crash d'un avion.

Volontaire

Officiers non combattant et volontaires, ces T. O. bénéficiaient d'une grande popularité[1] tant le soda était désormais essentiel au moral des hommes. Chaque dégustation de Coke incarnait en effet pour eux l'« occasion d'un retour à la maison », « de souvenirs d'une belle journée d'été ». L'engouement pour la boisson[2] ne cessa d'ailleurs pas de surprendre les ingénieurs de la Compagnie : « Vous pouvez me croire ou pas [...] lorsque les soldats peuvent avoir ce qu'ils veulent pour boire, leur première volonté est pour un Coca-Cola. [...] Et la raison est que nos garçons meurent d'envie de quelque chose de typiquement américain. Et rien n'est plus typique qu'un Coca-Cola avec un hamburger ou un hot dog[3]. »

Cette relation patriotique entre les troupes et le soda d'Atlanta n'échappa d'ailleurs pas à l'ennemi. La propagande allemande, qui condamnait sans cesse l'Amérique, affirmait ainsi que sa contribution à l'humanité se limitait à l'invention « du chewing-gum et du Coca-Cola[4] ». Le Japon, de son côté, qui utilisait la radio pour saper le moral des GI en leur suggérant, à longueur de programmes en langue anglaise, de déserter, titillait cette nostalgie du pays. Entre deux titres de Glenn Miller, Tokyo Rose rappelait les plaisirs simples de la vie et susurrait : « Ne serait-il pas bien d'avoir un Coca-Cola glacé ? N'entendez-vous pas ses glaçons danser dans le verre[5] ? »

*

1. Les soldats avaient l'habitude de les surnommer les « Coca-Cola Colonels ».
2. Une des anecdotes rapportees par un T. O. assurait qu'en Italie, une bouteille de Coca-Cola avait été mise aux enchères parmi les troupes afin de financer un fonds de soutien aux veuves et orphelins. La bouteille avait trouvé acquéreur à 4 000 dollars. *In* « Coca-Cola in World War II », *op. cit.*
3. *In* « Coca-Cola in World War II », *op. cit.*
4. Otto Dietrich, responsable des journaux allemands du IIIᵉ Reich. *In Secret Formula.*
5. *Idem.*

Coca-Cola, l'enquête interdite

Les *Technical Observers* ne se voyaient pas seulement appréciés des forces américaines, ils se montraient aussi redoutablement efficaces. Ainsi, dès mai 1942, Coca-Cola ouvrit sa première usine de guerre à Reykjavík, l'Islande, stratégiquement située, constituant une escale essentielle aux escorteurs aériens de l'Atlantique Nord[1]. Trois ans plus tard, les ingénieurs de Coke étaient parvenus par ailleurs à édifier soixante-quatre usines d'embouteillage, essentiellement installées en Europe. La France, elle, en comptait huit, de Nice à Paris en passant par Rouen[2]. L'Allemagne, de son côté, en accueillait onze, dont celle de Niedermendig qui avait commencé à fonctionner une semaine après la capitulation du régime nazi. Dans le Pacifique, où les conditions géographiques limitaient les implantations, Coke construisit cinq unités d'embouteillage avant la défaite japonaise. À la fin 1945, trois autres tournaient à Yokahama, Kobe et Okinawa.

De l'Afrique à l'Inde, en passant par le Vieux Continent et l'Australie, la Compagnie venait donc de gagner la première salve de son implantation mondiale. Restait maintenant à gérer le retour des troupes.

---

1. Cette présence, dès 1942, et son succès immédiat avec la population locale expliquent pourquoi l'Islande est aujourd'hui encore le pays européen à la plus forte consommation de Coca-Cola par habitant.

2. Au total, Coca-Cola implanta trente usines en Europe. Pour la France, la liste complète est : Lille, Rouen, Rennes, Reims, Marseille, Nice, Paris et Nancy. *In L'Histoire de Coca-Cola en France, op. cit.*

72. Retour

Benjamin Oehlert était donc un génie. En incitant très tôt la Compagnie à positionner son soda comme un produit essentiel à l'effort de guerre américain, il avait offert à Coca-Cola tous les atouts pour traverser la crise. Son plan avait insisté sur la nécessité d'accompagner la progression des forces de libération. L'avocat avait compris avant tous les autres qu'il s'agissait du meilleur moyen pour séduire de nouveaux consommateurs sur des marchés jusque-là marginaux.

Son mémorandum du 1er juin 1942 était si intelligent qu'il prévoyait trait pour trait ce qui adviendrait après-guerre. En écrivant à Robert Woodruff n'avait-il pas en effet affirmé que la présence de Coke sur la ligne de front constituerait la clé de la croissance de la Compagnie ? N'estimait-il pas que chaque soldat revenant au pays serait habité des souvenirs liés à cette terrible expérience et que le Coca-Cola s'imposerait à lui comme une création « inséparable de l'effort de guerre [1] » ? Que cette position assurerait à la marque une place privilégiée dans l'inconscient de millions de GI, un sentiment

---

1. Mémorandum de Benjamin Oehlert à Robert Woodruff, 1er juin 1942. *In Special Collections and Archives*, Robert W. Woodruff Library, Emory University, Atlanta.

« qui continuerait à peupler les vies des jeunes hommes actuellement sous les drapeaux et [qui] à travers eux, se refléterait dans plusieurs générations à venir [1] » ?

De fait, le retour sur le sol américain de plus de quinze millions de soldats bouleversa la destinée de la Compagnie. Puisque, durant le conflit, les troupes avaient trouvé réconfort et évasion en consommant près de cinq milliards de bouteilles de Coca-Cola, la boisson qui, « au bout du monde avait été le moyen de se sentir au pays », devint, en temps de paix, le « symbole d'un mode de vie amical [2] ».

Plus que jamais le soda s'imposa comme la boisson la plus populaire des États-Unis, écrasant la concurrence, Pepsi, notamment, ne bénéficiant en rien d'une telle réputation chez les anciens combattants.

Si, en 1939, les profits de la Compagnie franchissaient pour la première fois la barre des quarante millions de dollars, six ans plus tard, malgré les restrictions et un monde se réhabituant laborieusement à la paix, ils atteignaient 82 316 843 dollars.

La Compagnie avait gagné cette guerre. Il lui restait, désormais, à tout faire pour taire l'autre.

---

1. *Idem.*
2. Texte publicitaire 1946. Cité *in Coca-Cola : An Illustrated History*, *op. cit.*

73. Survie

World of Coca-Cola, Atlanta, 7 mars 2005.

Il m'apparaît difficile d'émettre une opinion définitive sur le mémorandum d'Oehlert. Certes, la clairvoyance avec laquelle il a anticipé chaque étape des quatre années où les États-Unis furent en guerre me semble admirable. Mais, d'un autre côté, l'opportunisme, pire, le cynisme de la Compagnie s'avèrent particulièrement frappants.

Le document n'établit-il pas clairement que l'effort entrepris par Coke lui permettrait aussi d'échapper aux restrictions de sucre pour sauver sa production et éviter que le gouvernement taxe son profit ? Oehlert avait également indiqué les avantages que Coca-Cola pourrait obtenir à s'associer au mouvement des troupes. Le conseiller de Woodruff avait même précisé que, quel que soit le coût total de l'opération, les retombées en vaudraient de toute façon la peine. Dans cet univers du business où tout se lit selon le schéma des bilans comptables, où la vision du monde est divisée entre la colonne des profits et celle de pertes, il ne fait aucun doute qu'Oehlert a aisément fait le calcul. Et mathématiquement déterminé que, malgré l'hémorragie en hommes que cela impliquerait, la Seconde Guerre mondiale serait au moins profitable aux desseins de la Compagnie.

313

*

Mais tout ceci devait-il compter ? Un large espace du musée d'Atlanta est consacré aux années 1939-1945. Le visiteur peut lire une reproduction du télégramme d'Eisenhower, apprécier de multiples publicités vantant l'effort de guerre de la firme et, d'une manière générale, le patriotisme à l'américaine.

Mais l'essentiel était ailleurs. Notamment dans des bornes interactives qui offrent la possibilité d'entendre des témoignages d'anciens combattants. De la campagne d'Italie au débarquement en Provence en passant par le conflit dans le Pacifique, tous se souviennent de leurs vingt ans brûlés par les peurs de la guerre. Si plusieurs décennies se sont écoulées depuis et que leurs visages portent le poids de l'âge, dans leurs yeux, l'ombre et la lumière persistent à s'affronter. Et racontent à la fois le poids et le soulagement de tout survivant. Au-delà du devoir de mémoire, ces regards-là imposent le respect.

Je crois que sans l'émotion ressentie et la force émanant de ces souvenirs sur vidéo, il m'aurait été impossible d'apprécier l'importance du rôle joué par Coca-Cola durant la Seconde Guerre mondiale.

Il y a cette infirmière de Pearl Harbor qui a transformé des bouteilles vides de Coke en flacons à transfusion sanguine pour sauver des vies. Et aussi cet officier qui a bravé les règles – et en a payé le prix – dans le but de fournir illégalement du Coca-Cola à ses hommes. Parce que son unité venant d'affronter le feu et de recevoir l'ordre de repartir aussitôt au combat, il avait souhaité que ses hommes oublient la guerre durant les cinq minutes de dégustation d'un Coke frais.

J'écoute encore le récit d'un simple soldat se rappelant l'intensité de l'émotion qui l'avait submergé en pénétrant, en libérateur, dans un village français. Un GI qui, pour saluer cet instant donnant enfin un sens à son sacrifice et à celui de ses frères d'armes, bien que freiné par la barrière de la langue,

314

n'avait trouvé d'autre moyen pour exprimer sa fraternité que d'offrir du Coca-Cola à l'océan de sourires qui l'accueillait.

Et puis, enfin, je reçois un ultime choc avec l'histoire incroyable de ce militaire qui, toute la durée du conflit, conserva précieusement une bouteille de Coke dans son barda. Avec, sur sa base, gravé le nom de sa ville [1]. Cet objet avait catalysé la nostalgie liée à l'absence, la superstition d'un porte-bonheur ainsi que la promesse d'un retour. Mieux, alors que la fin du parcours approchait, il exprimait dans la vidéo le désir que la bouteille l'accompagne dans son dernier voyage.

En somme, Coca-Cola avait aidé tous ces hommes à vivre à travers la fureur de la mitraille. Et, quelle que soit la suite de l'histoire, il ne fallait jamais l'oublier.

---

1. À l'époque, les embouteilleurs gravaient le nom de la ville et le logo de leur compagnie sur le culot de la bouteille. Parmi les GI, la chasse au Coke portant le patronyme correspondant à leur lieu d'origine était une activité très courue.

74. Premier

« Les bouteilles de Coca-Cola sont apparues pour la première fois en France en 1933, au café Tabac de l'Europe près
de la gare Saint-Lazare, à Paris[1]. »

Paris, Europe, Saint-Lazare... La symbolique était belle.
Mais, une fois de plus, la légende fausse.

---

[1]. http://www.coca-cola-france.fr/relationconsommateurs/faq_generalites.
asp

Lors de l'inauguration de l'usine d'embouteillage de Coca-Cola de
Rennes par Claude Foussier président-directeur général de la SPBG, un
« communiqué » fut publié dans le journal *Ouest-France* le 22 juin
1963 : « Sait-on que les premières bouteilles de Coca-Cola étaient vendues à Paris en 1933 dans un établissement au nom déjà symbolique, le
"café de l'Europe" ? » Quatre ans plus tard, dans son numéro de juillet-
août 1967, de *Bulletin de France*, l'éditorial de la revue de *The Coca-Cola
Export Corporation, succursale en France*, écrivait : « Nous sommes loin
de ce jour du mois de juin 1933, où les premières bouteilles de "Coca-
Cola" étaient présentées et offertes au public dans un débit parisien : le
"Café-Tabac de l'Europe"... ». Le « Café-Tabac de l'Europe » à Paris,
existe toujours. En 1986, pour le centenaire de la naissance de Coca-
Cola, une glace gravée, commémorant un autre anniversaire, a été posée
à l'intérieur de l'établissement. Elle dit ceci : « 1933 La première caisse
de six bouteilles de Coca-Cola fut commandée en France par le Café-
Tabac de l'Europe. Always Coca-Cola. » *In L'Histoire de Coca-Cola en
France, op. cit.*

En réalité, et cette fois sans que Benjamin Oehlert en soit responsable, la saga française de la Compagnie se trouvait étroitement liée à celle de l'armée américaine.

*

Depuis le 3 août 1914, le Vieux Continent s'entredéchirait. Il fallut néanmoins attendre le 6 avril 1917 pour que les États-Unis décident d'apporter leur aide aux Alliés[1]. Moins de deux mois plus tard, les soldats du corps expéditionnaire américain débarquaient à Saint-Nazaire. Et, d'une certaine manière, Coca-Cola avec eux[2].

La présence de ses compatriotes dans l'Hexagone n'avait pas échappé à Raymond Linton. Ni l'existence de camps de transit où, après l'armistice du 11 novembre 1918, des milliers d'hommes démobilisés attendaient de s'embarquer pour le pays. Son idée : puiser dans ce marché captif en lui vendant du Coca-Cola. Début 1919, il se rendit donc à New York commander onze mille litres de sirop. Le reste appartenait à une histoire dont la légende semblait avoir perdu la trace : « Le premier envoi de Coca-Cola vers la France est arrivé à Bordeaux, au printemps 1919, raconta plus tard ce dernier. Si les tonneaux pouvaient parler, je serais effrayé à l'idée de ce que des milliers de tonneaux de vin passant par le port auraient à dire à ces premiers tonneaux rouges, et nul doute que ces tonneaux rouges auraient également beaucoup de choses à dire [...] Les services de la douane n'avaient pas un

---

1. La Russie, la Belgique, la France et la Grande-Bretagne s'étaient liés afin de répondre à l'agression de l'Allemagne et de l'Autriche-Hongrie.

2. « Cette présence sur notre sol va tout d'abord se traduire par la réalisation d'une publicité murale [...] peinte vers la fin de l'année 1918 sur la façade d'un bâtiment de l'aérodrome de Lay-Saint-Rémy où stationne un groupe de chasse des AEF (American Expeditionnary Forces). Cette publicité sera exécutée de mémoire par le sergent Sam Dilly Jr., dans le civil peintre d'enseignes publicitaires. » *In L'Histoire de Coca-Cola en France, op. cit.*

tel produit sur leurs listes et ils refusaient de m'écouter quand je leur expliquais que ce n'était pas de l'extrait de coca. Ils furent même très surpris lorsque leurs chimistes fournirent les résultats des analyses[1]. » Plus précisément, le 15 mai 1919, Ray Linton déposa la marque Coca-Cola au greffe du tribunal de commerce de Bordeaux. Soit... quatorze ans avant la date d'entrée sur le territoire communiquée par Coca-Cola France.

Certes il s'agissait d'une initiative privée. Mais la Compagnie ayant toujours observé les pionniers d'un œil attentif, pourquoi ce silence ? L'un de ses membres n'écrivait-il pas à la même période : « Il y a un marché potentiel à l'étranger, mais, d'une part la Compagnie n'a pas assez de sirop à exporter, et d'autre part les frais excessifs d'acheminement du produit absorbent tous les bénéfices[2]. »

Dans un premier temps les ventes se limitèrent aux soldats américains, mais le succès de l'opération[3] incita Ray Linton, associé au Français Georges Delcroix[4], à voir au-delà des limites de la Gironde.

---

1. Témoignage de Raymond Linton *in The Coca-Cola Bottler*, Atlanta, 1920.

2. Lettre de Sam Dobbs à Joe Willard, 22 juillet 1919. Dobbs était le neveu d'Asa Candler. *In The Coca-Cola Company Archives*.

3. « Nous eûmes la permission du colonel d'un des camps américains de monter un stand de vente. Quand les soldats découvrirent qu'ils allaient avoir du vrai Coca-Cola, ce fut une grande joie. [...] Notre première vente ressemblait à un magasin à la veille de Noël. Ce fut une émeute. Un Français parlant anglais et deux aides étaient responsables du stand. Ces hommes ne s'occupèrent même pas du change. Et comme le dit un soldat : "Bon Dieu, qu'est-ce donc un franc comparé à une bouteille de Coke ?" » *Idem.*

4. « M. Delcroix est un homme raffiné qui a fait toute la guerre comme officier dans l'infanterie (française). Il n'avait jamais entendu parler de Coca-Cola avant et était bien sûr impatient d'en goûter, se demandant si ce serait une boisson que les Français aimeraient. Y goûtant pour la première fois il pensa qu'il y avait trop de sirop dans le mélange, que c'était trop doux pour le goût français. Le lendemain il trouva le même mélange correct et le jour suivant, qu'il n'était pas assez fort. » *Idem.* Ironie de l'histoire, compte tenu des événements de 1949, Georges Delcroix était issu d'une famille de négociants en vin.

Premier

*

À trois jours de la fête nationale, le 11 juillet 1919, Coca-Cola arriva à Paris. Appliquant la méthode utilisée par les premiers vendeurs d'Asa Candler, Linton et Delcroix entamèrent le démarchage des débits de boissons. « Nous avions remarqué, raconta le premier, que les Français étaient friands des publicités Coca-Cola illustrées de jeunes filles et nous les utilisâmes comme "méthode d'approche" et c'est ainsi que nous vendîmes notre première caisse au propriétaire d'un café. Au lieu de brandir cette nouvelle boisson, nous déroulions un calendrier avec la fille Coca-Cola, présentions un miroir de poche et un plateau, et après, nous n'avions plus qu'à essayer de le convaincre que la boisson était digne de la jeune fille [1]. »

Les premiers pas dans la capitale furent difficiles [2] et les ventes... médiocres [3]. Mais peu à peu, livrées dans un sac en toile ou par une charrette tirée par un cheval, les bouteilles s'imposèrent. « On trouve du Coca-Cola non seulement à Paris, mais aussi à Château-Thierry, Reims et Soissons [4], où le touriste américain pourra voir ce symbole si familier chez lui, poursuivait le pionnier oublié par la légende. Je ne pense pas me tromper en disant que, sous peu, le temps viendra où

---

1. Témoignage de Raymond Linton *in The Coca-Cola Bottler*, Atlanta, 1920.

2. Ainsi Linton raconte : « Un jour, M. Delcroix à la recherche d'une nouvelle vente entra dans un café et fut surpris de voir que le propriétaire etait américain. Il sortit son carnet de commande pensant le remplir sans les habituels arguments, mais quand le patron compris ce qu'on voulait lui vendre, M. Delcroix fut promptement mis à la porte et il s'entendit dire : "Mettez-moi cette boisson infernale hors d'ici. Elle a rendu mon pays antialcoolique et c'est pour cela que je suis ici." »

3. Pour survivre, Georges Delcroix commercialisait aussi la limonade Guita.

4. Reims est dans la Marne et les deux autres villes dans l'Aisne. Ce sont des lieux de pèlerinage des combats de la Grande Guerre où s'illustra le corps expéditionnaire américain.

le touriste américain trouvera les panneaux Coca-Cola dans la plupart des pays du monde[1]. »

Un an après l'arrivée de Coke en France, les deux associés firent preuve d'une justesse de visionnaires en prévoyant en termes affûtés l'avenir international de Coca-Cola : « le principal problème ne sera pas la boisson elle-même, mais de trouver des hommes compétents pour s'en occuper Si l'on trouve des hommes de la même trempe et possédant les mêmes capacités que ceux qui l'ont menée au succès dans ce pays, alors son histoire à l'étranger sera une reproduction des résultats d'ici[2]. »

Courant 1920, Georges Delcroix alla plus loin en installant la première usine d'embouteillage dans le XVe arrondissement. Une installation moderne accompagnée de la publication d'un livret publicitaire vantant les vertus du soda[3]. Là encore, la légende véhiculée par la firme omettra cette réalité quand elle prétendra que « la première usine Coca-Cola en France a été créée à Paris en 1949 par la Société parisienne de Boissons gazeuses[4] ».

À partir de 1920 donc, avec un succès modeste mais croissant et encourageant, Coca-Cola s'installa dans le paysage

---

1. Témoignage de Raymond Linton *in The Coca-Cola Bottler*, Atlanta, 1920.

2. Linton comparait évidemment les possibilités internationales à la réussite nord-américaine. *Idem.*

3. Dans ce fascicule de dix-huit pages, il informe le public qu'à « Paris, Coca-Cola est préparé par "The Coca-Cola Company for France", 35, rue La Quintinie (XVe arrondissement), qui n'occupe que des ouvriers et des spécialistes français qui se sont assimilé les méthodes américaines. Son installation unique en France vous étonnera, vous verrez avec quel souci de l'hygiène sont effectués le rinçage des bouteilles, la stérilisation de l'eau, la mise en bouteilles, avec quel scrupule de fournir un produit toujours égal est réalisé le dosage du sirop, avec quel modernisme sont conçus l'étiquetage, les manutentions ». *In L'Histoire de Coca-Cola en France, op. cit.*

4. http://www.coca-cola-france.fr/relationconsommateurs/faq_generalites. asp

français. Bientôt, avec l'arrivée de Robert Woodruff à la tête de la Compagnie, les efforts de Georges Delcroix firent place à une stratégie de développement pensée directement à Atlanta. Coca-Cola passait à la vitesse supérieure.

*

Paris serait un point de départ, Franklin Chalmers, l'un des responsables de l'Export, en était convaincu. Le 30 novembre 1927, il tenta de convaincre la Compagnie d'y lancer sa nouvelle bataille : « Le 23 octobre j'ai discuté à Paris avec notre embouteilleur M. Delcroix. Il n'y a plus de problèmes juridiques, ceux-ci ayant été réglés depuis longtemps. La distribution est limitée, moins de cent caisses par mois sont produites et vendues. [...] Il est cependant très important de mettre en route à Paris tous les efforts nécessaires, jusqu'à y risquer plus que le chiffre d'affaire des ventes. Les autres secteurs européens où Coca-Cola va connaître un succès suffisant, justifieront les risques pris à Paris. Paris c'est le centre géographique de l'Europe, le lieu de rencontre de tous les secteurs de l'industrie et un centre d'intérêt unique attirant des visiteurs du monde entier [1]. »

À nouveau, tandis que la légende prétend qu'il faudra encore attendre cinq ans pour que Coca-Cola arrive en France, un document atteste du contraire. En défendant, notamment, l'idée de s'associer à l'événement sportif le plus populaire du moment. Le 28 juillet, à Amsterdam et à l'occasion de leur neuvième édition, Coca-Cola étrenna son partenariat avec les Jeux olympiques. De quoi pousser ses pions en Europe et dans l'Hexagone. La preuve, quelques mois plus tard Woodruff put

---

1. Mémorandum de Franklin Chalmers à Harold Hirsch, 30 novembre 1927. *In Compilation on France*, 1951, Roy Stubbs, The Coca-Cola Company Archives.

mesurer son succès : présent dans soixante-dix-huit pays, « le soleil ne se couchait jamais sur Coca-Cola[1] ».

*

Si l'Allemagne représentait le second marché de Coke, la France connaissait de son côté un véritable essor. En plus de l'usine parisienne, Coca se voyait mis en bouteille dans quatre autres centres pour la plupart situés dans le sud, ce qui démontre le caractère saisonnier de la consommation. Boisson d'été, le soda rencontrait son plus grand engouement sur la Côte d'Azur[2].

Pourtant, en 1930, la Compagnie décida qu'il était temps que la France s'aligne sur les États-Unis. Coca-Cola devait gommer sa réputation de produit occasionnel pour conquérir les masses. La firme lança donc dans différents quotidiens une importante campagne publicitaire. Au royaume du vin, Coke prétendait devenir le choix des « hommes d'affaires sortant de leurs bureaux, [des] dames en train de faire leurs achats, ou [des] enfants revenant de la classe », sans oublier « des jolies téléphonistes qui, la journée terminée, peuvent enfin prendre un verre de Coca-Cola avant de s'entasser dans le métro ». Pour la première fois aussi, elle engagea des gloires françaises afin de s'offrir une nouvelle respectabilité[3]. Les efforts

---

1. *In The Red Barrel*, revue interne de The Coca-Cola Company, 15 février 1929.

2. Nice, Cannes, Menton et Monaco. Selon Jacques Blanc, un des pionniers de Coca-Cola Export après la Seconde Guerre mondiale, les ventes étaient modestes mais en progression : « J'ai vu les ventes de la première année à Nice, c'était des volumes extrêmement restreints, 750 ou 800 caisses et l'année d'après il y avait eu 1 200 caisses. Des caisses de 24 bouteilles de 19,2 centilitres ça représentait quand même 28 000 bouteilles bues sur la Côte d'Azur ! » *In L'Histoire de Coca-Cola en France*, *op. cit.*

3. L'actrice Suzanne Bianchetti, la danseuse Mona Païva du théâtre Mogador, le boxeur Eugène Huat, le pilote automobile Robert Sénéchal et Charles Pélissier coureur cycliste.

d'Atlanta payèrent. Grâce aux réclames, aux séances de dégustations, aux cadeaux publicitaires, la boisson perdit son caractère exotique et gagna du terrain dans les cafés.

*

Les Jeux olympiques de Berlin, concomitants avec le cinquantenaire de Coca-Cola, constituèrent une nouvelle étape fructueuse. Woodruff en profita d'ailleurs pour effectuer un tour d'Europe de ses concessionnaires. Son voyage confirma les difficultés à modifier des habitudes de consommation ancestrales mais, partout, Woodruff nota l'enthousiasme de ses VRP. De Bruxelles à Paris, le succès de Coca-Cola se résumait, à ses yeux, à des investissements de temps et d'argent.

Certes il n'avait pas échappé non plus au patron que la montée des périls en Europe risquait de remettre en cause cette progression. Mais, d'Atlanta, si la situation paraissait incertaine, elle ne semblait pas de nature à menacer totalement l'essor européen de la Compagnie. En juillet 1939, Coca-Cola chargea Avenir Publicité d'orchestrer sa plus ambitieuse offensive sur le sol français. À Paris, d'imposants panneaux fleurirent au nord de la Seine. Qui vantaient « la boisson pour tous », à la fraîcheur parfaite pour « tous les jours de l'année ».

Mais de l'angle de la rue des Blancs-Manteaux au boulevard de Clichy, d'autres affiches attiraient l'attention. Entre les sourires éclatants et les joues bien rouges des modèles de Coca-Cola, la France affirmait par voie de papier tricolore son « besoin d'être forte » en implorant le passant de « souscrire aux bons d'armement ».

La guerre arrivait et, dans l'Hexagone, l'aventure Coca-Cola touchait à sa fin. Tout au moins si l'on en croit la légende qui assure que « les petites exploitations cessèrent en 1939 avec le début des hostilités[1] ».

---

1. *In Coca-Cola Story*, Julie Patou-Senez et Robert Beauvillain, Éditions Guy Authier, 1978.

75. Écarts

La Compagnie avait gommé quatorze ans de son histoire française. Sans explication ni apparente logique[1]. À mon sens, seule une erreur pouvait expliquer ce refus d'affronter une telle accumulation de preuves infirmant la légende.

Quoi qu'il en soit, cette dissonance troublante fit son chemin. Et se mit à tenir un rôle essentiel dans mon enquête : la découverte de cette « faille chronologique » m'ouvrait même de nouvelles perspectives.

Si Coca-Cola avait pu confondre 1933 et 1919, oublier Georges Delcroix, Raymond Linton, Avenir Publicité et les démarcheurs de café, la légende avait pu aussi s'être égarée ailleurs. Les années de guerre semblaient d'ailleurs les meilleures candidates à ces écarts de mémoire, qu'ils aient été volontaires... ou pas.

*

1. La situation est d'autant plus confuse que si, dans ses documents officiels, Coca-Cola France continue de dater l'arrivée sur le marché à 1933, quelques lignes lues au musée d'Atlanta mentionnent 1919.

Le doute constituait peut-être une seconde nature. Une sorte de réflexe professionnel ? Ou une forme de rejet d'une histoire trop belle pour être vraie ?

La légende frôlait la perfection. À en croire la vulgate officielle, Coca-Cola avait quitté l'Europe en général, et la France en particulier, après septembre 1939. Puis était revenu comme boisson officielle des libérateurs, débarquant dans les Jeeps aux côtés des Lucky Strike et des barres Mars.

Peu à peu la suspicion gagna du terrain. Notamment en resongeant aux autres « oublis » de la firme, s'approchant d'une révision de son histoire française. Pourquoi, en février 1996, alors que le Carrousel du Louvre présentait une exposition des plus belles affiches publicitaires de Coca-Cola[1] ne pouvait-on admirer, à une seule exception près[2], que des posters américains, en majorité remontant à l'après-guerre ? Choix thématique ? Parti pris esthétique ? En fait, la Compagnie, par la voix de son responsable de la communication en France, avança une autre raison : selon lui, la fin des années 1940 représentait l'an zéro de l'expansion de Coca-Cola hors des États-Unis. En somme, la mémoire qu'on nous offrait ressemblait à celle que le journal *Technikart* avait résumée à l'époque : celle « de l'Amérique sûre d'elle-même d'avant le Vietnam et la crise économique. [...] Des États-Unis tels qu'en eux-mêmes, persuadés du bien-fondé de leur mode de vie, se voyant comme une énorme *upper middle class*, l'étendant chaque jour et assimilant pêle-mêle ouvriers, soldats[3]... »

---

1. « Art ou Publicité ? Une rétrospective Coca-Cola. »

2. Il s'agissait d'une affiche réalisée en 1920 par Albert Dorfinant : « Signée par Albert Dorfinant dit *Dorfi* (1881-1976), elle représentait un ours polaire désaltérant le soleil avec une bouteille de Coca-Cola, une bouteille aux bords droits, avec étiquette en forme de losange. Dessous figure le premier slogan français : "Buvez Coca-Cola Délicieuse, Rafraîchissante". » In *L'Histoire de Coca-Cola en France, op. cit.*

3. « Coca-Art, fragments d'une saga de soda », *Technikart*, nº 3, 1ᵉʳ février 1996.

Coca-Cola, l'enquête interdite

*

Ces omissions, au final, avaient de quoi agacer. Un trouble accentué par quelques pièces dénichées par hasard alors que mon père et moi cherchions à agrandir la collection familiale. De nouvelles questions surgirent à la vue d'une étrange carte postale[1]. Ce morceau de papier tricolore circulant en franchise militaire associait un texte humoristique à une publicité pour Coca-Cola. Il s'agissait vraisemblablement d'une carte de correspondance offerte aux soldats par les représentants français de la Compagnie. Le plus ennuyeux, c'était la date de l'oblitération : elle remontait en effet à février 1940, soit cinq mois après le début du conflit et le départ de Coke. Certes, cela pouvait relever de la coïncidence, d'une carte publicitaire distribuée avant la mobilisation et utilisée plus tard par un soldat.

Mais une série de disques 33 tours allait prouver qu'en réalité je venais de débusquer un début de piste[2]. Pressées pour la Société française des breuvages naturels (SBFN), ces galettes reproduisaient une traduction de la méthode de vente mise au point par la Compagnie. Un matériel de formation qui se trouvait dans une mallette, accompagné de quelques livrets illustrés. Une pièce unique, en somme, réalisée par l'agence de communication Sodico[3]. Or l'ensemble affichait sa date de fabrication : 1940.

Pour moi, le temps des hésitations était révolu. Coca-Cola avait connu une histoire que la Compagnie avait effacée.

---

1. Voir cahier iconographique.
2. Voir cahier iconographique.
3. À partir de 1958, la Sodico, devenue une filiale française de l'agence de publicité McCann-Erikson, eut en charge le budget de communication de Coca-Cola France.

76. Collaboration

Le 7 juillet 1930, la Société française des breuvages naturels reprit le flambeau de Georges Delcroix pour devenir propriétaire de la marque Coca-Cola dans l'Hexagone.

Neuf ans plus tard, cette société dirigée par Louis Gagnier affrontait la mobilisation. Avant, suite à quelques semaines de flottement, de reprendre la stratégie d'expansion décidée depuis Atlanta par Robert Woodruff.

En région parisienne, entre le 9 janvier et le 6 juin 1940, les démarcheurs de la SFBN se mirent à signer de nouveaux contrats d'approvisionnement de communes.

Dans le sud, grâce aux usines de Marseille et de Nice, la commercialisation du soda connut un essor sensible. Tout du moins jusqu'au 20 mars 1940, où l'on vit la boisson s'imposer dans certaines villes proches de la frontière italienne.

*

Le conflit n'avait donc en rien freiné les ambitions de Coca-Cola. Ainsi, depuis le début 1940, les représentants de la SFBN visitaient en effet systématiquement les cafés et les mess d'officiers situés à l'arrière du front pour distribuer des dizaines d'exemplaires d'une carte publicitaire tricolore en franchise militaire. Une démarche proche de celle pratiquée par Coca-Cola aux États-Unis sous les directives de Benjamin Oehlert. Au fond, l'idée était la même : affirmer le patriotisme de Coke et gagner un nouveau marché.

Si l'on n'oublie pas que, depuis toujours, la communication internationale de la Compagnie se décidait à Atlanta, difficile de ne pas voir là la main de Woodruff.

*

L'entrée en guerre de l'Italie de Mussolini et la mise en place de restrictions de sucre changèrent la donne mais ne signifièrent pas pour autant l'arrêt de la commercialisation du soda en France.

Ainsi l'usine de Paris, bien que située en zone occupée, continua à produire la boisson. Le 15 octobre 1940 la SFBN, constituée en majeure partie de capitaux américains, passa sous le contrôle d'un administrateur provisoire. Un changement de statut qui permit à Gagnier la poursuite de sa prospection.

Le 1er novembre 1941, il ouvrit même un « nouveau territoire » en Seine-et-Oise. Une date importante puisque, un mois plus tard, le 7 décembre, l'aviation japonaise bombardait Pearl Harbor, l'Amérique entrait en guerre et, à Atlanta comme à Washington, la Compagnie se démenait pour devenir fournisseur de guerre.

Le contrat du 1er novembre aurait donc dû être le dernier. Coke étant l'essence de l'Amérique, il ne pouvait décemment pas être en vente dans la France de la collaboration.

Pourtant...

*

Fin 1941, la SFBN entama un bras de fer avec le gouvernement de Vichy. Coca-Cola continuant à être consommé en France, le pouvoir du Maréchal Pétain s'inquiéta « de la composition de cette boisson à l'origine étrangère ». Le service de la répression des fraudes se lança même dans une série d'analyses visant à déterminer les fameux ingrédients de la formule. Ses conclusions furent favorables à la SFBN : « L'acide phosphorique (*présent*) ne saurait être nuisible. À la vue du rapport des experts-chimistes, la juge d'instruction conclura à un non-lieu en novembre 1942[1]. »

La vente du Coca-Cola pouvait continuer. Cette fois réquisitionnée par l'autorité nazie. Depuis l'entrée en guerre de l'Amérique de Roosevelt, les biens constitués de capitaux américains tombaient sous le coup de la loi. Anciennes propriétés de l'ennemi, ils passaient *de facto* sous contrôle allemand. Aussi, le 16 janvier 1942, les statuts de la Société française des breuvages naturels furent modifiés et Max Keith, proche du pouvoir et président de Coca-Cola Allemagne, accéda au rang d'administrateur.

*

Un an après l'attaque sur Pearl Harbor, alors que les Alliés débarquaient en Algérie et entamaient la reconquête, Coca-Cola gardait toujours un pied en France. Et vendait même son soda à Paris en juin 1943, comme la comptabilité de la SFBN, jamais encore consultée, en atteste. Des cahiers instructifs, méticuleusement ordonnés, où sont inscrits les comptes de la société placée d'autorité sous contrôle allemand ! Y figuraient le prix de « Coca-Cola (caisse et bouteille) pour les concessionnaires et les clients (livré à domicile ou pris à l'usine) au 12 août 1941, 1er avril 1942, 1er novembre 1942 et 1er juin 1943[2] ».

---

1. *In L'Heure Médicale* de mai 1950.
2. Si, avant le 1er mai 1939, une bouteille de Coca-Cola était facturée au concessionnaire 0,65 F l'unité, elle passa à 0,90 F en 1941, puis à 1,10 F en 1942 pour terminer à 1,30 F en 1943. Le prix, augmentant avec le rationnement, doubla donc en quatre ans. Collection Guy et William Reymond.

Une seconde colonne symbolise à elle seule le désir de la Compagnie d'oublier cette réalité-là de la guerre. Une colonne où il était toujours question de tarifs, mais qui cette fois ne s'adressaient plus aux revendeurs ou aux clients. Les prix négociés visaient en effet une clientèle vraiment particulière : celle des troupes d'occupation du IIIe Reich !

Alors que sur les plages de Sicile les troupes alliées[1] essuyaient le feu ennemi, le soldat de la Wehrmacht en permission à Paris pouvait, lui, se désaltérer à tarif préférentiel d'un Coca-Cola bien frais.

*

Coca-Cola n'avait pas quitté le pays en 1939. Poursuivant son développement, le soda était donc disponible dans la France d'occupation. Et, à en croire les archives inédites de la SFBN, avait assumé ce rôle au moins jusqu'au 3 mai 1944. Ce jour-là, un mois avant le débarquement en Normandie, Louis Gagnier signait un contrat renouvelant une concession avec un grossiste de la région de Sevran.

Cette faille chronologique était-elle accidentelle ? La vérité pourrait être plus simple : l'épisode ne pouvait figurer dans la légende.

---

1. Le 10 juillet 1943, dans le cadre de l'opération Husky, les armées américaine, britannique et canadienne débarquaient en Sicile, s'attaquant au ventre mou du IIIe Reich et entamant la libération de l'Europe.

77. Issue

L'accroc était de taille. Et l'ampleur des questions qu'il suscitait en moi à la hauteur de cette découverte.

Comment Coca-Cola pouvait-il affirmer avoir incarné « une partie et un symbole du mode de vie pour lequel cette guerre était menée[1] » et, dans le même temps, avoir abreuvé des soldats du IIIᵉ Reich occupant Paris ? Comment la Compagnie avait-elle pu justifier ce grand écart après Pearl Harbor ? Et surtout, comment continuait-elle à y parvenir aujourd'hui ?

Le refus des gardiens de la « légende » de collaborer à mon enquête limitait évidemment les réponses à ces interrogations majeures. Sans certitudes ni avis contradictoire, je me retrouvais sans autre choix que de tenter de comprendre. À bien y réfléchir la Compagnie ne pouvait nier la force de ces documents. Les archives de la Société française des breuvages naturels ne mentaient pas. Les preuves existaient et leur authenticité se voyait confirmée par différents témoignages d'intervenants de l'époque. Ignorer ces vestiges d'une période trouble aurait consisté à sombrer dans le révisionnisme. Et nier n'était plus possible. En fait, pour Coca-Cola, il restait

---

1. Ralph Hayes, bras droit de Robert Woodruff en 1942. *In Secret Formula, op. cit.*

une seule porte de sortie : celle qu'Atlanta avait utilisée pour justifier son parcours allemand.

*

En 1980, le chercheur allemand Helmut Fritz publia un ouvrage critique consacré à l'histoire du développement de Coca-Cola[1]. Pour la première fois, après avoir consulté les archives de la Coca-Cola GmbH et interrogé d'anciens employés, il put détailler le parcours du soda sous le régime hitlérien. Et, comme je l'avais découvert pour la France, il affirmait qu'il n'y avait jamais eu dans son pays de « parenthèse Coca-Cola » durant la Seconde Guerre mondiale. Que la commercialisation du soda avait perduré en dépit de tous les discours officiels postérieurs.

Ses conclusions embarrassantes n'obtinrent qu'un écho limité. Son ouvrage ne fut même jamais traduit hors des frontières allemandes. Ce qui n'empêcha pas, un an plus tard, un autre chercheur, Hans Dieter Schaefer, travaillant sur la publicité sous le nazisme, de révéler les liens existant entre la communication de Coca-Cola et celle du IIIe Reich[2].

En 1993, Mark Pendergrast reprit certaines des informations de Fritz et Schaefer dans *For God, Country and Coca-Cola*[3]. Un an plus tard, le journaliste Frederick Allen se consacrait à son tour à une histoire de la Compagnie et, dans *Secret Formula*, évoquait lui aussi sur plusieurs pages l'épisode allemand. Si ces deux études différaient sur plusieurs

---

1. Helmut Fritz, *Das Evangelium der Erfrischung : Coca-Cola, die Geschichte eines Markenartikels*, Siegen : Forschungsschwerpunkt Massenmedien u. Kommunikation, 1980.

2. *In Das Gespaltene Bewusstsein : Deutsche Kultur und Lebenswirklichkeit 1933-1945*, Hans Dieter Schaefer Munich, Carl Hanser, Verlag, 1981.

3. En 1997, l'hebdomadaire *Marianne* reprit les révélations de Pendergrast en oubliant de citer sa source. *In* « Coca-Cola, l'impérialisme en bouteille », *Marianne*, 25 août 1997.

points, elles se rejoignaient en montrant du doigt les tentatives de justification de la période allant de 1933 à la capitulation. Mais elles rejetaient l'idée d'une collusion avec le IIIᵉ Reich[1], jugeant la présence de Coke en Allemagne après Pearl Harbor comme étant le fruit d'initiatives personnelles de Max Keith, le directeur de la filiale locale, et, de fait, blanchissaient la Compagnie de toute accusation d'orchestration depuis Atlanta.

Ces auteurs ne cachant pas avoir bénéficié d'un accès aux Archives de Coca-Cola, il pouvait paraître évident, à travers ces lignes, qu'ils résumaient la position officielle de la Compagnie.

Une déduction confirmée en mai 2004 à l'occasion d'une exposition d'affiches publicitaires allemandes dans une galerie d'art londonienne[2]. Imaginée par Mark Thomas et Tracey Sanders-Wood, la manifestation visait à épingler la politique de la Compagnie en la confrontant à d'éventuelles collusions avec le IIIᵉ Reich. La démarche ayant du retentissement, Coca-Cola, à travers son porte-parole britannique, dut affirmer sa position. Habilement, Tim Wilkinson déplaça le débat sur le terrain de l'injure : « Nous rejetons de manière véhémente toute suggestion qu'en tant que compagnie Coca-Cola ait jamais sympathisé d'une quelconque manière aux actes répugnants ou aux politiques du régime nazi en Allemagne[3]. »

---

1. « Woodruff appartenait à un réseau d'entrepreneurs dont beaucoup s'inquiétaient de l'avenir de leurs filiales et intérêts allemands. Alors que les chances de paix s'assombrissaient, ces titans de l'industrie américaine manœuvraient afin de se protéger de tout risque. Certains, comme Henry Ford, étaient en réalité des sympathisants nazis. D'autres, tel Walter Teale de la Standard Oil, évitaient de prendre position mais ne voyaient rien de mal à faire des affaires avec les nazis. Tout comme son ami et compagnon de chasse, Woodruff pratiquait la convenance. Coca-Cola était sa seule politique. » *In For God, Country and Coca-Cola, op. cit.*

2. Coca-Cola's Nazi Adverts http://www.mtcp.co.uk/coca-cola/index.php

3. *The Independant*, 26 mai 2004.

Wilkinson alla plus loin en révélant que « Coca-Cola avait versé de l'argent aux fonds de compensation des victimes de travaux forcés sous le régime nazi. Non pas comme admission de sa culpabilité mais par solidarité de corporation[1] ».

*

L'attitude de la Compagnie possédait sa logique. Notamment parce qu'il convenait, aussi, de relativiser : après tout le Coca-Cola n'est qu'une boisson. Et sa commercialisation n'avait rien à voir, stratégiquement parlant, avec, par exemple, la vente par la Standard Oil de carburant destiné aux bombardiers de la Luftwaffe. Ni avec les graves compromissions de dizaines de firmes qui, par pur opportunisme financier, avaient permis à Hitler de réarmer plus rapidement son pays.

Néanmoins, face à l'histoire, la Compagnie avait une obligation de vérité morale. Mieux, une dette. En quelques mois, le soda était devenu aux États-Unis un acteur majeur du juste combat allié, donc bien plus qu'une simple boisson, l'essence de la démocratie, le parangon du patriotisme.

Une responsabilité impliquant une éthique irréprochable. Et, bien que cela puisse être douloureux, la nécessité de prouver son attachement au camp de la vérité.

*

Il aurait été plus facile d'admettre les explications de la Compagnie. Mais, avant même la découverte d'Emory, cela m'était impossible. Je savais les pages de Pendergrast incomplètes. Son récit de la saga Coca-Cola sous le IIIe Reich oubliait en effet un épisode évoqué par Hans Dieter Schaefer laissant entendre que, pour survivre, Coke aurait pu adopter les valeurs défendues par le régime. Quel crédit attribuer à une telle hypothèse ?

---

1. *Idem.*

Issue

En 1936, Coca-Cola GmbH subit différentes attaques antisémites. Lancées par un concurrent agressif, elles affirmaient
que la Compagnie était « sous contrôle du lobby juif ». Ébran-
lées par cette offensive, les ventes du soda diminuèrent. Le
siège du parti nazi cessa même de passer des commandes.

D'après Mark Pendergrast, Woodruff aurait interdit à Keith
de répondre aux attaques, assurant que le problème se tasserait
en quelques mois. Une assertion erronée puisque Max Keith
passa outre l'ordre d'Atlanta. Hans Dieter Schaefer révéla en
effet comment Coca-Cola GmbH, dans les colonnes de *Stuer-
mer*, dénonça ces accusations mensongères et affirma « la
pureté de ses origines ». Or, circonstance aggravante, *Stuer-
mer* était le journal officiel du parti nazi, un périodique réputé
pour la violence de ses attaques antisémites [1].

*

Au fur et à mesure de mes recherches et lectures, la statue
d'une firme exemplaire en ces années noires se lézardait de
plus en plus. Accepter encore la légende, après ces ultimes
rebondissements, aurait signifié croire aveuglément aux coïncidences. Celle prétendant que la présence de Coca-Cola en
Allemagne durant la Seconde Guerre mondiale relevait d'une
initiative personnelle, comme celle assurant qu'en France
Louis Gagnier avait eu la même pensée. Et cette probabilité-
là paraissait contestable.

---

1. *In Das Gespaltene Bewusstsein : Deutsche Kultur und Lebenswirklichkeit 1933-1945*, Hans Dieter Schaefer Munich, Carl Hanser, Verlag,
1981.

78. Concordance

Après la capitulation du IIIe Reich, les États-Unis installè-
rent plusieurs camps de prisonniers allemands sur leur propre
territoire, les soldats transitant par Hoboken dans le New
Jersey. Un jour, alors qu'un des convois en provenance de la
future RFA accostait au port, les gardes notèrent une étrange
agitation parmi les prisonniers. Interrogé, l'un d'entre eux
expliqua que ses compagnons et lui venaient d'apercevoir une
publicité murale pour Coca-Cola et s'étonnaient que cette
boisson de chez eux soit présente sur le sol américain.

L'anecdote était parfaite. Elle résumait en quelques mots
l'ampleur du succès de la Compagnie outre-Rhin.

*

La République de Weimar et son anti-américanisme affiché
avaient longtemps ralenti l'émergence de Coca-Cola en
Allemagne. Jusqu'à un jour de 1929 où Ray Powers, un
Américain, se décida à tenter l'aventure. En misant en priorité
sur la Ruhr, important bassin de population que la concentration en usines rapprochait du modèle américain. Puisque,
outre-Atlantique, en imposant la pause qui rafraîchit dans les
entreprises, Coke était parvenu à s'imposer, Powers appliqua

336

la méthode. De toute manière, face à la puissance des brasseurs tenant en main l'essentiel des restaurants et refusant de voir émerger un concurrent à la bière, il n'avait guère le choix[1].

Comme Raymond Linton et George Delcroix en France, Powers, aidé d'un unique employé, écuma la région d'Essen à vélo, en charrette ou en posant ses casiers à la grille des usines. Le bilan de la première année fut mitigé. Cent quarante mille bouteilles seulement d'écoulées. Un score qui déçut. Il fallut attendre 1933 pour voir les ventes de Coca-Cola augmenter réellement. Cette année-là, la Coca-Cola GmbH vendit près de 2,5 millions de bouteilles. Six ans plus tard, le pays buvait plus de cent millions de bouteilles de Coca-Cola. Après les États-Unis, le IIIe Reich devint le second marché de la Compagnie.

*

On le voit, la concordance historique est frappante. Coca-Cola s'imposa en Allemagne en même temps que l'idéologie nazie. Max Keith le reconnaissait d'ailleurs lui-même : « l'époque roulait pour » Coke. Parce que la récession était un souvenir et que l'Allemagne redécouvrait la prospérité.

Cette croissance fut soutenue par d'importants travaux publics. Parmi lesquels, la construction d'un immense réseau autoroutier, donnée essentielle pour comprendre l'essor du soda puisqu'il fut distribué dans les stations-service. En outre, comme aux États-Unis, le consommateur s'équipait. L'apparition des frigos alla de pair avec la possibilité d'acheter des packs de six bouteilles chez l'épicier. Grâce à quinze centres d'embouteillage, Coca-Cola GmbH fit donc à son tour l'expérience du hors-domicile.

---

1. *In Coca-Cola Collectibles, vom werbeartikel zum begehrten sammlerobjekt*, Botho G. Wagner, Wilhelm Heyne, Verlag, 1998.

Enfin, les usines tournaient à plein régime : Hitler ayant engagé sa nation dans une course frénétique à l'armement, une importante structure industrielle se mit en place. Ce qui profita au soda. Alternative à l'alcool, il s'imposa dans les ateliers pour aider à la baisse du taux d'accidents. Une tendance notée par le président de la filiale : « Les employés doivent travailler plus dur et plus rapidement, disait-il. Le matériel de production nécessite la sobriété[1]. » Keith reconnaissait que Coca-Cola avait bénéficié de l'augmentation de la durée hebdomadaire de travail, mais oubliait d'en préciser l'une des raisons : ayant interdit les syndicats, Adolf Hitler avait modifié les lois sociales au détriment du droit des ouvriers.

*

Coca-Cola GmbH partageait même certaines valeurs du national-socialisme. Non pas l'idéologie raciste et l'antisémitisme bien sûr, mais d'autres aspects de la révolution hitlérienne ne le gênaient guère.

Le IIIe Reich, par exemple, idolâtrait le culte du corps. L'activité sportive était reine et les athlètes allemands de véritables héros. À ce titre, 1936 constitua une date clé dans le règne du Führer. Les Jeux olympiques se déroulèrent à Berlin et Hitler voulut utiliser cette tribune afin de prouver au monde la supériorité de la race aryenne.

Or, depuis 1928, Coca-Cola était l'un des sponsors du rendez-vous olympique. Et Robert Woodruff effectua lui-même le voyage à Berlin avec une partie de la direction. Il participa du reste à deux soirées privées organisées par Göring et Goebbels[2]. Son séjour dépassa donc le cadre de la banale visite de courtoisie aux dignitaires d'un marché important.

Atlanta comptait en fait utiliser les Jeux comme un argument publicitaire démultipliant la stratégie de développement

---

1. *In* Max Keith, *30 Jahre mit Coca-Cola*, novembre 1963.
2. *In For God, Country and Coca-Cola, op. cit.*

mise en place par Woodruff. La France, la Belgique et les Pays-Bas utilisèrent d'ailleurs la présence de Coke à Berlin comme thème publicitaire. Quant aux rues de Berlin, débarrassées pour l'occasion de leurs pancartes anti-Juifs, elles furent tapissées d'affiches à la gloire de Coca-Cola. Le soda fut également vendu autour des stades, par autorisation spéciale.

Pour tout dire, le rendez-vous olympique ne fut pas le seul événement où l'obsession sportive du IIIe Reich et les intérêts de la Compagnie se croisèrent. De la boxe [1] au football en passant par le cyclisme, à l'époque Coke s'affichait partout où le peuple allemand se réunissait pour vibrer à l'unisson.

---

1. Le boxeur Max Schmeling, devenu malgré lui le symbole de la puissance du IIIe Reich après sa victoire au Madison Square Garden contre Joe Louis, devint, en 1957, le propriétaire de l'usine d'embouteillage de Hambourg.

79. Chef

Le parallèle ne se limitait pas au sport. Coca-Cola et ses usines modernes représentaient aussi l'archétype de la production de masse définie et exigée par Hitler. Des chaînes d'embouteillage aux conditions d'hygiène appliquées par Coke à la fabrication de sa boisson, tout se rapprochait de la définition hitlérienne de l'industrialisation. Jusqu'à la direction de la filiale dont le président incarnait le concept de *Geschäftsführer* cher au dictateur. Libérant le chef d'entreprise de la contrainte législative, Hitler avait en effet donné tout pouvoir aux dirigeants. Le patron disposait dès lors d'un droit absolu sur ses employés, limitant leurs salaires, augmentant leur temps de travail et les menaçant à la moindre remarque d'un renvoi immédiat. Max Keith, autoritaire mais charismatique, n'était pas un personnage éloigné de cette politique-là[1].

---

1. « C'était un leader né, un personnage extrêmement charismatique. J'aurais accepté de mourir pour lui. Vous aimiez travailler pour lui-même s'il était presque un meneur d'esclaves. Il me faisait peur. Il nous faisait peur à tous, même ceux parmi les plus âgés. » Témoignage de Klaus Pûtter, employé de Coca-Cola GmbH. *In* Max Keith, *30 Jahre mit Coca-Cola*, novembre 1963.

Keith avait succédé à Powers en 1933[1]. Un limogeage décidé à Atlanta et qui correspondait à une vague de mutations dans l'ensemble de l'Europe, la Compagnie désirant remplacer les pionniers américains par des hommes du cru. Si les capitaux provenaient des États-Unis, Coke s'était rendu compte que le fait d'avoir une vitrine locale facilitait sa pénétration des marchés[2].

Keith avait donc été choisi parce qu'efficace, allemand et proche du pouvoir.

*

Si, en 1936, pour affronter la décision de Göring, les réseaux de Keith s'étaient montrés inopérants[3], dans l'ensemble ils garantissaient fréquemment à Coca-Cola un traitement de faveur de la part des autorités. Ainsi quand, en 1939,

---

1. Le départ de Powers ne fut pas aisé. En 1936, Woodruff profita de son séjour à Berlin pour mettre fin au conflit entre l'Américain et Keith, son successeur. La compagnie accepta de verser à Powers une commission sur ses ventes allemandes jusqu'en 1950. L'accord dura jusqu'en 1938. Alors qu'Hitler s'emparait de nouveaux territoires, Powers exigea que ses droits s'appliquent aux frontières définies par les conquêtes nazies. Woodruff refusa mais Powers ne capitula pas, harcelant Keith. En décembre 1938, la voiture de Powers fut écrasée par un quinze-tonnes. Le 13, l'Américain décédait à Berlin.

2. Dans un mémorandum de 5 pages datant du 29 avril 1937, Arthur Acklin, listant les pratiques de la Compagnie en Europe, rappelait qu'une représentation locale avait permis à Coca-Cola de payer moins de frais douaniers. Le document recommandait également d'éviter de nommer les filiales d'embouteillage en utilisant le nom Coca-Cola afin d'échapper à la double taxation. Une consigne appliquée en France dès le début des années 1930 et jusqu'au milieu des années 1980. *In Special Collections and Archives*, Robert W. Woodruff Library, Emory University, Atlanta.

3. En septembre 1936, le maréchal Hermann Göring mit en place un plan de quatre ans qui devait permettre à l'Allemagne de devenir autosuffisante. Dans ce cadre, l'officier nazi limita considérablement les importations. Et menaça directement la production de Coca-Cola, le 7X étant expédié d'Atlanta. Keith plaida en vain l'identité allemande de Coca-Cola GmbH. Göring refusant de modifier sa position, Woodruff se lança dans

la filiale fut confrontée à une loi relative à la contenance des bouteilles, Keith fit appel à ses relations au ministère des Affaires étrangères et sauva la production de Coca-Cola.

Le détenteur des finances avait en effet ordonné l'uniformisation des formats de bouteilles. Désormais elles devaient toutes se conformer au système décimal. Or, inventée aux États-Unis, celle de la Compagnie contenait 19 cl tandis que le règlement en exigeait 20. Sous la menace d'une pénurie de contenants, Keith sollicita Reinhard Spitzy, ancien haut fonctionnaire du IIIe Reich, pour trouver une solution.

Celle-ci émergea rapidement. Il fallait mettre à profit un vide juridique du texte. Hitler ayant annexé les Sudètes, les nouvelles lois n'y étaient pas encore appliquées et cette partie de la Tchécoslovaquie souffrait de l'embargo imposé par le reste de l'Europe. Spitzy, usant de ses entrées au ministère, obtint une exemption pour la Coca-Cola GmbH : désormais la filière allemande pouvait fabriquer ses bouteilles dans les Sudètes puis les importer, contribuant ainsi, malgré les décisions internationales, à la vie d'un territoire annexé par les nazis.

*

Des rumeurs prêtèrent à Max Keith des ambitions démesurées pour son soda préféré. Il se murmurait même que le patron de la filiale allemande avait trouvé un accord avec les dirigeants nazis. Le jour où les États-Unis capituleraient et où Hitler régnerait sur le globe, Keith se verrait récompensé par la présidence mondiale de la Compagnie[1].

---

la bataille. Utilisant ses réseaux dans la finance, il réussit à approcher Göring et, par divers moyens, permit à Coke de continuer d'envoyer son sirop en territoire nazi. L'épisode a été confirmé en 1966 par Max Keith dans une interview au *New York Times*. *In For God, Country and Coca-Cola*.

1. *In Secret Formula, op. cit.*

En attendant que ce couronnement arrive, Keith eut recours à son amitié avec le ministre de la Justice pour tenter de placer le soda dans toute l'Europe occupée. Quelques semaines après le début du conflit, il fut en effet nommé au bureau des Biens ennemis, un organisme qui gérait les prises de guerre de l'appareil militaire nazi. Un poste capital, puisque, au fil de leurs conquêtes, les autorités victorieuses confisquaient les biens étrangers et les plaçaient sous leur contrôle. C'est dans ce cadre que Max Keith se vit attribuer la gestion de Coca-Cola aux Pays-Bas, en Norvège, en Belgique, en Italie, au Luxembourg et en France.

*

Les relations entre le régime nazi et Coca-Cola n'avaient donc rien de vraiment dissimulé. En fait, adaptant la stratégie d'Oehlert au contexte allemand, Coke avait essayé de devenir la boisson officielle du IIIe Reich.

En 1981, Hans Dieter Schaefer révéla d'ailleurs que, au moment où Atlanta sponsorisait le mouvement scout aux États-Unis, Coca-Cola GmbH désaltérait les camps des jeunesses hitlériennes[1]. Que, de manière systématique, Keith plaçait des publicités pour son soda dès qu'un magazine mettait le Führer en couverture, tandis que les mêmes réclames occupaient des pages de *Die Wehrmacht*, le périodique de l'armée allemande. Ou encore qu'à la radio le jingle Coca-Cola était souvent le premier spot publicitaire suivant le *Reichsrundfunk*, le journal d'information du IIIe Reich[2].

---

1. *In Das Gespaltene Bewusstsein : Deutsche Kultur und Lebenswirklichkeit 1933-1945*, Hans Dieter Schaefer Munich, Carl Hanser, Verlag, 1981.
2. *In Das Gespaltene Bewusstsein : Deutsche Kultur und Lebenswirklichkeit 1933-1945*, Hans Dieter Schaefer Munich, Carl Hanser, Verlag, 1981.

En 1937, Coke avait été l'une des attractions d'une exposition berlinoise à la gloire des ouvriers du Reich[1]. Le stand du soda, se trouvant mitoyen du bureau de la propagande, avait été visité par le maréchal Göring en personne. Le successeur désigné d'Hitler avait même posé pour les photographes, une bouteille de Coke à la main.

Deux ans plus tard, à l'été 1939 et à Munich, Coca-Cola avait eu en outre les honneurs du Führer lui-même[2].

Max Keith, qui ne cacha jamais son admiration pour la boisson d'Atlanta et le dictateur nazi, obtenait ce jour-là une victoire personnelle[3].

---

1. Reichsausstellung Schaffendes Volk. *In For God, Country and Coca-Cola, op. cit.*

2. Il semblerait qu'Hitler appréciait le produit. *Idem.*

3. À l'occasion du cinquantième anniversaire de Hitler, Keith prononça un discours aux employés de Coca-Cola GmbH. Il conclut en demandant à ses hommes un triple Sieg-Heil « afin de commémorer notre plus profonde admiration et notre gratitude au Führer qui a mené notre nation dans une brillante et plus haute sphère ». *In Coca-Cola Nachrichten*, revue interne de Coca-Cola GmbH, avril 1939.

80. Similitude

Le plan conçu par Benjamin Oehlert pour permettre à la Compagnie de traverser la guerre comptait deux étapes majeures. La première, par l'intermédiaire du recours massif à la publicité, avait pour ambition d'ancrer le caractère patriotique de la marque dans l'inconscient des consommateurs. La seconde, afin d'échapper aux restrictions et d'accompagner les troupes américaines, visait à transformer Coca-Cola en pièce maîtresse de l'effort de guerre.

À des milliers de kilomètres de là, Max Keith appliquait à la lettre une stratégie identique. Certes, les gardiens de la légende affirmèrent plus tard que le président allemand avait agi de sa propre initiative, mais, en fait, cette similitude semblait troublante.

*

Dans un premier temps donc, Keith avait modifié la communication de la marque, camouflant son identité américaine pour la transformer en boisson allemande. Mieux, un cola qui supportait l'effort de guerre et s'affichait avec les dirigeants nazis.

Comme Woodruff et Oehlert à Washington, Keith avait activé ses réseaux politiques pour épargner à Coca-Cola certains aléas administratifs.

Comme aux États-Unis, il avait en priorité courtisé les hôpitaux militaires, les associations d'anciens combattants et les bases de la Wehrmacht. Puis, de son poste au Bureau des biens ennemis, comme le montraient les archives de la Société française des breuvages naturels, il s'était assuré que les soldats du Reich puissent boire Coca-Cola au gré de leurs conquêtes. Et enfin, alors que le conflit s'était intensifié, il avait gagné là où Woodruff devait encore attendre : en 1941, Coca-Cola GmbH était devenu officiellement un fournisseur de guerre.

Comme l'avait imaginé Oehlert pour les États-Unis, cette décision avait permis à la filiale allemande de négliger les restrictions sur le sucre et d'éviter la réquisition de son parc automobile[1]. Des avantages conséquents mais pas aussi majeurs qu'un dernier atout : avec ce statut spécifique, Keith avait disposé d'une main-d'œuvre à très bon marché.

*

En 1963, interrogé sur cette époque où, malgré les bombardements[2], il était parvenu à produire plus de cent millions de

---

1. Helmut Fritz notait à ce sujet qu'en 1944, dans l'incapacité de continuer à fabriquer du Coca-Cola à cause d'une pénurie de 7X, Coca-Cola GmbH avait rempli son stock de bouteilles d'eau potable. Devenu essentiel à la survie du peuple allemand, Fritz racontait que, tandis que les Américains avançaient, c'était des camions Coca-Cola qui livraient des bouteilles de Coke remplies d'eau aux soldats allemands des bunkers. *In* Helmut Fritz, *Das Evangelium der Erfrischung : Coca-Cola, die Geschichte eines Markenartikels, Siegen : Forschungsschwerpunkt Massenmedien u. Kommunikation*, 1980.
2. La totalité des 43 usines de Coca-Cola GmbH et son siège à Essen furent bombardés.

bouteilles entre la fin 1942 et le début 1945[1], Keith se montra évasif. Nous avons utilisé, finit-il par admettre « des gens venant de toute l'Europe, que la guerre avait amenés de toutes parts[2] ».

En réalité, ce que l'ancien patron proche du régime n'osait plus dire, par crainte de détruire la réputation de la Compagnie, c'était que Coca-Cola GmbH avait eu recours aux *Fremdarbeiters*. Et puisé dans le vivier honteux des neuf millions de travailleurs forcés recrutés malgré eux parmi les populations conquises.

Une terrifiante vérité qui, incidemment, éclairait d'un jour nouveau la « solidarité de corporation[3] » que Tim Wilkinson avait évoquée pour justifier le don de Coca-Cola au programme de dédommagement du travail forcé[4].

---

1. À cette époque, le Coca-Cola avait quasiment disparu. Il s'agissait principalement de Fanta. Voir chapitre 89.

2. *In* Max Keith, *30 Jahre mit Coca-Cola*, novembre 1963.

3. *In The Independant*, 26 mai 2004.

4. « Personnes ayant été déportées de leur propre pays vers l'Allemagne ou vers un autre territoire occupé par l'Allemagne et soumises au travail forcé pour une société privée ou une autorité publique, et qui ont été détenues dans des conditions extrêmement pénibles. Par "conditions extrêmement pénibles", il faut notamment comprendre l'emprisonnement ou des restrictions à la liberté de mouvement, ainsi que des fouilles et des contrôles de police constants. » *In* http://www.compensation-for-forced-labour.org/index_french.html

81. Adresse

Le drapeau rouge flottait sur Berlin. Le IIIᵉ Reich mordait la poussière et l'horreur de l'Holocauste se révélait aux yeux du monde.

À Atlanta, Robert Woodruff venait de recevoir un télégramme d'Allemagne. Le message était bref : « Coca-Cola GmbH a survécu. Envoyer les auditeurs [1]. »

Il était signé Max Keith.

*

Homme de fer résistant à tout, Max Keith avait survécu à la chute du Führer et échappé à la justice. Sans que l'on sache grâce à quel réseau politique, celui qui fût l'administrateur d'entreprises confisquées et le président d'une société ayant participé à l'effort de guerre nazi, sortait de la plus grave saignée humaine totalement indemne.

En 1949, après la fermeture des usines provisoires installées par les T.O. de la Compagnie, Keith reprit même ses activités. D'Essen, il planifia la reconquête de l'Allemagne par son cola fétiche... devenu le symbole de la Libération.

---

1. *In Secret Formula, op. cit.*

En 1954, il célébra les vingt-cinq ans de présence de Coca-Cola outre-Rhin. Avec son ami Robert Woodruff à ses côtés. Douze ans plus tard, en charge de la stratégie européenne de la Compagnie, il fêta la cent millionième caisse vendue en RFA. Un chiffre ahurissant. Depuis 1929, et sans la moindre interruption, les Allemands avaient englouti 2,4 milliards de bouteilles de Coke.

*

Aujourd'hui, le siège de Coca-Cola GmbH se trouve toujours à Essen, dans la ville même ou Ray Powers avait, bien des décennies auparavant, entamé cette aventure.

Certes, les bombardements américains, la reconstruction et la croissance avaient contraint le siège à déménager, mais au début des années 1980, la firme s'installait à une adresse que personne ne pouvait oublier. Au numéro 66 de la rue... Max Keith.

82. Finalité

Si leurs moyens n'avaient pas été les mêmes, la finalité était restée identique ; Robert Woodruff, Louis Gagnier et Max Keith avaient traversé la guerre avec une seule priorité : l'expansion de Coca-Cola.

Aux États-Unis, en France et en Allemagne, la stratégie avait été commune. Les cartes postales distribuées en franchise militaire, les encarts publicitaires dans *Die Wehrmacht* et les campagnes destinées à inciter les Américains à souscrire aux bons de défense correspondaient à la volonté de présenter Coca-Cola comme un ambassadeur des valeurs patriotiques.

*

L'argument des « initiatives personnelles » était donc bien discutable. Un artifice – un alibi même – élaboré par la Compagnie pour échapper aux revers de l'Histoire et au verdict de la morale ? Coca-Cola avait en fait mené deux guerres.

Mais maintenant... il me fallait le prouver.

83. Rosette

Emory University, 8 mars 2005.

La vérité a échappé aux gardiens de la légende. Aussi ahurissant que cela puisse paraître, les vestiges de ce passé se trouvent ici, devant mes yeux.

*

Pour la vulgate officielle, l'histoire se résumait ainsi. D'un côté on trouvait l'extraordinaire effort de Coca-Cola en faveur des combats de la Libération. Où, sans l'ombre d'un doute, Coke avait joué un rôle non négligeable dans le maintien du moral des troupes américaines. Et de l'autre, quoique dissimulées durant des années, les initiatives intempestives, solitaires et honteuses de Max Keith. Un patron aux convictions dévoyées, trop proche du pouvoir nazi. En somme, un incident de parcours regrettable dans lequel Atlanta n'avait à assumer aucune responsabilité. Ces deux versants avaient cohabité pendant plus de soixante ans sans que personne n'en découvre le sens réel.

Les deux histoires possédaient des similitudes, mais de hasards en différences rien ne semblait pourtant pouvoir les réunir.

C'était d'ailleurs pour cette raison que les cinq morceaux de papier d'Emory avaient survécu à l'épuration des archives. Sans la bonne clé, ils restaient les pièces d'un puzzle impossible à assembler. Mais avec, ils révélaient le plus grand secret de la Compagnie.

84. Vital

La pierre de Rosette était française. Sans Louis Gagnier et la SFBN, les actes de Keith et Woodruff seraient restés au rang de la succession de coïncidences sans logique. Mais la France et une boisson désormais effacée des mémoires me permirent de tout comprendre. Et, pour la première fois, de raconter.

*

La situation était inquiétante. Une fois de plus, la folie des hommes menait le monde vers la guerre. Et menaçait le fragile équilibre de la Compagnie.

Sous l'impulsion de Robert Woodruff, Coca-Cola avait oublié les barrières des frontières pour songer à conquérir de nouveaux territoires. Fini l'ère Candler frileuse et arqueboutée sur le pré carré américain, désormais il fallait voir loin. Aussi, nouvellement intronisé, Woodruff dota immédiatement la société d'un département étranger. Quatre ans plus tard en 1930, lançant une nouvelle offensive, il créait *The Coca-Cola Export Corporation*. Depuis Wilmington, dans le Delaware, l'Export devenait donc le bras armé de la société. La conquête du globe pouvait enfin commencer.

353

*

Et débuter par l'Europe. Sa concentration de populations imposait une évidence : Coke devait traverser l'Atlantique. L'investissement était conséquent et les risques élevés. Robert Woodruff avait insisté pour que l'ensemble de la Compagnie saisisse l'importance des enjeux. Sans détour, le président avait asséné que « le marché européen était vital[1] ». Et, en une décennie, Coke s'implanta dans treize nouveaux pays[2]. Après des déboires initiaux, le succès fut au rendez-vous.

Jusqu'à la date fatidique du 2 septembre 1939.

*

Les mauvaises nouvelles s'accumulaient. La Compagnie avait dû interrompre ses activités au Danemark deux ans à peine après son installation sur place[3]. Et le reste de l'Europe promettait des jours aussi sombres partout.

Le 26 janvier 1940, Nicholson fit parvenir un mémorandum confidentiel à Woodruff. Sur papier à en-tête du département de l'Export, il annonçait d'autres informations alarmantes. Le gouvernement britannique venait d'imposer les fameuses restrictions sur le sucre. Et Coca-Cola se voyait allouer « une ration correspondant à 25 % des achats de l'année précédente[4] ». Ce qui signifiait que les stocks assureraient sept mois de production et qu'après, tout cesserait. « Si nous ne

---

1. *In For God, Country and Coca-Cola, op. cit.*
2. Au-delà de la France en 1919, il y avait eu, à partir de 1927, la Belgique, l'Italie, les Pays-Bas, l'Espagne, l'Allemagne, l'Angleterre, le Danemark, la Suisse, l'Autriche, le Luxembourg, la Norvège, l'Écosse et l'Irlande du Nord. *In Chronological Listing, Special Collections and Archives*, Robert W. Woodruff Library, Emory University, Atlanta.
3. *Idem.*
4. Correspondance de H.B. Nicholson à R.W. Woodruff, 26 janvier 1940. *In Special Collections and Archives*, Robert W. Woodruff Library, Emory University, Atlanta.

pouvons pas obtenir du sucre, nous ne pourrons fournir du Coca-Cola[1] », précisait Nicholson.

Bien sûr, Nicholson avait ordonné à Gunnels, l'embouteilleur britannique, de mettre en branle ses réseaux politiques[2], mais la situation paraissait réellement compromise. Cinq ans après ses débuts, l'aventure anglaise de Coca-Cola courait le risque de toucher à sa fin.

Mais, Woodruff le savait, il y avait pire encore.

---

1. Correspondance de H.B. Nicholson à R.W. Woodruff, 26 janvier 1940. *In Special Collections and Archives*, Robert W. Woodruff Library, Emory University, Atlanta.

2. « [J'ai dit à Gunnels] qu'il avait intérêt à tirer les ficelles au sein du gouvernement anglais afin d'obtenir assez de sucre pour sauver ses affaires. Et que dans le cas où il échouerait, ses affaires seraient terminées. » *In* correspondance de H.B. Nicholson à R.W. Woodruff, 8 février 1940. *In Special Collections and Archives*, Robert W. Woodruff Library, Emory University, Atlanta.

85. Transmettre

L'Allemagne occupait les réflexions des têtes pensantes de la Compagnie. En 1939, Coca-Cola avait écoulé plus de cent millions de bouteilles. Hormis le cours de l'histoire, rien ne semblait pouvoir arrêter cette progression. En 1938, Woodruff avait eu un entretien rassurant avec Keith lors d'une escale à Londres[1]. Puis les accords de Munich semblèrent redonner des couleurs à la paix[2] et du souffle au rêve expansionniste de la Compagnie.

Et septembre 1939 avait tout bouleversé.

Avant qu'il ne soit trop tard, Max Keith s'était envolé pour Atlanta. L'autoritaire directeur de Coca-Cola GmbH ne quittait évidemment pas le navire allemand, il débarquait aux États-Unis pour recevoir le secret des secrets.

---

1. *In Secret Formula.*

2. « La paix ! La paix ! La paix ! Voilà le mot qui, ce matin, se lisait dans tous les yeux, sortait joyeusement de toutes les lèvres. [...] Notre président du Conseil et notre ministre des Affaires étrangères nous ont gardé la paix, c'est bien [...] dans l'honneur et la dignité. C'est mieux. Grâce à eux, la France peut continuer à vivre son beau et glorieux destin de nation pacifique et démocratique. » *France Soir*, 1er octobre 1938. Sur les accords de Munich, consulter le
http://www.yrub.com/histoire/accordsmunich.htm

*

La guerre n'intéressait pas Woodruff. Seuls le sort et le succès de la Compagnie, ainsi que le refus de perdre, comptaient à ses yeux. Et là, il convenait d'agir vite.

Une première fois, l'ambition d'auto-suffisance avancée et mise en place par Göring avait menacé les exportations de sirop vers l'Allemagne. Heureusement, les contacts de Keith et les relations de Woodruff avaient évité le naufrage. Mais, depuis quelques mois, la menace d'un conflit généralisé européen avait paralysé les transports du mélange. Avec l'entrée en guerre de la France et de l'Angleterre, ravitailler le marché majeur relèverait du pari impossible. Les bénéfices s'en ressentiraient et les solutions n'étaient guère nombreuses.

Pourtant émergea une idée simple. La composition du sirop s'avérant aisée à reproduire, pourquoi ne pas demander aux chimistes de Keith de trouver dans leur propre pays les substituts indispensables à la fabrication du Coca-Cola ? Et, dès lors, contourner habilement le blocus décidé par les Alliés.

Aussi, à l'automne 1939, lorsque Keith atterrit à Atlanta, Woodruff le laissa-t-il rapidement avec William Heath[1], chimiste gardien de la formule secrète depuis vingt ans[2].

*

Heath savait la recette reproductible. Le premier écueil, connu sous le nom de code « marchandise n° 5 », c'était d'arriver à reconstituer le mélange d'extraits de noix de kola et

---

1. Correspondance de H.B. Nicholson à R.W. Woodruff, 26 janvier 1940. *In Special Collections and Archives*, Robert W. Woodruff Library, Emory University, Atlanta.

2. William Heath avait été engagé par Ernest Woodruff, le père de Robert, en août 1919, afin de recevoir les instructions et la liste d'ingrédients de la bouche même des Candler.

de feuilles de coca. Le second, c'était de recréer l'ultraconfi-
dentiel 7X, cette association d'épices dont Heath avait appris
la composition du fils même d'Asa Candler.

En 1938, il s'était rendu outre-Rhin dans le but de se rensei-
gner sur les matières premières disponibles sur place. Et maintenant, suivant la consigne de Woodruff, il s'apprêtait à
transmettre le secret à Max Keith afin que celui-ci puisse
l'emporter au cœur même de l'Allemagne nazie.

86. Explication

L'accusation est de taille et mérite une argumentation.

Le voyage aux États-Unis de Max Keith a été documenté par Frederick Allen. Dans *Secret Formula*, le journaliste écrivait en effet : « Durant l'hiver 1939, Woodruff et Arthur Acklin invitèrent Keith à Atlanta afin d'y discuter de la logistique de l'import-export et pour "avoir une meilleure compréhension" de ses plans pour le futur. Ils lui firent savoir qu'ils lui faisaient confiance pour représenter leurs intérêts en ces temps incertains. Ils n'avaient pas d'autre choix[1]. »

Cette version renforçait l'idée que le destin de Coca-Cola dans le IIIᵉ Reich avait été laissé à la seule appréciation de Max Keith. Or c'était faux. Et un rapport découvert à Emory prouve que l'objectif du voyage consistait bien à lui révéler les secrets de la formule.

*

Le 26 janvier 1940, Burke Nicholson adressa un second mémorandum confidentiel à Robert Woodruff. Après l'Angleterre, le cadre de l'Export s'inquiétait de la situation

---

1. *In Secret Formula, op. cit.*

outre-Rhin. Et, entre les lignes, évoquait la transmission de la recette secrète.

Nicholson venait d'avoir une conversation avec Kalis, représentant de la Compagnie en Suisse. Le pays étant neutre, l'homme servait de boîte aux lettres entre Keith et Woodruff. Or, dans ce mémorandum, l'Helvète racontait à la direction les progrès du directeur de Coca-Cola GmbH et expliquait que « Keith avait déjà acheté une quantité de [marchandise] n° 5 dans son pays et était satisfait de sa qualité[1] ». Nicholson ajoutait que « quelques expériences avaient été effectuées au début de l'année dernière suite aux conversations avec le Docteur Heath en Amérique durant l'automne précédant[2] ».

La formulation administrative du rapport de Nicholson pourrait prêter à confusion quant aux dates. Si ces discussions s'étaient déroulées en Amérique, il s'agissait de l'automne 1939. En revanche, s'il ne se trompait pas sur l'année, alors ces conversations avaient eu lieu en Allemagne et non aux États-Unis.

De toute façon, ce qui comptait c'était surtout la suite du mémorandum. Où il expliquait : « Lorsque j'ai quitté l'Europe, les échantillons de marchandise n° 5 fabriqués avec des produits locaux n'étaient pas satisfaisants[3]. »

Quelques lignes plus loin, Nicholson enfonçait le clou en décryptant l'information transmise par le suisse Kalis : « J'en déduis, écrivait-il, que Mr Keith, grâce à ses chimistes, a effectué depuis le début de la guerre un travail expérimental substantiel sur cet ingrédient. Et je suis d'opinion qu'ils ont réalisé un très bon travail[4]. »

---

1. Correspondance de H.B. Nicholson à R.W. Woodruff, 26 janvier 1940. *In Special Collections and Archives*, Robert W. Woodruff Library, Emory University, Atlanta.
2. *Idem.*
3. *Idem.*
4. *Idem.*

Explication

*

Peut-être, après tout, Heath avait-il dévoilé seulement la composition de la marchandise n° 5 et jalousement préservé le secret de la suite de la recette, et plus particulièrement du 7X ?

Un argument qui serait recevable si Nicholson n'ajoutait après : « Pour tous les autres produits, à l'exception du 7X, [Keith] les obtient à l'intérieur du pays à un rythme suffisamment satisfaisant pour ce qui concerne l'avenir de ses stocks[1]. »

En somme, à en croire ce hiérarque de la firme, en 1940 Keith n'éprouvait pas la moindre difficulté à obtenir du sucre, du caramel, de la caféine, de l'acide phosphorique, de la vanille ni, grâce au travail de ses chimistes, le mélange d'extraits de coca et de noix de kola[2].

*

Restait l'ambiguïté sur l'ingrédient secret, ce mélange de saveurs imaginé par John Pemberton en 1886 et dont le mystère ne cesse d'être exploité, des décennies plus tard, par la Compagnie[3].

Deux passages du mémorandum confirmaient l'invraisemblable : « Docteur Heath et Docteur Gaspari avaient mené quelques recherches lorsqu'ils étaient en Allemagne il y a

---

1. *Idem.*

2. Il n'est pas clair, à la lecture du mémorandum de Burke, de déterminer si les chimistes allemands étaient parvenus à reproduire le dosage du mélange ou à fabriquer un ersatz de la marchandise n° 5.

3. Comme en novembre 2005 aux États-Unis au sujet du lancement de Coke Zero. Un Coca-Cola sans calorie basé sur la recette originale. Un spot de pub met en scène une tentative de cambriolage de la formule secrète.

deux ans de cela, afin de savoir s'il était possible d'obtenir les ingrédients nécessaires au 7X[1]. »

En 1938 donc, les gardiens de la formule avaient parcouru l'Allemagne pour voir si Keith pouvait y dénicher les extraits naturels indispensables à la composition du 7X ! Nicholson avait beau conseiller à Woodruff d'interroger les deux chimistes sur leurs conclusions, il admit en outre que Keith lui-même connaissait la formule secrète en précisant : « Avant que l'année soit terminée, nous pourrions faire face à la nécessité de le laisser fabriquer une alternative locale au 7X. Je déteste aborder ce genre de sujet mais je pense qu'il est temps de le faire[2]. »

*

Le doute n'était plus de mise. Pour sauver ses rêves de grandeurs et les fondations de son empire en construction, la Compagnie avait confié son capital le plus précieux à un collaborateur du pouvoir nazi.

Afin de réussir, Woodruff était même prêt à aller plus loin encore.

---

1. Correspondance de H.B. Nicholson à R.W. Woodruff, 26 janvier 1940. *In Special Collections and Archives*, Robert W. Woodruff Library, Emory University, Atlanta.
2. *Idem.*

87. Embargo

Robert Woodruff se montrait inquiet. Si le rapport de Burke Nicholson le rassurait quant à la capacité de Keith à fabriquer sa propre marchandise n° 5, l'avenir du 7X en Allemagne lui semblait plus préoccupant. Personne à Atlanta ne savait si l'Allemand était parvenu à trouver les ingrédients nécessaires sur son marché, alors que les stocks s'épuisaient. L'Export concluait dans une note alarmante : « [Keith] a suffisamment de 7X pour continuer probablement pendant cinq mois[1] ». Or l'année 1940 venait à peine de commencer. Conclusion : en cas d'échec, au début de l'été, la filiale du Reich n'aurait plus de quoi produire du Coke. La Compagnie devait trouver une solution.

*

Nicholson envisagea dans son mémorandum une première piste. « Nous sommes actuellement en train de tenter de trouver un moyen pour lui faire parvenir un envoi supplémentaire, écrivit-il. Je préfère ne pas mettre par écrit la manière et la marche à suivre[2]. »

---

1. *Idem.*
2. *Idem.*

L'enjeu était donc majeur, et le sujet trop sensible, pour les laisser aux mains de l'Export. Woodruff disposait de deux options au sein de la compagnie. Dans la mesure où Oehlert se battait à Washington contre les restrictions de sucre, son choix se porta sur Arthur Acklin. Woodruff demanda donc à son responsable juridique de trouver une astuce susceptible de contourner l'embargo imposé au IIIe Reich pour y maintenir la vente du Coca-Cola.

Le 6 février 1940, onze jours après le rapport de Nicholson, Acklin pensait avoir trouvé la solution.

*

Avec le recul, ce document était accablant. Dans un texte destiné à Woodruff, Acklin détaillait le « moyen » évoqué par Nicholson que ce dernier ne désirait pas coucher sur papier. Et, démontrant par là même sa parfaite maîtrise de la situation, revint sur le blocus des Britanniques : « Il semble que chaque cargaison dont la destination finale est l'Allemagne doive à présent transiter par les Pays-Bas ou l'Italie et la Suisse[1]. »

Acklin expliquait en outre que chaque produit arrivé en Italie ou aux Pays-Bas avait l'obligation de recevoir une autorisation du consulat britannique en cas de réexpédition vers l'Allemagne. Une sorte de laissez-passer systématiquement refusé. Pour franchir ces remparts administratifs, il ne subsistait donc plus que la piste suisse. « Notre dernier espoir est que la cargaison soit expédiée à un destinataire en Suisse via, bien entendu, l'Italie[2] », arguait-il en toute franchise.

Pour délivrer son 7X à Keith, le mélange devait quitter les États-Unis direction l'Italie, puis transiter par la Suisse avant d'aboutir enfin en Allemagne nazie. Des efforts périlleux qui

---

1. Memorandum to Mr. R.W. Woodruff. Atlanta, Georgia, 6 février 1940. *In Special Collections and Archives*, Robert W. Woodruff Library, Emory University, Atlanta. Voir annexe.

2. *Idem.*

ne garantissaient même pas le succès puisque, comme le précisait avec justesse Acklin, les cargaisons étaient inspectées par les autorités britanniques à leur arrivée même sur le sol transalpin. Et quand le destinataire ne pouvait prouver l'existence de relations professionnelles antérieures au conflit avec l'expéditeur, « la cargaison était confisquée[1] ».

Néanmoins, dans cet amas de contraintes et cet océan de risques, Acklin chercha à se montrer rassurant. Selon lui, la Compagnie avait pourtant trouvé un moyen de contourner l'embargo anglais et de fournir l'Allemagne d'Hitler : « Nous avons ce style de cargaison en route à cet instant même à l'attention d'un destinataire suisse. Avec l'espoir, parce qu'il est dans notre camp, qu'il soit capable de prouver qu'il est en affaires avec nous et qu'il a commandé la totalité du matériel de la cargaison[2]. »

Afin de répondre à la demande de Keith, Coca-Cola avait utilisé une pratique vieille comme le monde : la tactique du prête-nom. S'agissait-il du Suisse Kalis ? Vraisemblablement. En tout cas, la manœuvre visait à lui faire parvenir d'importantes quantités de 7X alors que, de son côté, il devait certifier que la cargaison était destinée à la production helvétique... alors qu'elle entrait en territoire allemand.

Au cas où cette voie échouerait, Acklin avait parallèlement chargé Nicholson de tester un circuit plus complexe. « Il existe une dernière manière d'introduire du matériel en Allemagne, admettait-il dans son rapport. Elle consiste à passer par le Japon puis la Sibérie et la Russie[3]. »

*

---

1. *Idem.*

2. *Idem.*

3. Intrigué par l'itinéraire, au crayon de papier, Woodruff avait noté un point d'interrogation en marge. *Idem.*

Coca-Cola, l'enquête interdite

Bientôt Coca-Cola deviendrait le symbole des forces de Libération, mais, en attendant, la Compagnie échafaudait des solutions pour continuer à approvisionner les consommateurs du IIIe Reich.

Dix jours après son rapport, Acklin revint à la charge. Le conseiller de Woodruff suggérait un nouvel itinéraire. « Il n'existe aucune loi nous interdisant d'envoyer nos marchandises à un destinataire dans un pays neutre tel que la Suisse ou la Roumanie[1] », assenait-il. À ses yeux, ce dernier pays semblait même idéal puisque la compagnie navale « American Export Line desservait directement le port de Constanta[2] en Roumanie. [...] La cargaison serait inspectée à Gibraltar » mais « les Britanniques n'auraient aucune légitimité à intercepter de la marchandise expédiée à un destinataire établi à Constanta[3] ».

Acklin entra ensuite dans le détail d'un processus complexe où la cargaison se voyait réexpédiée du port roumain vers l'intérieur du pays à destination d'une société, compagnie préalablement choisie par Max Keith, chargée, ensuite, de l'envoi vers le Reich lui-même. Bien entendu, dans un tel schéma, Keith serait chargé d'obtenir les documents douaniers et les autorisations d'importation allemandes.

---

1. Memorandum to Mr. R.W. Woodruff. Atlanta, Georgia, 16 février 1940. *In Special Collections and Archives*, Robert W. Woodruff Library, Emory University, Atlanta. Voir annexe.
2. « Constanta est la ville roumaine la plus connue sur la côte de la mer Noire. Deuxième ville du pays avec 350 000 habitants et principal port de Roumanie se plaçant juste après Rotterdam, Anvers et Marseille, le Port de Constanta est la porte d'entrée Sud-Est de l'Europe. Située aux carrefours des routes commerciales qui lient l'Europe, elle se situe au sud est de la Roumanie à environ 260 km de Bucarest. » http://laroumanie.free.fr/tourisme/001/constanta.html
3. Memorandum to Mr. R.W. Woodruff. Atlanta, Georgia, 16 février 1940. *In Special Collections and Archives*, Robert W. Woodruff Library, Emory University, Atlanta. Voir annexe.

*

Cette profusion de détails ne devait pas me dissimuler l'essentiel : la Compagnie n'ignorait absolument rien des risques de ces opérations. Le responsable juridique de Coca-Cola conseillait d'ailleurs d'opter « pour un langage codé complet[1] » et précisait que, « par peur d'être intercepté », il serait « préférable de faire passer nos messages pour la Roumanie via notre bureau de Gênes[2] ».

Poussant le machiavélisme et le cynisme jusqu'au bout, Acklin suggérait même quelques arrangements avec la comptabilité de Coke, histoire de brouiller les pistes. « Lorsque la marchandise est fabriquée à Baltimore, elle devra être inscrite dans les livres de comptes comme perdue ou inutilisable, conseillait-il. Tout cela pour s'assurer que personne en Europe ne soit facturé[3]. »

*

En plus de ces méthodes et de la sophistication des routes employées, il y avait plus étrange encore.

Pris au piège de son obsession à vouloir dénicher des failles dans les lois internationales pour parvenir à s'enrichir en Allemagne, Coca-Cola ne pouvait plus dès lors invoquer l'ingénuité. Ni mettre en avant une éventuelle neutralité d'affaires qui aurait vu la Compagnie ignorer la guerre pour se préoccuper uniquement de ses profits. Deux paragraphes du premier mémorandum d'Arthur Acklin prouvaient même qu'elle connaissait les risques encourus et n'ignorait rien des motifs du blocus imposé.

Ainsi, après avoir exposé l'idée de faire transiter le sirop par l'Italie et la Suisse, Acklin admit le « risque d'irriter les

---

1. *Idem.*
2. *Idem.*
3. *Idem.*

autorités anglaises et, de fait, de se retrouver sur la liste noire. Ce qui aurait un possible effet sur nos affaires au Canada, en Australie et en Afrique du Sud[1] », pays membres du Commonwealth.

Quelques lignes plus tôt, abordant les problèmes soulevés en se servant des Pays-Bas et de l'Italie comme base de réexpédition directe vers l'Allemagne, il rappelait l'obligation administrative d'obtenir dans ce cas un visa des autorités consulaires britanniques et jugeait évidemment la chose impossible : « Bien entendu, le Consulat britannique refuse en bloc d'accorder ce permis dans l'espoir de pouvoir paralyser l'ensemble de l'industrie germanique[2]. »

*

Coca-Cola savait. Et agit en connaissance de cause. Poursuivant l'espoir de continuer à proposer sa fameuse « pause qui rafraîchit » à l'industrie et aux troupes allemandes, la Compagnie mit donc en place un système souterrain. Qu'on ne s'y trompe pas, les explications du conseiller juridique ne relevaient pas de la note d'intention ou du plan oiseux griffonné sur un bout de papier et encore moins de l'hypothèse d'école élaborée par un brillant avocat. Comme Nicholson par ailleurs, Acklin indiquait lui aussi dans son dernier courrier qu'en février 1940, la firme testait déjà l'efficacité de ce schéma. Certes les traces écrites du résultat de cette « expérience » me manquaient encore, mais deux faits venaient étayer mes conclusions.

---

1. Memorandum to Mr. R.W. Woodruff. Atlanta, Georgia, 6 février 1940. *In Special Collections and Archives*, Robert W. Woodruff Library, Emory University, Atlanta. Voir annexe.
2. Memorandum to Mr. R.W. Woodruff. Atlanta, Georgia, 6 février 1940. *In Special Collections and Archives*, Robert W. Woodruff Library, Emory University, Atlanta. Voir annexe.

Embargo

Le 26 janvier 1940, Nicholson tirait la sonnette d'alarme en prévenant que les stocks de 7X de Coca-Cola GmbH assureraient la production pendant « probablement cinq mois[1] » Soit, dans la plus généreuse des hypothèses, une rupture d'approvisionnement du marché allemand et la disparition du soda au début de l'été 1940. Or, comme le précise aujourd'hui le site officiel de Coca-Cola GmbH, Coke fut vendu dans le IIIᵉ Reich jusqu'à la fin 1942[2]. Autrement dit, vingt-quatre mois après l'épuisement annoncé des stocks !

Par ailleurs, comment justifier qu'à Paris les troupes allemandes d'occupation aient pu déguster le soda jusqu'en juin 1943 comme le confirment les comptes de la SFBN ? Dix-neuf mois après Pearl Harbor et l'entrée en guerre des États-Unis, des documents internes ne laissaient planer aucun doute[3]. Et en 1943, faut-il le rappeler, Max Keith était l'administrateur nazi de la Société française des breuvages naturels.

---

1. Correspondance de H.B. Nicholson à R.W. Woodruff, 26 janvier 1940. *In Special Collections and Archives*, Robert W. Woodruff Library, Emory University, Atlanta. Voir annexe.

2. *In* Rubrique « Historie » sur le http://www.coca-cola-gmbh.de/index.jsp

3. Voir annexe.

88. Péril

Mais Woodruff détestait l'incertitude. Le président de la Compagnie voulait des assurances.

Les rendez-vous entre Heath et Keith avaient permis a l'Allemand de disposer de la formule ; ses chimistes en maîtrisaient les secrets et Coca-Cola GmbH pourrait s'en servir le jour où l'approvisionnement américain s'épuiserait. L'ennui, c'est qu'au-delà de la théorie, ce plan exigeait une condition *sine qua non* afin d'aboutir : Keith devait dénicher les ingrédients nécessaires sur le marché allemand. La difficulté – et les angoisses – de Woodruff reposaient là.

Certes, il restait les itinéraires complexes imaginés par Arthur Acklin, mais leurs aléas s'avéraient trop nombreux. D'autant que s'ils devaient fonctionner un moment, la suite du conflit risquait de compromettre ces solutions.

Enfin, un ultime danger donnait des sueurs froides au grand patron. Un péril bien plus grand que la perte financière liée à l'arrêt de la commercialisation du Coca-Cola outre-Atlantique.

Dans son mémorandum du 6 février 1940, Acklin en avait dessiné les contours. Terrifiants. En disparaissant d'Europe, Coca-Cola pouvait perdre les investissements industriels

conséquents déjà fournis mais surtout, à terme, voir apparaître
« un autre produit vendu sous le nom de Coca-Cola [1] ».

*

Arthur Acklin, spécialiste de la marque déposée, avait bâti
la politique de défense du groupe contre les imitateurs en s'ap-
puyant sur un aspect spécifique du droit sur la propriété industrielle relatif aux marques constituées de deux noms
communs. Devant les magistrats américains, Coca-Cola affirmait en effet son antériorité quant à l'utilisation des deux
noms communs et arguait de son activité continue sous ce
label depuis 1891.

Mais avec une guerre s'éternisant en Europe et un Coke
absent des rayons, Acklin pensait que Coca-Cola ne parviendrait plus à user de cette stratégie sur ces marchés. Et, de fait,
s'exposait au risque de voir n'importe quelle société utiliser
les mots « coca » et « cola » pour nommer autre chose que le
soda d'Atlanta.

En fait, jamais la Compagnie n'avait affronté autant de
périls. Désormais, Coca-Cola devait se battre pour survivre.

---

1. Memorandum to Mr. R.W. Woodruff. Atlanta, Georgia, 6 février
1940. *In Special Collections and Archives*, Robert W. Woodruff Library,
Emory University, Atlanta.

89. Prodige

Habiles dans l'art de contourner les vérités embarrassantes, les gardiens de la légende avaient tout prévu. Et notamment le discours à tenir pour expliquer comment, une fois la guerre terminée, Max Keith avait réussi son prodige : poursuivre l'implantation de Coca-Cola

En 1942, la production de masse du Coke avait été arrêtée. Puis le siège d'Essen détruit et les quarante-trois usines de la filiale bombardées. Si certaines réussirent à tourner, Keith avait dû improviser, installant notamment ses structures d'embouteillage « à l'extérieur des villes [...] les logeant dans de vieux entrepôts ou même des laiteries[1] ». Malgré ces embûches, Coca-Cola GmbH avait continué à dégager des profits. En 1944, Keith avait vendu quarante-huit millions de bouteilles et, en 1945, alors que les Alliés triomphaient enfin du Mal, douze millions d'unités supplémentaires.

Coca-Cola GmbH avait donc « survécu[2] » et Max Keith accompli sa mission.

Soit. Mais comment justifier de tels résultats ?

---

1. *In* Max Keith, *30 Jahre mit Coca-Cola*, novembre 1963.

2. Télégramme de Max Keith à Robert Woodruff au lendemain de la capitulation nazie. *In Secret Formula, op. cit.*

Prodige

*

La légende trouva la parade en expliquant que, pour survivre, l'Allemand avait dû improviser un soda de remplacement au Coca-Cola. « Keith réalisa rapidement que les stocks de sirop et l'approvisionnement en Coca-Cola ne seraient pas éternels, avança-t-elle. [...] Il demanda à ses chimistes d'inventer une boisson de substitution afin de permettre à la Compagnie de traverser la guerre. Ils créèrent une boisson fruitée. Comme Coca-Cola, c'était un mélange unique à base de caféine combinant un mariage difficilement identifiable d'orge, de raisin et de citron. Comptant sur les ingrédients disponibles – souvent les restes d'autres industries alimentaires –, la nouvelle boisson utilisait du petit-lait, un dérivé du fromage, aussi bien que la fibre provenant des pressoirs à cidre. Keith dira plus tard qu'elle était faite "de restes à partir de restes"[1]. » Une recette miraculeuse qui semblait pouvoir résister aux restrictions et aux soubresauts du conflit.

Coca-Cola GmbH dut trouver un nom à son breuvage. « Keith demanda à ses employés de laisser libre cours à leur imagination[2]. » Imagination... En langue allemande, le mot se dit « fantasie ». Aussi, « l'un des plus anciens commerciaux, Joe Knipp, laissa échapper[3] » l'appellation idoine : Fanta venait de naître et la « légende » était en marche.

---

1. *In For God, Country and Coca-Cola, op. cit.*
2. *Idem.*
3. *Idem.*

90. Produit

Max Keith arborait des allures aristocratiques, mais cet ami du pouvoir nazi était surtout un soldat dévoué. Non pas au Führer, mais à Robert Woodruff, « le seul homme au monde qu'il respectait profondément[1] ».

*

Le danger était trop grave pour laisser l'avenir de la Compagnie se jouer entre un port de la Roumanie et la frontière suisse. La situation européenne contenait un poison : si Coca-Cola disparaissait, la reconquête de l'après-guerre serait menacée. Pire, la marque risquait de disparaître dans les ruines du IIIe Reich. Woodruff devait trancher.

*

1. « Lorsque Max Keith rencontrait Robert Woodruff, il était dépassé par ses émotions. [Woodruff] était l'homme pour qui il travaillait. Le seul homme au monde qu'il respectait profondément. » *In* Max Keith, *30 Jahre mit Coca-Cola*, novembre 1963.

Produit

Le mardi 6 février 1940, répondant à Robert Woodruff, Arthur Acklin détailla les options offertes à la Compagnie.

La première page de son mémorandum listait les itinéraires que Coca-Cola pouvait suivre pour contourner le blocus britannique. En précisant chaque mode opératoire et en pointant tous les risques encourus.

Le second feuillet révélait la solution ultime de Coca-Cola, celle à appliquer au cas où la Compagnie se retrouverait dans la nécessité « d'entièrement arrêter la vente[1] » de son produit. Un choix délicat à prendre mais le seul permettant de « protéger notre marque déposée en prévenant la vente d'un autre produit vendu sous le nom de Coca-Cola[2] ».

La Compagnie n'avait plus le choix. Afin de survivre, Coca-Cola devait « avoir un nouveau produit prêt à être vendu sous un autre nom[3] ».

Fanta ne fut donc pas une invention des chimistes allemands placés sous la férule de Max Keith, mais une création d'Atlanta destinée à garder un pied en terre allemande.

---

1. Memorandum to Mr. R.W. Woodruff. Atlanta, Georgia, 6 février 1940. *In Special Collections and Archives*, Robert W. Woodruff Library, Emory University, Atlanta. Voir annexe.

2. *Idem.*

3. *Idem.*

91. Ombre

Depuis plusieurs semaines, le gardien de la formule ne quittait plus son laboratoire. Pressé par Burke Nicholson, William Heath s'afférait à la conception d'une nouvelle recette. Une boisson gazeuse à base de caféine. Un soda qui ressemblerait à Coca-Cola mais se passerait de 7X.

Le 6 février 1940, Heath n'avait pas encore abouti totalement, mais la structure de son mélange semblait satisfaisante. Comme l'avait énoncé Arthur Acklin, l'état d'avancement de la recette permettrait en tout cas d'établir « un mode d'instruction plutôt complet[1] ».

Quant à la suite du plan destiné à « mettre en route ces mesures protectrices[2] », elle ressemblait au génie intellectuel du conseiller de Robert Woodruff : diaboliquement malin et efficace.

*

À la mi-février 1940, Carl West quitta les États-Unis pour rejoindre l'Europe en guerre[3]. Cet homme d'origine norvégienne s'occupait depuis 1927 des intérêts de la Compagnie à

---

1. *Idem.*
2. *Idem.*
3. *Idem.*

Bruxelles. Il gérait la Société anonyme belge Coca-Cola ainsi que la commercialisation du breuvage d'Atlanta dans des pays comme le Luxembourg et le Danemark[1]. Dès lors, sa présence à Wilmington, dans les bureaux mêmes de l'Export, constituait une chance que la direction ne voulut pas laisser passer. Il allait servir de commissionnaire. « Le plan de Nicholson est de transmettre un mode d'instruction plutôt complet via West, dont le départ pour l'Europe est prévu la semaine prochaine[2] », indique le rapport.

Sa mission, une fois revenu sur le Vieux Continent ? Remettre la recette conçue par Heath « à messieurs Bekker et Keith ».

Le Hollandais Bill Bekker[3] avait rejoint la Compagnie à la même époque que Carl West. Et, comme lui, au-delà de son périmètre national, il avait ouvert des filiales Coca-Cola dans d'autres pays européens tels l'Espagne et l'Italie[4].

Acklin précisait d'ailleurs que Bekker avait été averti de la stratégie de la Compagnie, qu'à « présent il la comprenait plutôt complètement et serait mieux préparé à recevoir les informations que West lui fournirait[5] ».

---

1. La Belgique était devenue un territoire Coca-Cola en 1927. Le Danemark en 1937 et le Luxembourg en 1938. *In Chronological Listing, Special Collections and Archives*, Robert W. Woodruff Library, Emory University, Atlanta. Pour les rapports entre la Société Anonyme Belge Coca-Cola et le Danemark voir :
http://coca-cola-collection.com/historien_1_danmark_eng.htm
2. *Idem*.
3. Après guerre, Bekker prit la tête de Coca-Cola Argentine qu'il « présidera avec la même main de fer que Keith en Allemagne ». *In For God, Country and Coca-Cola.*
4. Depuis 1927, Bekker gérait les Pays-Bas et l'Espagne. Il avait débuté par l'Italie un an plus tôt. *In* Chronological Listing, *Special Collections and Archives*, Robert W. Woodruff Library, Emory University, Atlanta.
5. Memorandum to Mr. R.W. Woodruff. Atlanta, Georgia, 6 février 1940. *In Special Collections and Archives*, Robert W. Woodruff Library, Emory University, Atlanta. Voir annexe.

Coca-Cola, l'enquête interdite

*

Les rôles étaient attribués et la distribution parfaite. Woodruff jouerait le catalyseur, Nicholson et Acklin les stratèges. Heath, lui, interpréterait comme d'habitude la partition du créatif. Carl West, Bill Bekker, Max Keith, et bientôt Louis Gagnier, agiraient en généraux de l'ombre. Et, tous ensemble, ils conduiraient la charge de ce qui allait devenir la plus secrète des batailles de la Compagnie.

92. Antidote

Carl West arriva en Allemagne début mars. Et, comme planifié à Atlanta, il rencontra longuement Max Keith. Pour lui expliquer le grave danger planant sur la marque Coca-Cola en Europe. Pour lui livrer les réflexions d'Acklin et insister sur la nécessité de poursuivre l'activité à n'importe quelle condition. Pour le rassurer aussi, et lui faire comprendre qu'il n'avait pas à s'inquiéter : la Compagnie avait bien identifié les enjeux mais aussi concocté l'antidote. Et là, comme le lui avait ordonné la direction, West transmit à Keith les instructions du docteur Heath.

*

La recette était quasi parfaite. Elle reprenait les ingrédients du Coca-Cola, et notamment la marchandise « n° 5 » que les chimistes allemands maîtrisaient. Quant à sa couleur, elle était semblable à celle du Coke [1].

---

1. Si aujourd'hui Fanta est généralement connu pour son parfum à l'orange, la recette développée par Heath et commercialisée par Coca-Cola GmbH portait, comme l'attestent les publicités de l'époque, une robe de la même teinte que celle de Coke. Voir cahier iconographique.

En vérité, seule l'âme de Pemberton manquait à l'appel. L'impossibilité de mettre la main sur des sources fiables d'ingrédients du 7X dans une Europe en guerre avait conduit à ce nouveau mélange. Et Heath avait fait l'impasse sur le cœur de la formule secrète.

Bien entendu, il convenait de perfectionner l'ensemble, encore en cours d'élaboration lors du départ de West[1]. Et aussi de l'adapter aux matières premières dont disposait Coca-Cola GmbH. Mais ces tâches n'étaient en rien insurmontables pour les chimistes de Keith.

*

Le 10 mai 1940, Adolf Hitler ordonnait l'offensive contre la Belgique et la France. Une *Blitzkrieg* qui finit d'instaurer la domination nazie sur toute l'Europe.

La veille, deux mois après sa rencontre avec Carl West, Walter Oppenhoff, l'avocat de Coca-Cola GmbH, déposait la marque Fanta[2].

Le IIIᵉ Reich s'habitua si rapidement au goût de la nouvelle boisson qu'il la transforma en triomphe fulgurant et immédiat. Une réussite à laquelle la filiation affichée avec Coca-Cola fut sûrement pour beaucoup. Keith, pour garantir la pérennité de la marque sur le marché allemand, vérifiait scrupuleusement que les publicités Fanta portent le plus souvent possible la mention : « un produit de Coca-Cola GmbH[3] ».

Plus étonnant encore : en 1940, le goût du Fanta se voyait adouci par l'emploi de la saccharine, l'édulcorant dont Woodruff avait rejeté l'utilisation dans la préparation du

---

1. Memorandum to Mr. R.W. Woodruff. Atlanta, Georgia, 6 février 1940. *In Special Collections and Archives*, Robert W. Woodruff Library, Emory University, Atlanta. Voir annexe.

2. *In* http://www.coca-cola.com.au/about_brands.asp

3. *In Das Gespaltene Bewusstsein : Deutsche Kultur und Lebenswirklichkeit 1933-1945*, Hans Dieter Schaefer Munich, Carl Hanser, Verlag, 1981.

Coca-Cola. Mais, en 1941, profitant de ses contacts au sein de l'appareil d'État nazi, Keith obtint pour Fanta une « exemption sur le rationnement de sucre et pu utiliser 3,5 % de sucre de betteraves ». De quoi offrir à la boisson un goût largement meilleur « que n'importe lequel de ses concurrents [1] ».

Cette décision ne pouvait signifier qu'une chose : ayant poussé la stratégie d'Oehlert jusqu'au bout, Max Keith venait de réussir. Dorénavant le soda inventé à Atlanta pour sauver discrètement l'avenir de la Compagnie avait reçu l'aval des autorités et se retrouvait, de facto, associé à l'effort militaire d'Hitler.

Dans le plus grand secret, Keith avait remporté la première bataille de Woodruff.

---

1. *In For God, Country and Coca-Cola, op. cit.*

93. Étapes

L'Allemagne et l'Autriche représentaient les premières étapes. Max Keith avait tracé la voie. À Bekker, West et Gagnier désormais de s'y engouffrer.

*

Bill Bekker avait reçu le premier la recette de William Heath. Et Acklin comme Nicholson l'avaient informé de la nécessité d'imposer cette boisson sur l'ensemble de ses marchés.

Aussi, au printemps 1940, la population d'Amsterdam découvrit-elle un nouveau soda proposé par Coca-Cola[1]. Un Fanta au goût impossible à décrire, mais sucré et rafraîchissant.

Début 1941, Fanta apparut en Italie[2], pays sous le contrôle de Bekker depuis 1927. Et, tout comme Keith en Allemagne,

---

1. *In* « Fanta, l'aranciata d'arancia Memorabilia », *Club News*, numéro 54/55, janvier-avril 1997.

2. *Idem.* Bakker s'occupait également de l'Espagne. Mon enquête ne m'a pas permis de pouvoir affirmer que Fanta fut commercialisé en Espagne durant la Seconde Guerre mondiale. Mais si cela n'avait pas été le cas, l'Espagne aurait été le seul pays d'Europe à ne pas appliquer les consignes d'Atlanta.

ce dernier ne laissa planer aucun doute quant aux origines de la boisson. Des capsules jaunes des bouteilles aux publicités, le consommateur italien ne pouvait ignorer sa filiation avec Coca-Cola[1].

*

Vint ensuite le tour de Carl West. De retour à Bruxelles, il demanda aux chimistes de la Société anonyme belge Coca-Cola d'adapter la recette de William Heath aux contraintes du marché. Contrairement aux hommes de Keith, les Belges ne disposaient pas des ingrédients nécessaires à la fabrication de la « marchandise n° 5 ». La version de West fut donc légèrement différente et se transforma en « une orangeade, peu sucrée et peu gazeuse qui était embouteillée à l'usine de l'avenue Van Volxem à Forest (Bruxelles)[2] ». Une particularité mise en avant dans les publicités[3].

*

La victoire éclair d'Hitler contraria néanmoins le déroulement de ce lancement. La débâcle de l'armée belge et l'installation des troupes allemandes reportèrent la mise sur le marché au début 1941. Et la nouvelle donne politique plaça Carl West devant un autre écueil : le label Fanta devenait inutilisable. Ses consonances germaniques semblaient bien trop prononcées pour espérer séduire un public exaspéré par l'occupation[4]. En Belgique et au Luxembourg, la boisson conçue pour sauver la Compagnie s'appela donc Cappy.

---

1. « Imbottigliata per autorizzazione della S.A. Coca-Cola », soit « Embouteillé avec l'autorisation de la S.A. Coca-Cola ». La Societa Anonima Coca-Cola avait été créée par Bill Bakker en 1927. *Idem.*

2. *In* René Demol, *The Coca-Cola Collector Unit News*, septembre 1994.

3. Il s'agit « d'une limonade mandarine » puis, à partir de 1943, d'« une limonade à base de fruits et sucre pur ». *Idem.*

4. *In For God, Country and Coca-Cola.*

*

La France constituait la dernière étape.

À Paris, Louis Gagnier continuait à diriger la Société française des breuvages naturels. Le 20 mars 1940, dix jours après l'offensive victorieuse du Führer, il avait signé un dernier contrat de concession dans le sud de la France. Désormais son activité personnelle se réduisait à la production de l'usine parisienne. Ses chimistes et ses démarcheurs ayant été emportés et dispersés par la marée de l'Exode, seule Lucie Seguin, sa secrétaire, restait fidèle au poste[1]. En somme, en pleine année 1941, Gagnier pouvait uniquement compter sur l'aide de son fils et de sa fille.

Le marché français voguant à la dérive, Carl West sentit qu'il devait agir d'urgence pour sauver la présence de Coca-Cola et imposer sa recette belge. Durant l'été, il confia la formule de Heath à Gagnier et il expliqua l'impérieuse nécessité d'occuper coûte que coûte le terrain. Le 13 septembre 1941, Louis Gagnier se présenta à neuf heures au greffe du tribunal de commerce de la Seine et, sous le numéro 323.967, enregistra une marque servant « à désigner une boisson gazeuse[2] »

Cappy arrivait à Paris. Et le triomphe de la stratégie d'Atlanta semblait presque complet.

---

1. *In L'Histoire de Coca-Cola en France, op. cit.*
2. Bulletin officiel de la propriété industrielle, page 1598, INPI, Paris.

94. Miracle

La fin de l'hiver 1941 fut terrible. À Bruxelles, Carl West jouait l'équilibriste au bord du gouffre tant la faillite menaçait. Avec le rationnement, les ingrédients entrant dans la composition du Coca-Cola devenaient quasiment impossibles à trouver. Et maintenant, c'était même la production de Cappy qui vacillait. La Wehrmacht avait en outre confisqué la flotte de camions de la société à des fins militaires ; Siemens avait réquisitionné une partie de ses entrepôts pour installer des usines de fabrication de pièces pour sous-marins[1] ; et les employés de l'entreprise démissionnaient les uns après les autres, West étant dans l'incapacité de leur fournir du travail.

Par sécurité et dans le but de prouver l'antériorité de la marque, West avait caché en lieu sûr une centaine de bouteilles de Coca-Cola[2], mais il fallait accepter la vérité, le dépôt de bilan paraissait inévitable. West n'y pouvait rien : c'était la guerre qui l'empêchait de mener sa mission à bien.

*

1. *In Secret Formula, op. cit.*
2. *Idem.*

385

La Société française des breuvages naturels souffrit du même mal. Au fil des mois, la pénurie grandissante de matières premières – et notamment de sucre – compromit la production de Cappy. Le calvaire de Gagnier n'en finissait pas. Quand il trouvait un moyen de mettre le soda en bouteilles, il devait livrer ses clients. Or les livraisons dépendaient de l'obtention de bons d'essence distribués au compte-gouttes. Les ventes périclitaient donc, malgré l'introduction d'un Cappy populaire auprès des troupes d'occupation, qui avait permis la signature de nouveaux contrats de concessions[1].

Les jours de la SFBN étaient eux aussi comptés.

*

Aux États-Unis, la Compagnie se battait toujours pour obtenir une participation à l'effort de guerre américain. Informé par la Suisse, Atlanta connaissait le délabrement de ses filiales européennes. Tout comme Carl West et Louis Gagnier, Woodruff espérait donc un miracle.

---

1. *In L'Histoire de Coca-Cola en France, op. cit.*

95. Kaiser

Les bureaux de l'Export venaient-ils de quitter New York pour s'installer à Essen ? En tout cas, ce fut le sentiment de Carl West et Louis Gagnier en voyant peu à peu la malchance les quitter.

À Bruxelles, la Société anonyme belge Coca-Cola se mit en effet à recruter du personnel. Au début 1942, Carl West reçut des compensations financières pour prix de la réquisition militaire de ses camions. Et Siemens commença à lui verser un loyer en échange de l'occupation d'une partie de ses entrepôts. Pour la première fois depuis des mois, le Norvégien put même remiser son tricycle à livraison : il obtint enfin de l'essence pour ses deux derniers véhicules. Quant à la production, elle repartit. Grâce à l'édulcorant que les autorités lui vendaient dix fois en dessous sa valeur au marché noir et à l'arrivée soulageante des « extraits naturels » et aussi « capsules, liège et acide citrique [1] ».

Cappy, la boisson de la S.A. belge Coca-Cola, effectua donc son retour et connut enfin « un beau succès [2] ».

---

1. *In Secret Formula, op. cit.*
2. *In* René Demol, *The Coca-Cola Collector Unit News*, septembre 1994.

*

La même éclaircie illuminait Paris. Louis Gagnier se vit enfin gratifié de tout ce qu'il réclamait depuis des semaines pour produire Cappy. La SFBN remit en marche les chaînes d'embouteillage et démarcha même de nouveaux territoires. Rien à voir bien sûr avec l'expansion d'avant-guerre, mais, pour la première fois depuis mai 1940, il augmenta le nombre de ses points de ventes : entre janvier 1942 et le début de l'été, la SFBN recruta pas moins de sept concessionnaires [1].

De Levallois-Perret à Bruyères-le-Châtel en passant par les Grands Boulevards parisiens, Cappy, la limonade de la SFBN, propriétaire en France de la marque Coca-Cola, désaltéra à nouveau un public sevré de douceur.

*

Ce miracle portait la signature du Kaiser. Après Fanta, Max Keith sauvait une deuxième fois la Compagnie. Et permettait à Coca-Cola d'emporter sa deuxième bataille.

Profitant, fin 1941, de ses accointances dans le parti nazi et de son amitié avec le ministre de la Justice, Max Keith avait été nommé, on l'a vu, au Bureau des biens ennemis, cette administration du Reich gérant les prises de guerre de la Wehrmacht. En compagnie de Walter Oppenhoff, l'avocat de Coca-Cola GmbH, il se vit attribuer la gestion des filiales européennes de la Compagnie. Et s'efforça, grâce à ce poste privilégié, d'honorer la promesse qu'il avait faite à Robert Woodruff.

*

À l'exception des embouteilleurs anglais, l'empire de Keith reproduisait la carte des conquêtes de Coca-Cola Export déter-minée à Wilmington.

---

1. *In L'Histoire de Coca-Cola en France, op. cit.*

Pour commencer, Coca-Cola GmbH contrôlait l'Allemagne et l'Autriche depuis l'annexion de 1938. Puis, durant l'hiver 1941, Keith était devenu administrateur des Pays-Bas et de l'Italie, les deux territoires de Bekker.

Au début de l'année 1942, l'Allemand récupéra l'administration des biens de West, autrement dit la gestion de la Norvège, du Luxembourg et de la Belgique.

Et enfin, le 18 janvier 1942, Max Keith, domicilié à « Essen, Rhur, Allee 46[1] », fut désigné administrateur de la Société française des breuvages naturels[2].

Et, immédiatement, comme il avait agi avec Bekker et West, Max Keith fit profiter Gagnier de ses relations haut placées et aida à la relance de Fanta-Cappy.

*

L'argent n'était pas pour Keith une motivation. Il n'avait pas obtenu sa nomination comme administrateur européen des filiales de Coca-Cola par intérêt personnel. Dans cette optique il aurait en effet, comme beaucoup d'autres, pris soin de supprimer toute référence au propriétaire original et essayé d'en revendiquer, ensuite, la propriété.

En vérité, ce président par intérim de Coca-Cola Europe avait endossé son treillis de reconquête pour deux raisons.

---

1. *In* Registre analytique du commerce et des sociétés. Archives de Paris.

2. En août 1940, l'incorporation de l'Alsace et la Lorraine au IIIe Reich fut, pour Max Keith, une occasion supplémentaire d'élargir sa zone d'influence. Léon Simon, démarcheur alsacien de la SFBN, rejoignit ainsi Coca-Cola GmbH. Après guerre, Simon confia ses souvenirs à Jean-Pierre Latcha, employé de Coca-Cola Export depuis 1955 : « Un jour, en Allemagne, vers 1942, lors d'un congrès Coca-Cola, il avait refusé de se mettre au garde-à-vous et de faire le salut hitlérien. Il disait également avoir détourné un wagon de sucre pour la France. Pas pour Coca-Cola mais pour la population civile. Lorsque Léon Simon est mort, personne de chez Coca-Cola n'était là pour lui rendre un dernier hommage. C'est bien triste. » *In L'Histoire de Coca-Cola en France, op. cit.*

D'abord, par amour d'une « merveilleuse boisson au pouvoir et à l'endurance nécessaires pour continuer sa marche vers le succès[1] ». Ensuite parce qu'il était homme de parole. Il s'était engagé auprès de Robert Woodruff à tout faire pour éviter la disparition de Coca-Cola des terres conquises par Adolf Hitler, et il avait bataillé en ce sens.

De la commercialisation de la formule envoyée par Atlanta à l'administration des filiales, Keith venait en fait de triompher dans l'autre guerre de Coca-Cola.

---

1. *In Coca-Cola Nachrichten*, 15 mars 1938, *op. cit.*

96. Reconquête

Le 3 septembre 1944, Bruxelles fut libéré. Quelques jours plus tard, les Technical Observers de Coca-Cola fournissaient déjà du sirop à Carl West[1].

La marque déposée avait été protégée et le matériel d'embouteillage épargné. Coca-Cola pouvait entamer sa reconquête.

*

En France, situation identique. Les ingénieurs de la Compagnie accompagnant les troupes alimentèrent, de Nice à Paris, les structures de Louis Gagnier[2].

La marque déposée avait été protégée et le matériel d'embouteillage épargné. Coca-Cola pouvait entamer sa reconquête.

*

---

1. *In Secret Formula, op. cit.*
2. Le 29 mars 1945, la SFBN fut dissoute. *In L'Histoire de Coca-Cola en France, op. cit.*

391

Coca-Cola, l'enquête interdite

Le 30 avril 1945, Adolf Hitler s'était suicidé à Berlin. Max Keith avait immédiatement envoyé un télégramme à Atlanta.

La marque déposée avait été protégée et le matériel d'embouteillage épargné. Coca-Cola pouvait entamer sa reconquête.

ÉPILOGUE

Plano, Texas, 22 novembre 2005.

Coca-Cola avait donc mené deux guerres.

La première fut tellement publique, qu'elle en est devenue un argument publicitaire.

La seconde fut si secrète que, jusqu'à aujourd'hui, elle avait été gommée par les gardiens de la légende.

*

Coke symbolisait à lui seul la Libération. Les formes de sa bouteille évoquaient une pin-up désirable, son goût poussait à rêver de grands espaces et son nom était un formidable appel à l'émancipation.

Comme pour beaucoup d'autres personnes, Coca-Cola avait nourri mes rêves d'Amérique[1].

---

1. « Ces deux mots magiques, leurs initiales portant écharpe ont nourri mes rêves d'Amérique. (...) ils symbolisent la liberté arrivée en jeep. J'ouvre la bouteille. La capsule a pour moi valeur de pièce d'or. [...] Il y aura un deuxième Coca-Cola, des centaines d'autres ensuite, mais aucun ne pourra être inoubliable. Tous ceux qui viendront après ne seront pas associés à la journée d'un été qui était différent de tous les étés. Ce soda, qui ne peut enivrer, me saoule d'images et de sons. Je

Mais cette enquête venait de prouver combien la frontière entre le désir et le rejet pouvait être mince. Arrivé à son terme, je n'avais qu'une certitude : il était impossible de faire l'impasse sur la vérité. Et elle apparaissait terrible.

*

Depuis Atlanta, la Compagnie avait donc méthodiquement prévu, planifié, organisé sa survie. Les héritiers de Pemberton avaient osé concocter une seconde formule pour créer un Coca-Cola bis. Une boisson des temps de guerre capable de porter les couleurs de la marque au milieu du tumulte et de la folie des hommes.

Territoire après territoire, les soldats de Coke avaient imposé cet ersatz, histoire de préserver l'avenir de la Compagnie et de ses actionnaires.

Et, uniquement pour rassurer Robert Woodruff, ces généraux de l'ombre s'étaient compromis avec le Mal. Ils avaient obtenu des avantages permettant à Coca-Cola de se maintenir à flot. Même si, comme dans le cas de Max Keith, cet objectif impératif impliquait de pratiquer « l'esclavage » avec le recours aux travailleurs forcés pour embouteiller le soda d'Atlanta.

*

Évidemment, il est dès lors aisé de comprendre l'obsession du secret de la Compagnie [1]. Aucune société au monde n'aurait pu s'imposer après-guerre en admettant ces activités dans l'Allemagne du IIIe Reich. Pourtant, je demeure étonné par la suite de la saga européenne de cette boisson créée à Atlanta.

---

vois, j'entends l'orchestre de Glenn Miller attaquer *In the Mood.* » *In Les Gestes oubliés,* Paul Giannoli, Éditions Grasset et Fasquelle, 2002.

1. Et de regretter une fois de plus son silence à mon égard. Le refus de Coca-Cola de m'aider dans mes recherches ayant supprimé toute possibilité de connaître la position de la Compagnie face à ces découvertes.

Épilogue

*

À la Libération, la Compagnie ordonna la dissolution des filiales ouvertes dans les années 1930. La guerre achevée, il s'agissait de repartir à zéro. D'éviter de handicaper l'irrésistible marche en avant en se servant de sociétés qui, de Bruxelles à Berlin en passant par Paris, Rome et Amsterdam, s'étaient retrouvées dans la tourmente de l'administration nazie. En outre, la Compagnie comptant utiliser son Kaiser pour conquérir une seconde fois l'Europe, il fallait du passé faire table rase. Et oublier Fanta et Cappy devenus « radioactifs ».

Une fois les stocks écoulés, le Coke bis rejoignit donc les poubelles de l'Histoire.

*

Dans les années 1950, Robert Woodruff refusa à plusieurs reprises de céder à la pression de ses cadres. En Europe d'abord, aux États-Unis ensuite, beaucoup réclamaient la relance du Fanta afin d'enrichir la gamme des produits maison et d'affronter la concurrence[1].

Finalement, en 1955, Woodruff capitula. Et Fanta annonça son grand retour... sur le marché italien[2].

Cette date ne devait rien au hasard. En 1940, Bill Bekker avait déposé ce label au bénéfice de la S.A. Coca-Cola. La société avait collaboré avec le pouvoir nazi et Woodruff souhaitait cacher cet épisode. En réintroduisant ce nom plus tôt, la Compagnie aurait risqué gros. Un écueil contourné en 1955 puisque, conformément à la législation italienne, ayant été laissé à l'abandon durant dix ans, l'enregistrement effectué

---

1. *In Secret Formula*.
2. *In* « Fanta, l'aranciata d'arancia Memorabilia », *Club News*, numéro 54/55, janvier-avril 1997.

autrefois par Bekker... tombait justement de lui-même cette année-là.

Coïncidence ou pas, Coke décida l'exploitation internationale de Fanta en 1960, soit vingt ans après le dépôt original de Max Keith. Un délai clé, là aussi, puisque correspondant à la législation allemande !

*

Aujourd'hui Fanta, le soda élaboré à Atlanta pour gagner la bataille de l'Europe en guerre, est une valeur essentielle du portefeuille de marques de la Compagnie. Déclinée sous plus de soixante-dix parfums, la limonade de Max Keith est présente dans cent quatre-vingt-huit pays.

*

Mais tout ceci servira-t-il à quelque chose ?

Soixante ans après la capitulation nazie, la Compagnie est devenue intouchable.

Certes, périodiquement, Coca-Cola se retrouve sous les feux de l'actualité et de la critique. Du paiement d'une amende record au Mexique pour abus de position dominante à des accusations troublantes de non respect des droits de l'homme en Colombie [1], le géant d'Atlanta se voit en permanence égratigné mais continue à progresser, assurant chaque jour un peu plus sa domination mondiale.

L'appétit de conquête défini par Roberto Goizueta dans les années 1980 a, en fait, propulsé Coca-Cola dans une autre

---

1. Parmi les frustrations d'un auteur figure en bonne place celle du choix. Mon désir n'était pas d'écrire un livre *sur* Coca-Cola mais d'effectuer un véritable travail d'enquête. De fait, il y a maints autres aspects de la Compagnie que j'aurais aimé aborder. Parmi ceux-ci, la Colombie mais également la situation en Inde où Coke est accusé d'un « pillage » des ressources d'eau potable. Lire *Inside the Real Thing : a profile of the soft drink giant*. Polaris institute. http://www.polarisinstitute.org/

sphère de concurrence. Coke ne se positionne plus par rapport à Pepsi, mais dans un cadre plus global regroupant tous les liquides, dont l'eau.

Il est alors essentiel de pratiquer un effort d'éducation et de rappeler, malgré les efforts publicitaires de la Compagnie, que si l'eau est un besoin vital, Coca-Cola, lui, ne le sera jamais !

*

Coca-Cola se retrouve seul au monde. Son unique ennemi c'est son ombre. Perçue comme arrogante, la Compagnie abrite dans son histoire les germes de sa propre fragilité. Et assume la responsabilité de prendre soin de ne pas en attiser les braises.

Le secret enfin révélé de Robert Woodruff constituera peut-être cette étincelle. À moins qu'il ne se résume à un simple feu de paille.

En vérité, je n'en sais rien.

*

Seule la formule de Richard Niman[1] me paraît avoir désormais un sens. Commentant une exposition d'affiches publicitaires de Coke datant de l'époque hitlérienne, l'artiste anglais en avait résumé l'importance en déclarant : « Normalement, cela devrait embarrasser Coca-Cola. »

Personnellement, je n'en espère pas plus.

---

1. Sculpteur britannique. Son œuvre représentant Adolf Hitler en petite fille tenant une poupée est exposée au Imperial War Museum de Londres. http://www.richardniman.co.uk/index3.html

Remerciements

Avant tout, je souhaite rendre hommage une fois encore au fantastique travail accompli par mon père, Guy Reymond. Ses années de recherches sur l'histoire de Coca-Cola en France ont non seulement enrichi ce livre mais lui ont donné une direction inattendue. J'espère qu'un jour la Compagnie prêtera à ses découvertes l'attention qu'elles méritent et rendra hommage aux pionniers de la marque sur notre territoire.

Mais au-delà, ce livre, comme je l'ai écrit, est né d'une formidable histoire d'amour et de respect entre un père et son fils. Mon souhait est de pouvoir un jour partager la même chose avec mes enfants. Things Go Better With...

Si je suis celui qui publie des livres, c'est à toi Thomas que revient le titre de « storyteller » de la famille. Je ne sais pas où ce talent te mènera mais compte sur moi pour être à tes côtés tout au long de la route.

Merci Cody pour ces moments de bonheur, évasions nécessaires passées sur la moquette, à côté de mon bureau, à tenter ensemble de construire d'improbables châteaux.

Jessica, tu le sais, sans toi, rien ne serait possible. Merci donc pour m'offrir le temps et l'espace propices à mes heures d'écriture. Mais, surtout, merci de rendre notre univers plus beau.

Et puis forcément, tout au long de ce livre, le souvenir du voyage à Atlanta, de ses étapes à Crackel Barrel et des éclats de rires partagés entre le Texas et la Georgie, n'a jamais cessé de m'accompagner.

Merci donc à vous tous pour avoir accepté de me suivre jusqu'au bout du monde.

Depuis 1997, Thierry Billard se cache dans l'ombre de mes livres, alors que son talent mérite bien plus de lumière. Et si, égoïstement, je ne vais pas m'en plaindre, j'espère que ces quelques lignes seront une modeste contribution à ses qualités, professionnelles comme humaines.

Aux Éditions Flammarion, la passion et l'enthousiasme de Gilles Haeri, de Soizic Molkou, de Guillaume Robert, de Marie Segura, d'Isabelle Warolin, de Berthie Benozillo, et, plus généralement, de ses équipes commerciales, permettent d'assurer la diffusion de mon travail. Merci à tous.

À Montréal, l'ensemble de Flammarion Québec continue de me ravir par son efficacité et sa gentillesse. À bientôt, donc.

Jacques Blanc a été l'un des premiers à se souvenir de son épopée Coca-Cola pour nous. Merci pour nos conversations marseillaises qui resteront un merveilleux souvenir.

Merci à Dan et son French problem, aux pionners et à celles et ceux de chez Coke, Pepsi et Orangina qui ont accepté de me parler.

Merci aux efficaces archivistes de la Robert Woodruff Library de l'Emory University.

Merci à Jean-François Hesse, Xavier Jobert, Nicolas Bernard et aux membres du forum de discussion du www.williamreymond.com. Un site qui ne serait pas grand-chose sans le talent de Carole Albouy.

Merci à Henri-Frédéric Blanc dont la lecture des *Pourritures terrestres* a été la seule que je me sois autorisée alors que j'écrivais. Je ne le regrette pas.

Remerciements

Merci aussi à Martina Wachendorff et Actes Sud, même si notre aventure ne s'est pas terminée comme nous le souhaitions.

Sur Canal +, l'émission 90 minutes m'offre de temps en temps la possibilité d'élargir le cadre de mes enquêtes et de goûter à la télévision. Paul, Luc, Bernard, Stéphane et les autres... Merci.

Merci également à Tom Bowden, Christian Moguerou et Michel Despratx pour leur solide amitié et leur intérêt sans cesse renouvelé pour mes aventures.

D'ici, je pense également à Franck Mbemba, l'homme aux pieds d'or, et à Jefferson Maia, le seigneur des hoops.

Paul Cuington, génial préparateur physique, a permis à mon corps de mieux accepter la contrainte de l'écriture. Thanks a lot, big dawg.

Merci également à James Webb, Fahad Zahid, Craig Chapin, Donovan Royal et Mike Brosler, mes compagnons de Texas Hold'em pour l'ensemble de leurs preuves d'amitiés durant mon hibernation. And, btw, I'm all in.

Comme d'habitude, la musique de Bruce Springsteen a accompagné chaque minute de ce livre. Sirius et sa E.Street Radio, Marcel et sa bande de Spiriters se sont, eux, chargés d'aggraver mon obsession. Dans de rares instants James McMurtry, Randy Edelman, Trevor Jones, Carter Burwell et Hans Zimmer ont assuré un mélodique intérim.

Enfin, je voudrais encore remercier mes lecteurs qui, depuis bientôt dix ans, continuent à apprécier mon travail, à me le faire savoir et à faire preuve d'une indulgence sans limite pour ma lenteur à répondre à leurs courriers. This is for you...

William Reymond
william@williamreymond.com

BIBLIOGRAPHIE

LIVRES

Coca-Cola
Patou-Senez (Julie) et Beauvillain (Robert), *Coca-Cola Story*, Éditions Guy Authier, 1978
Shartar (Martin) et Shavin (Norman), *Le Monde merveilleux de Coca-Cola*, Éditions J.M Collet, 1981
Biedermann (Ulf), *Coca-Cola. Meer dan honderd jaar ongelooflijk succes*, Amsterdam, 1988
Pendergrast (Mark), *For God, Country and Coca-Cola*, London, Weidenfeld and Nicolson, 1993 et Basic Books, 2000
Schaeffer (Randy) et Bateman (Bill), *Guide pour le collectionneur des objets Coca-Cola d'hier et d'aujourd'hui*, Éditions Soline, 1995
Allen (Fredrick), *Secret Formula*, Harper Business, 1994
Keller (Jean-Pierre), *La Galaxie Coca-Cola*, Édition Noir, 1980 et Éditions Zoé 1999, Genève
Coca-Cola, the history of an American Icon. MPI, 2000 (DVD)

403

Premières années
Arene (Paul), *La Fleur de Coca*, 1892
Candler (Charles Howard), *The true origin of Coca-Cola*, manuscrit non publié, Special Collections and Archives, Robert W. Woodruff Library, Emory University, Atlanta
Poundstone (William), *Big Secrets*, William Morrow & Co, 1983
Rowland (Sanders) with Terrel (Bob), *Papa Coke, 65 years selling Coca-Cola*, Bright Mountain Books, 1986
Cheatham (Mike), *Your Friendly Neighbor, the story of Georgia's Coca-Cola Bottling families*, Mercer University Press, 1999
Smith (Dennis), *The Original Coca-Cola Woman, Diva Brown and the cola wars*, 2004
Vickers (Rebecca), *Asa Candler : the man who brought us Coca-Cola*, Heinemann Library, 2005

Global
Frundt (Henry J.), *Refreshing Pauses, Coca-Cola and Human Rights in Guatemala*, Praeger, 1987
Hagstrom (Robert G.), *The Warren Buffet way*, John Wiley & Sons Inc., 1995
Barber (Benjamin), *Jihad vs McWorld, How the planet is both falling apart and coming together*, Ballantine, 1996
Klein (Naomi), *No Logo*, Picador USA, 2000
Hays (Constance L.), *The Real Thing, thruth and power at the Coca-Cola Company*, Random House, 2004

Guerre des colas
Louis (J. C.) and Yazijian (Harvey Z.), *The Cola Wars*, Everest House Publishers, 1980
Mack (Walter) et Buckley (Peter), *No Time Lost*, Atheneum, 1982
Enrico (Roger) and Kornbluth (Jesse), *The other guy blinked, How Pepsi won the cola wars*, Bantam, 1986

Bibliographie

Oliver (Thomas), *The Real Coke, the real Story*, Random House, 1986

Greising (David), *I'd like the world to buy a Coke. The life and leadership of Roberto Goizueta*, New York, John Wiley & Sons, Inc, 1998

Tedlow (Richard), *New and Improved*, Butterworth-Heinemann, 1990

Galinier (Pascal), *Coca Pepsi : le conflit d'un siècle entre deux world companies*, Éditions Assouline, 1999

Gladwell (Malcolm), *Blink, the power of thinking without thinking*, Little, Brown, 2005

Deux guerres

Fritz (Helmut), *Das Evangelium der Erfrischung : Coca-Cola, die Geschichte eines Markenartikels,* Siegen : Forschungsschwerpunkt Massenmedien u. Kommunikation, 1980

Schaefer (Hans Dieter), *Das Gespaltene Bewusstsein : Deutsche Kultur und Lebenswirklichkeit 1933-1945*, Munich : Carl Hanser Verlag, 1981

Hillel (Marc), *Vie et mœurs des GI's en Europe 1942-1947*, Balland, 1981

Spitzy (Reinhard), *So haben wir das Reich verspielt Bekenntnisse eines Illegalen*, Langen Mueller, 1986

Westphal (Uwe), *Werbung im Dritten Reich*, Transit Verlag, 1989

Wrynn (Dennis V.), *Coke goes to war*, Pictorial Histories Publishing Co., 1996

Wagner (Botho G.), *Coca-Cola Collectibles, vom werbeartikel zum begehrten sammlerobjekt*, Wilhelm Heyne Verlag, 1998

Demol (René), *Guide des bouteilles belges Coca-Cola*, Bruxelles, 2001

France

Latscha (Jean-Pierre), *Le dico-ke*, Lunéville, imprimerie Paradis, 1985

Kuisel (Richard), *Seducing the French*, University of California Press, 1993

Wagleitner (Reinhold), *Coca-Colonization and the Cold War*, Chapel Hill, 1994

Kuisel (Richard), *Le Miroir américain, 50 ans de regard français sur l'Amérique*, Jean-Claude Lattès, 1996

Pells (Richard), *Not Like us*, Basic Books, 1997

Elzingre (Francis), *Sodas et jus de fruits français*, Éditions Du May, 2003

Reymond (Guy), *L'Histoire de Coca-Cola en France, 1918-2005*, Digne-les-Bains, 2005

SOURCES MANUSCRITES

Archives de Paris
Registre analytique du commerce et des sociétés

SOURCES IMPRIMÉES

Périodiques et revues :
Archives départementales des Alpes-de-Haute-Provence
Journal officiel, débats, Conseil de la République 1950
Journal officiel, débats parlementaires, Assemblée nationale 1950
Journal officiel, 1935 et 1950
La Marseillaise, 1961-1971
Le Méridional, 1950-1971
Le Provençal, 1950-1971

Bibliographie

Archives départementales des Alpes-Maritimes
L'Éclaireur de Nice et du Sud-Est, 1929-1930
Le Petit Niçois, 1929-1930

Archives départementales des Bouches-du-Rhône
L'Indicateur marseillais, annuaire industriel et commercial de la ville de Marseille, 1932-1936
Le Petit Marseillais, 1929-1930
Le Petit Provençal, 1929-1930

Archives de Paris
Listes électorales du XVe arrondissement, 1926 à 1934
Dénombrements de la population du XVe arrondissement, 1936
Bottins du commerce de Paris, 1925 à 1941

Archives communales de Digne-les-Bains (Alpes-de-Haute-Provence)
Annuaire téléphonique des Bouches-du-Rhône (juillet 1937)
Divers *Bottins*

Archives communales de Lille (Nord)
Annuaire Ravet-Anceau de Lille (1938 et 1939)

Bibliothèque de documentation internationale contemporaine, Nanterre
Le Monde, 1949-1952

Institut national de la propriété industrielle à Paris (ou INPI)
Bulletin officiel de la propriété industrielle et commerciale

Médiathèques de l'agglomération de Montpellier
La Journée vinicole, 19 et 29 juillet 1949

Archives du journal *L'Humanité*, 93528 Saint-Denis
L'Humanité, novembre 1949

Archives de *The Coca-Cola Company* à Atlanta (ou ACCC)
Red Barrel (The), divers numéros
Correspondance de Georges Delcroix
Compilation on France de Roy Stubbs

Périodiques, minutes, rapports, revues et journaux en langues étrangères :
Coca-Cola Overseas, 1948-1971
The Coca-Cola Bottler, divers numéros
The Cola Call, divers numéros
The New York Time, 28 février 1950
The New York Enquire, 6 mars 1950
Time, Atlantic overseas edition, 15 mai 1950
Beverage Digest, mai 1988
The Coca-Cola Company Annual Report 2004, United States Securities and Exchange Commission
Business Week, The Real Problem, 20 décembre 2004
The Coca-Cola Company v. The Koke Company of America, 1913-1920
Coca-Cola Co. v. Overland, Inc., 692 F.2d 1250, 9 th Circuit, Nevada, 1982
Fanta, l'aranciata d'arancia Memorabilia Club News, numero 54/55, janvier-avril 1997

Périodiques, revues et journaux en français :
L'Accueil, n° 101, 10 août 1950
Belgium Chapter of The Coca-Cola Collectors Club (The), News n° 14 de juin 1997
Boisson Restauration Actualités, n° 93, mai 1986
Boissons de France, 1960-1982
Bulletin de France, revue de The Coca-Cola Export Corporation en France (1960-1982)

Capital, n° 63, décembre 1993

Charge Utile Magazine, janvier 1994

Coca-Cola Infos (1983-1984)

Coca-Cola Collectors Unit (The), Belgique, News, septembre 1994

Constellation, le monde vu en français, n° 18, octobre 1949

Connivence, Le journal de Coca-Cola Beverages SA puis de Coca-Cola Entreprise (1995-2003)

Europe Amérique, n° 249, 23 mars 1950

France-Dimanche, 27 juillet 1947

France 49, le magazine moderne de la famille, 30 octobre 1949

La Haute Provence, 19 juin 1954

L'Heure médicale, mai 1950

L'Information syndicale vinicole, avril 1952

Lettre ouverte à M. L. Decamps, par un groupe de fabricants de boissons gazeuses de Lyon et environs, démissionnaires de la Fédération, octobre 1950

Le Monde, 21-22 août 1999

Marianne, 25 août 1997, 28 juin 1999

Militaria, n° 173, décembre 1999

Paris Match (1949-1950)

Pinchart (Henri de)*, Les Amis de l'Ancien St-Josse*, septembre 1972

Provence-Magazine, 12 juillet 1971

Radar, 8 juillet 1951

Regards, 11 novembre 1949

Réalités, août 1953, numéro spécial : « L'Amérique vue par les Français »

Sensation, Le journal de Coca-Cola Beverages SA (1990-1992)

Télé 7 Jours, juin 1994

Témoignage chrétien, 1950

39/45 Magazine, n° 108 de juin 1995

Coca-Cola, l'enquête interdite

La Vie du Rail du 11 novembre 1968
La Vie du Collectionneur du 16 novembre 2000
L'Union de Reims du 5 avril 1961
Ouest-France, 22-23 juin 1963

ANNEXES

Annexes

La France a toujours été, historiquement, un pays à problèmes pour Coca-Cola. Ce mémorandum de 1936 témoigne de l'état d'esprit de Robert Woodruff, le président de la Compagnie, au moment où celle-ci s'apprêtait à envoyer un cadre américain à Paris.

March 11, 1936

Mr. Eugene Kelly,
c/o The Coca-Cola Company of Canada, Ltd.,
Toronto,
Ontario, Canada.

Dear Kelly:

        I am pleased with the personal report you sent me on young Morton Hodgson, and hope that he won't get discouraged in Paris as all others before him have done. That territory seems to me to be a pretty tough spot to put a young fellow, and I wouldn't, personally, be too critical of him if he found it difficult to keep a stiff upper lip.

        Yours very truly,

Coca-Cola, l'enquête interdite

Ce courrier d'Alexandre Makinsky à Robert Woodruff illustre la mission du Russe blanc auprès de la Compagnie pendant plus de trente ans. Celui qui fut en charge de la France après la guerre était avant tout un homme de réseaux. Ses entrées au pouvoir facilitèrent ensuite l'expansion de Coca-Cola.

ALEXANDER MAKINSKY

13, RUE MOLIÈRE
75001 PARIS FRANCE

July 30, 1981

Dear Mr. Woodruff,

I can't tell you how happy I was to hear, having received your very kind letter of July 8th, that you have in your office a photograph of our breakfast at Claridge's in October 1977. It seems to me it was only yesterday that we met there, after I flew from London to Turkey where we had an urgent problem to be settled, and now that I think of it, it was almost four years ago. Doesn't time fly!

It also seems as if it were yesterday that I first walked into our office on Madison Avenue, and yet it was over thirty five years ago!

I continue to maintain my contacts throughout the world, for one never knows where and when some new problems may come up. By appearing on the Moroccan television a year ago, while chatting with King Hassan II, I was able to nip in the bud an intrigue in the Ministry of Health where a group of young left-wing chemists raised the "specter" of caramel. After seeing me on television, the Minister of Health instructed his technical staff to stop their investigations! It is strange to think how a minor detail can bring about important consequences.

Another example of what a piece of luck can do. After the Greek Colonels were overthrown and replaced by President Caramanlis, the new Government, who hated our Athens bottler Tom Pappas, a friend of Nixon and a strong supporter of the Colonels' regime, introduced a discriminatory tax on our concentrate imports, as a result of which we had to pay an extra $800,000 per annum. After Tom Pappas and our Athens office protested but got nowhere, I was asked to go over to Greece to settle the matter. Nobody in the Government would listen to me, and it is only because my godmother's grand-daughter, a beautiful young woman married to a Greek, happened to be a particularly close friend of the Prime Minister, that I succeeded in getting rid of the $800,000 annual tax. I remember saying to myself at that time that I earned my retainer for the rest of my days - indeed, my annual retainer from the Company is merely $30,000, which, if you deduct it from the original annual tax, leaves an annual balance of $770,000 to the Company's credit.

There has never been a dull day in my life ever since I joined the Company.

Annexes

Cette lettre de Makinsky confirme les relations amicales entre le président de la Compagnie et Ike Eisenhower. Le général fut à l'origine de la présence de Coca-Cola aux côtés des troupes de Libération. Bob Schulz était son assistant personnel.

ALEXANDER MAKINSKY

13, RUE MOLIÈRE
75001 PARIS FRANCE

June 26, 1981

Dear Mr. Woodruff,

The last person who brought me some good news of you was Joe Jones, whom I was so happy to see after an interval of several years.

I just spent two weeks in Washington, where I went (at my own expense) for the purpose of renewing my Republican contacts of the Eisenhower era and of meeting the leaders of the new Reagan Administration. The trip was most successful, and among many others I saw was our old friend Bob Schulz, who asked particularly to be remembered to you and who always recalls with nostalgia the days when you, General Eisenhower and he used to have lunch at the Coq Hardi. Bob looks exactly as young as he did twenty-five years ago, and I assured him that you, too, haven't changed a bit.

My only regret is that I was under such pressure in Washington that I didn't have time to pay you a visit in Atlanta. But I hope to make up for it on another similar occasion.

With warmest regards, in which Ina joins me,

Devotedly,

Alexander Makinsky

Coca-Cola, l'enquête interdite

Ce mémorandum du 8 octobre 1947 prouve que Coca-Cola surveillait étroitement les stratégies commerciales de Pepsi-Cola. La deuxième partie du document est la transcription d'une lettre envoyée par le président de Pepsi à l'ensemble de son réseau.

The Coca-Cola Company
NEW YORK, N. Y.

ADDRESS REPLY TO
ATLANTA 1, GA.

October 8, 1947

Memorandum to: MR. W. J. HOBBS

F r o m: E. J. FORIO.

Attached is copy of letter which
was sent out by Walter Mack, under date of September
17th, which, if you have not seen, may be of inter-
est to you.

E. J. FORIO.

atb;

cc: Mr. Woodruff
  " Jones
  " Nicholson
  " Steele
  " Ralph Hayes
  " Oehlert
  " Sharp.

Annexes

PEPSI-COLA COMPANY
47-51 33rd Street, Long Island City 1, New York

Office of the President

September 17, 1947

TO ALL MEMBERS OF THE PEPSI-COLA FAMILY:

I have received a number of inquiries from stockholders about what the recent ending of industrial sugar rationing on August 1st means to Pepsi-Cola.

For the first time in over five years your Company is now free from all governmental controls and restrictions and the officers of the Company are immediately putting into operation plans for the sale and merchandising of Pepsi-Cola along all fronts. Following are some of the points of the program now under way:

(1) The Company has just instituted a new method of manufacturing and shipping Pepsi-Cola concentrate to its Bottlers. This results in considerable savings in container costs, labor, and freight, and has allowed the Company to reduce the price of concentrate to its Bottlers to approximately the same level as before the war. This is most helpful to the Company's Bottlers.

(2) The aggressive merchandising of bottled Pepsi-Cola in all stores across the Nation is being pushed. In this connection, many of the franchised bottlers are putting on a special drive to see that Pepsi-Cola is again available in the retail stores in their territories at 5 cents for the big, big bottle.

(3) The sale of Pepsi-Cola at the soda fountains is now being put into effect. We did considerable experimenting and a great deal of research work on this program during the war, but it was impossible to launch it sooner because of the shortage of sugar. New fountain dispensers are now being delivered from the manufacturers and installed. This program will take time for full development but we hope that most areas throughout the country will be covered between now and the end of 1948.

(4) The development and distribution of automatic vending machines which will vend to the public a large paper cup of Pepsi-Cola for 5 cents is going ahead. Some of these machines are now in the process of manufacture and distribution, and will be placed in locations by authorized franchisees throughout the country as they are delivered. This program is also one which will take time for full development, but should be an important addition to the growth and sale of Pepsi-Cola throughout the Nation.

(5) The Export Department is now developing foreign franchises as rapidly as machinery and local conditions in the various countries warrant. This program is now under way and Export sales are growing.

I am glad to be able to report progress.

Sincerely,

Walter S. Mack, Jr. Preside

417

Coca-Cola, l'enquête interdite

Dans les années 1950, alors qu'officiellement Coke refusait de parler de Pepsi, la Compagnie poursuivait son étude de « l'imitateur ». Ces tests de laboratoire démontrent que Coca-Cola vérifiait le caractère authentique des publicités de Pepsi-Cola.

Wm. P. W.

August 6, 1953

MEMORANDUM TO: Dr. O. E. May

<u>Check of Calories in Pepsi-Cola</u>

Since the first of January this year we have checked bottles of Pepsi-Cola obtained throughout the United States and Hawaii. This was done as a check on the advertising campaign of "reduced calories."

These results are varied, but no evidence was found that there has been any appreciable reduction in sugar content. As an example - average of samples obtained in Chicago in 1950-51 was found to be 13.34 calories per ounce, while two cases obtained in January 1953 varied considerably. A case of 12 oz. bottles had an average of 14.10 calories per ounce and a case of 8 oz. bottles had an average of 13.25 calories per ounce; while samples obtained in February showed somewhat opposite results, 13.13 calories per ounce in 12 oz. bottles and 13.35 calories per ounce in 8 oz. bottles.

One sample obtained in Atlanta in 1950 showed 13.80 calories per ounce, while the average for six samples obtained monthly this year had an average of 13.30. The high was 13.75, and the low was 12.70 calories per ounce.

Samples obtained in Baltimore over a period of six months this year had an average of 13.35 calories per ounce, with a high of 13.61 and a low of 13.07. I have no results from 1950 for a comparison. However, two samples from Silver Springs, which possibly were bottled in Baltimore, had an average of 13.73 calories per ounce.

Five samples obtained in Dallas this year had an average of 13.10 calories. I have no record of any sample obtained in Dallas prior to this year.

Four samples obtained from Kearny showed an average of 12.80 calories per ounce.

Four samples obtained in Los Angeles had 13.25, while one sample obtained in 1952 had 13.20 calories per ounce.

418

Annexes

New Orleans	5 samples	13.20 calories
Portland	5 samples	13.55 calories
San Francisco	5 samples	13.35 calories
Honolulu	5 samples	13.25 calories

A total of 64 samples has been checked in this series. The average was found to be 13.41 calories per ounce.

In 1950-51 we checked quite a large number of bottles of Pepsi-Cola for sugar content. This was in connection with the advertising campaign of "more bounce per ounce." At that time, we found the national average to be 13.67 calories per ounce of beverage.

At the time of the check on Pepsi-Cola, a check was made on Coca-Cola. The average was found to be 12.70 calories per ounce.

Atherton

419

Coca-Cola, l'enquête interdite

Mémorandum de Burke Nicholson à Robert Woodruff
Nicholson exposait dans ce rapport les difficultés rencontrées
par la marque pour obtenir du sucre en Angleterre. Une mauvaise nouvelle de plus pour la Compagnie qui avait misé sur un
développement en Europe.

The Coca-Cola Export Corporation

P. O. DRAWER 351
WILMINGTON, DEL.

CABLE ADDRESS
"COCACOLA"

Confidential   January 26, 1940   IN REPLYING PLEASE REFER TO

Mr. R. W. Woodruff,
Atlanta, Georgia.

Dear Mr. Woodruff:

The Food Ministry in Britain has announced a sugar
ration for various industries. For our ration we get only
25% of the previous year's purchases. Fortunately, we have
enough stock in England to last us up to July and strong efforts
are being made by Mr. Gunnels in England to obtain a larger
ration. Whether he will be successful or not, we do not know.

Apparently, the Authorities there are encouraging
bottlers to use some other sweetener besides sugar. In fact,
by their action, they are forcing bottlers to do this.

Generally speaking, I would say that if we cannot
obtain sugar, we cannot supply Coca-Cola to the market. On the
other hand, I thought I had better let you know what the situation is in the event any advance consideration is to be given
to the matter.

Cordially yours,

HBN/mm

Annexes

Mémorandum de Burke Nicholson à Robert Woodruff. Ce document détaille les problèmes rencontrés pour approvisionner l'Allemagne, deuxième marché de la Compagnie. On y apprend également que Max Keith tentait de fabriquer son propre sirop, confirmant ainsi la transmission de la fameuse formule secrète.

The Coca-Cola Export Corporation

P. O. DRAWER 331

WILMINGTON, DEL.

January 26, 1940

CABLE ADDRESS
"COCACOLA"

IN REPLYING PLEASE REFER TO

Confidential

Mr. R. W. Woodruff,
Atlanta, Georgia.

Dear Mr. Woodruff:

I am advised by Mr. Kalis, our Swiss Manager, that he was informed recently by Mr. Keith that he has purchased already a quantity of No. 5 in his own country and was satisfied with it.

Some experiments were made during the early part of last year, following conversation with Dr. Heath in America the previous autumn, but, at the time I left Europe, the sample product made up with the No. 5 secured within the country was not satisfactory. I take it, however, that Mr. Keith, through his chemists, has done substantial experimental work on this item since the war began, and I would express the opinion at this time that they probably have done a pretty good job. I know this situation is highly undesirable, but I am afraid it may be one beyond our control.

All the other products, except Sevenex, he is obtaining within the country on a fairly satisfactory basis so far as future stocks are concerned. He has enough Sevenex to last probably five months yet. We are currently trying to devise some means of getting an additional shipment to him. I would prefer not to write about ways and means of doing this.

There is some substantial doubt in my mind, however, that we shall be able to continue supplying him with Sevenex and before the year is over we may be faced with the necessity of letting him build an alternative Sevenex within the country. I dislike to bring up such unpleasant subjects, but I think we ought to face them.

Dr. Heath and Dr. Gasparri have made some investigations while they were in Germany two years ago along the line of securing the materials necessary for Sevenex. Possibly you might wish to discuss the matter with these gentlemen.

I should have mentioned in the first part of this letter that Mr. Keith has enough No. 5 from America to last him about five months yet, before he will find it necessary to use the local No. 5 which he has purchased there.

Cordially yours,

HBN/mm

421

Coca-Cola, l'enquête interdite

Face à la crise européenne, Arthur Acklin, le responsable juridique de Coca-Cola, rechercha des façons de contourner le blocus britannique pour continuer à approvisionner le IIIe Reich. Parmi les pistes évoquées, la Suisse, l'Italie mais aussi le Japon et la Sibérie.

Atlanta, Georgia
February 6, 1940

MEMORANDUM TO MR. R. W. WOODRUFF:

I spent most of yesterday with Mr. Nicholson discussing the subjects outlined in his two recent letters to you dealing primarily with our ability to obtain sugar in England and various other raw materials in Germany. The impression given in his letters is not indicative of his attitude, nor of what he is actually undertaking. It, of course, is unfortunate that he expressed himself as he did.

I believe it better to outline to you the present situation in so far as the British blockade is concerned in order that you may understand more fully what we are confronted with.

It seems that any shipment made with Germany as its ultimate destination must at present go either through Holland or through Italy and Switzerland. Upon the shipment being received, either in Holland or Italy, if an effort is made to re-ship a permit must first be obtained from the local Dutch or Italian authorities, after which, under an agreement between each of these countries and England, a permit must also be obtained from the British Consul. The British Consul is, of course, refusing to grant any permits with the hope that all German industry will in this way be paralyzed. The only remaining hope is that the shipment might be made to a consignee in Switzerland, the route, of course, being through Italy. Shipments of this type are normally held up in Italy by the British authorities with a resultant investigation for the purpose of determining whether or not the supply of material is in keeping with previous shipments made to the Swiss consignee, and if so, it is permitted to pass through; otherwise, the shipment is confiscated. We have one such shipment enroute at the moment to a Swiss consignee with the hope that because of the fact he is friendly to us he will be able to prove that he is now engaging in business and will require this entire supply of material.

There is one final way of undertaking to get the material into Germany, that being through Japan, Siberia and Russia, which Mr. Nicholson also plans to experiment with in the immediate future. The only other legitimate plan is to arrange that some responsible exporting house in Italy which may have the ability to get a shipment of this type through without incurring the ill will

Annexes

Dans ce rapport, Burke Nicholson revenait sur l'Angleterre, expliquant que le concessionnaire de la marque allait tenter d'utiliser ses réseaux politiques afin d'éviter les rationnements de sucre. Évoquant ensuite l'Allemagne, il assurait Woodruff que différentes pistes étaient à l'étude mais qu'il « ne serait pas prudent » de les mettre par écrit.

The Coca-Cola Export Corporation

P. O. DRAWER 361
WILMINGTON, DEL.

February 8, 1940

CABLE ADDRESS
"COCACOLA"

IN REPLYING PLEASE REFER TO

Mr. R. W. Woodruff,
Atlanta, Georgia.

Dear Mr. Woodruff:

Last week I wrote you two letters; one about the question of rationing of sugar in England, and the other about difficulties with reference to No. 5 and Sevenex in Germany.

In talking with Mr. Acklin about these matters this week, he seemed to think you gave some indication of feeling that I was sort of laying my troubles on your shoulder.

Possibly I should have stated in my letters to you that the matters were referred to you only for the purpose of the record and keeping you informed, whereas meanwhile all necessary steps possible were being taken.

For example, about the sugar rationing in England, when I received Gunnels' cable about this and his suggestion about using an alternative sweetener, I cabled him immediately that this would not be permitted and he had better get busy pulling strings with the Government in England to get enough sugar to save his business, and that in the event he could not get sugar, then his business would be shut down. After that notice had been given Gunnels, it was then that I wrote you about the situation just to keep you informed, as above stated.

I had a long talk with Mr. Acklin about the German situation and I think all three of us are in entire accord, and please be assured that at least a half dozen irons are in the fire, working on the specific troubles of the German Company, and I expect that, as always, we will find some way to get through the difficulties without necessarily sacrificing the principles and policies which are fundamental.

I think it unwise to write about all these ways and means that are being used, but I think Mr. Acklin was quite satisfied, after he talked with me and found out what was being done.

It may be that I will get to see you next week down in Atlanta and will tell you more about it.

Yours sincerely,

HBN/hm

Coca-Cola, l'enquête interdite

Dans ce mémorandum à Robert Woodruff, Arthur Acklin évoquait une nouvelle route contournant le blocus sur l'Allemagne nazie. Il s'agissait cette fois de passer par la Roumanie. Par prudence, Acklin conseillait l'utilisation d'un langage codé.

February 16, 1940.

There are no regulations which would prohibit our shipping merchandise to a consignee in a neutral country, such as Switzerland or Rumania, provided we relinquished title to the goods. The American Export Lines operate direct to the Port of Constanta in Rumania. A British navicert would not be required by the American Export Lines. Cargo would be inspected at Gibraltar. The British would have no grounds on which to intercept a shipment to a bona fide consignee at Constanta. The British may have their agents in Constanta question the consignee about the use of the goods to determine they were not re-exported to Germany. If the goods were consigned to a customs broker at Constanta, he would clear and re-ship to some house in the interior of Rumania, preferably one who imports extracts for beverages.

Mr. Keith, by pre-arrangement, would order supplies from the extract house in the interior of Rumania, who would place the order with us, giving us instructions to consign to the customs broker at Constanta. All proforma invoices would be made out in the name of the customs broker. It would be necessary for Mr. Keith to determine whether the merchandise could be entered in Rumania in bond, shipped to the interior in bond, and then re-shipped to Germany. It would probably be safer to enter the merchandise in Rumania and pay duty, then pay duty again in Germany. The original invoice price could be set very low for this purpose. Someone in Europe would need to determine that there were no restrictions against importing the merchandise into Rumania and arrange for a proper classification.

For the purposes of ordering merchandise, a plain language code (simplified so that it could be committed to memory) could be used. For fear of interception, it would be preferable to relay messages from Rumania through our own office at Genoa.

When the merchandise is originally manufactured at Baltimore, it should be written off the Company's books either as a shortage or damage, so that no charges will originate against anyone in Europe.

If the shipment through Switzerland is not cleared, the above plan could be tried. However, if the shipment through Switzerland is not questioned, we should duplicate it immediately.

It would be necessary to work out the detail of so involved a method with Mr. West to take back to Europe verbally, or else it would become necessary to send someone from here to work it out with Mr. Keith. Mr. Keith would have to establish a friendly relationship with some reputable house in the interior of Rumania that he could be certain to rely upon. Transit time to Constanta is approximately three weeks. The distance from there into Germany is not great.

Annexes

Ce deuxième extrait du mémorandum d'Acklin en date du 6 février 1940 est capital. Il prouve qu'afin de rester en Europe de peur d'y perdre les droits sur sa marque, The Coca-Cola Company créa un Coke bis. Et prit les mesures nécessaires pour transmettre cette recette à ses embouteilleurs européens. Deux mois plus tard, Coca-Cola Gmbh lança le soda Fanta.

Mr. R. W. Woodruff
February 6, 1940
Page 2

of the English authorities and thereby being blacklisted, which fact might possibly effect our Canadian, Australian and South African business.

In so far as the specific materials is concerned the result of our rather lengthy discussion, together with Mr. Sibley, was that we might be able to obtain, with proper safeguards, a supply of No. 5 and would re-investigate all channels to see if proper ingredients might be obtained there for No. 7; if so, Dr. Caspari would go to Germany and make up a supply.

If necessary to entirely discontinue the sale of our product as such, Nicholson is now working with Dr. Heath for the purpose of having another product ready to be sold under another name. At that time we should consider marketing this new product primarily for the purpose of holding together our organization and facilities, and at the same time protecting our trademark by preventing some other product being sold under the name of Coca-Cola.

Mr. Nicholson's present plan is to convey rather definite instructions through Mr. West, who leaves for Europe during this next week, to Messrs. Bekker and Keith, having in mind that it may be necessary for him to go to Europe within the next month or two, although Mr. Bekker rather thoroughly understands at present, and will be better prepared with the information which will be furnished him through Mr. West, to go forward with all of the above protective steps.

AAA/R

TABLE

DEUXIÈME PARTIE
Global

Table

TROISIÈME PARTIE
Deux guerres

Cet ouvrage a été imprimé par la
SOCIÉTÉ NOUVELLE FIRMIN-DIDOT
Mesnil-sur-l'Estrée
pour le compte des Éditions Flammarion
en février 2006

Composition et mise en page

NORD COMPO
m u l t i m é d i a

Imprimé en France
Dépôt légal : janvier 2006
N° d'édition : FF 876405 – N° d'impression : 78299